DOCHTERS VAN EUROPA

Opgedragen aan Johanna en Niels,
mijn verleden en mijn toekomst.

DOCHTERS VAN EUROPA

Een familiegeschiedenis

Anne Baaths

Davidsfonds/Literair

Baaths, Anne
Dochters van Europa. Een familiegeschiedenis

© 2009, Anne Baaths en Davidsfonds Uitgeverij nv
Blijde Inkomststraat 79, 3000 Leuven
www.davidsfondsuitgeverij.be
Omslagontwerp: Daniël Peetermans
Vormgeving binnenwerk: Smets & Ruppol

D/2009/0201/04
ISBN 978-90-6306-589-8
NUR 301

Elke gelijkenis met bestaande gebeurtenissen of personen berust op toeval.

INHOUD

Proloog   7

Maria   19
  Zonder zorgen   21
  Een aanzoek   32
  Oorlog   53
  Revolutie   72
  Ontmoeting   89

Johanna   117
  Opgroeien onder het communisme   119
  Verdwenen   138
  Evacuatie   162
  Bezetting   181
  Deportatie en bevrijding   204

Jacqueline   235
  Duitsland na de oorlog   237
  Jeugdjaren   251
  Eerste huwelijk   267
  Tweede huwelijk   295

Anne   311
  Anders   313
  Student   342

Epiloog   377
Dankwoord   387
Stamboom   388

Het zijn niet de littekens
Die de mens draagt
Maar het is de manier
Waarop hij ze draagt
Die van hem een held maken.
Ik
Ben geen held.

PROLOOG

Birzai, Rusland (nu Litouwen), maart 1871

Snel rende gravin Amalia Tischkevitsch door de voorjaarsnacht. Haar halfhoge lederen laarsjes brachten haar over het met
grind bedekte pad weg van wat eens haar thuis was. Ze droeg
een praktische katoenen effen koningsblauwe wandeljurk, on-
deraan afgebiesd met een wit lint van drie centimeter breed.
Ook de halslijn en de manchetten vertoonden dezelfde witte
boord. Alleen waren die niet zichtbaar want om zich tegen de
heldere bitterkoude voorjaarsnacht te beschermen, droeg ze een
getailleerd zwart wollen jasje met een aansluitende hoge kraag.
Over haar hazelnootbruine haren hing losjes een zwarte katoenen sjaal, waarvan ze de uiteinden informeel enkele malen rond
haar hals had gedrapeerd. De sjaal schoof een beetje terug over
haar haren, ongetwijfeld door het snelle lopen, zodat een deel
van haar zorgvuldig gecoiffeerde kapsel te zien was. Een klein
tasje waarin haar kostbaarste bezittingen staken, onder meer
het setje juwelen, een prachtige combinatie van briljanten en
smaragden, dat ze van haar ouders voor haar verjaardag had
gekregen, vervolledigde het beeld.

Ze had haar kleding met zorg gekozen, want ze wilde er als
een burgermeisje uitzien. Als de dochter van de plaatselijke
koophandelaar bijvoorbeeld, of de bruid met wie haar vaders
rentmeester enkele weken geleden getrouwd was, maar zeker
niet als de oudste dochter van graaf Tischkevitsch. Zo had ze
geen hoepeljurk aangetrokken aangezien ze niet wist wat
Nicolai allemaal van plan was. Stel dat hij haar over omgeval-
len boomstronken zou laten klauteren of door een beekje zou
laten waden. Een crinoline zou dan niet geschikt zijn. Paardrij-

den zou al helemaal onmogelijk worden. Ten tweede zou het haar erg verdacht maken, een burgervrouw droeg alleen een hoepel bij feestelijke gelegenheden, en dan liep ze kans ontdekt te worden.

Haar vader zou zeker naar haar op zoek gaan, een beloning uitloven voor diegene die wist waar zijn oudste dochter verbleef. Wanneer Amalia snel teruggevonden zou worden, kon het schandaal, gecreëerd door haar dan betwistbare reputatie, binnenskamers worden gehouden. De graaf zelf was immers een trouwe bondgenoot en zeer goede vriend van de tsaar. De graven Tischkevitsch onderhielden al tientallen jaren nauwe banden met de Romanovs en mochten zich tot de intimi van de keizerlijke familie rekenen. In de laatste decennia was Amalia's vader uitgegroeid tot een van de machtigste mannen in het uitgestrekte Russische Rijk. Hoe zou de elite van de Russische adel wel niet reageren wanneer de huwbare dochter van een oud en gedistingeerd geslacht afwezig bleef op de tientallen bals en soirees die er deze winter in het zeshonderd kilometer verre Sint-Petersburg werden gegeven? En Sofie, haar kamenier, zou het morgen waarschijnlijk flink te horen krijgen wanneer haar verdwijning bekend werd. Het was immers haar taak om dag en nacht voor Amalia klaar te staan. Een verdwenen dochter zou bij de graaf ernstige vragen oproepen betreffende de loyaliteit van haar kamenier.

Maar daar dacht Amalia op dit moment niet aan. Buiten adem, haar hart kloppend in haar keel, bereikte ze de altijd geopende, grote poort. Amalia leunde hijgend met haar rug tegen de kop van een van de twee zittende stenen leeuwen die de steunpilaren vormden voor het gietijzeren hek en keek om. Naar de lange oprijlaan die ze zonet helemaal had afgelopen, naar de twee rijen jonge linden die de grens aangaven waar het witte grind van het rechte pad overging in een vlak, netjes onderhouden gazon, naar de verweerde knoestige eikenboom waar ze als kind zo graag in klom. Naar het einde van de oprijlaan waar een wit, laatklassiek huis stond, beschenen door de heldere volle witte maan. Naar haar slaapkamer, drie ramen breed, op de eerste verdieping, schuin rechtsboven de dubbele eiken voordeur. Naar de twee vleugels die zich aan beide zijden van het centrale gebouw uitstrekten. Naar de toren die haar moeder als hobbyruimte had ingericht en waarin zij zich graag terugtrok als Amalia haar met haar wilde buien weer eens een migraineaanval bezorgde. Je had van daaruit een prachtig uitzicht over de bossen van haar vader die tot ver achter de horizon reikten.

Haar warme adem maakte een mistig wolkje in de koele nachtlucht. Amalia verplaatste haar steunpunt van de rug naar de rechterschouder en legde haar linkerhand gespreid over de golvende manen van de koude leeuw, alsof ze het dier groette. Dat had ze zo vaak gedaan als kind, wanneer ze terugkwamen van de vele reizen naar Sint-Petersburg, waar Amalia en haar familie diverse feesten en opera's bezochten onder het waakzame oog van tsarina Maria Aleksandrovna, de echtgenote van de nu stevig op de troon zittende tsaar Alexander II. Maar ondanks de pracht en de praal, de bals, het vertier en de vriendinnen die ze daar had, was Amalia oneindig veel liever hier, in het Astravapaleis dat haar vader Jozef tien jaar geleden had gebouwd. Hier was ze vrij, hier kon ze paardrijden, gillend met haar zes jaar jongere zusje Evelyne door het bos rennen zonder dat iemand daar een opmerking over maakte, hier kon ze ademen als ze dat wilde. Hier had ze kunnen ademen, maar nu niet meer. Als Amalia hier bleef zou ze de verstikkende gevolgen voelen van de sociale regels en de etiquette die haar klasse in acht nam. Dan zou ze Astrava evengoed moeten verlaten, waarschijnlijk nog ongelukkiger dan ze nu al was. Haar gezicht volgde dezelfde weg naar het ruwe beeld als haar hand zo-even had gedaan. De koude, levenloze steen tegen haar verhitte wang gaf haar de kans om even op adem te komen.

Waarom moest papa ook zo nodig eisen dat Amalia de wens van haar overleden grootvader Mykolas inwilligde en zou huwen met een verre neef die ze twee jaar geleden slechts eenmaal kort had gezien in Sint-Petersburg, net genoeg om aan hem voorgesteld te worden? Ze kon zich zijn gezicht niet eens meer voor de geest halen. Amalia herinnerde zich wel nog dat hij vrij klein was en een onverzorgde donkere baard had. En dan die naam! Wie heet er nu Felix, precies de naam van een hond.

Hoe Amalia's verloofde zelf dacht over dit huwelijk wist ze niet. De jonge gravin had hem sinds hun kennismaking niet meer gesproken, maar dacht wel dat hij tevreden zou zijn over zijn aanstaande, want van haar moeder hoorde Amalia dat Felix verarmd was door de gokschulden van zijn recent overleden vader. Het was hun plicht om familieleden in nood te helpen en zo de eer van het geslacht Tischkevitsch hoog te houden, wist mama haar te vertellen. Haar aanzienlijke bruidsschat zou de financiële put zeker delven.

Amalia had nog met zachte hand geprobeerd haar vader te overhalen om terug te keren op zijn beslissing. Maar alles was in een oogwenk geregeld, in kannen en kruiken. De wil van de graaf was immers wet en zijn oudste dochter had zich daarbij neer te leggen. Binnen drie weken zou het hele gezin, Amalia, haar ouders en Evelyne, vertrekken naar de kuststreek, bij Klapeida. Daar zou het huwelijk doorgaan. Maar toen de jonge gravin de vertrekdatum dichterbij zag komen, de voorbereidselen voor de reis en het geplande huwelijk vastere vormen zag aannemen en steeds meer gevulde koffers zag staan, kreeg ze het met de dag benauwder.

Ook Nicolai zag het met lede ogen aan, maar hij had zijn gevoelens opgekropt. Ervan overtuigd dat hij de enige was die straks pijn zou lijden, als Amalia eenmaal afscheid van hem had genomen om elders een ander leven te beginnen. Zonder hem.

Lieve, lieve Nicolai. Mama was niet erg opgezet geweest met de vriendschap die Amalia met de jonge Freiherr Nicolai Bartachevitsch had gesloten. Niet dat mama onaardig was tegen Nicolai, haar uitstekende opvoeding verbood haar dat, maar hij was niet van hun stand, geen oeradel.

De Bartachevitschen hadden hun titel in de loop van de achttiende eeuw verkregen bij wijze van een oorkonde, verdiend door het verlenen van diensten aan de kroon, en behoorden dus tot de zogenaamde oorkondeadel. Er bestond een aanzienlijk sociaal verschil tussen beide adellijke klassen. Families behorende tot de oeradel, diegenen die hun titel sinds mensenheugenis droegen, beschouwden elkaar als familie terwijl oorkondeadel voor hen net zo goed burgers konden zijn. Huwelijken tussen beide klassen werden daarom als inferieur en schandelijk ervaren.

Amalia had vanaf het begin een warm plekje in haar hart voor Nicolai, wiens ouders in het naburige kasteel woonden. Van kindsbeen af hadden ze met elkaar gespeeld onder het waakzame oog van hun kinderjuffen, die regelmatig elkaars gezelschap opzochten. En later, toen Amalia een gouvernante kreeg toegewezen en Nicolai een leraar, konden beide jongeren hun gewoonte niet meer afleren om onaangekondigd bij elkaar langs te gaan. Nicolai was enig kind en Amalia had geen grote broer om naar op te kijken. Papa en mama hadden ingezien dat Amalia die uitlaatklep nodig had om zich weer te kunnen opladen voor de muffe sociale engagementen in Sint-Petersburg. De relatie tussen beiden was heel onschuldig. Ze gingen met elkaar om als broer en zus en maakten zelfs nauwelijks ruzie.

Maar haar ouders hadden zich schromelijk vergist. Voor de buitenwereld en voor elkaar leken Nicolai en Amalia inderdaad als broer en zus. Wat niemand wist, was dat Amalia de laatste twee jaar heimelijk verliefd was op haar buurjongen. Overtuigd dat het niet wederzijds was, had ze haar gevoelens angstvallig verborgen gehouden. Voor haar omgeving maar ook voor Nicolai, uit angst bij een bekentenis haar enige en beste vriend, haar steun en toeverlaat te verliezen. Want bij hem kon ze gek doen als ze dat wilde, of net helemaal niet. Ze voerden tijdens hun vele wandelingen ellenlange gesprekken over wat ze later wilden gaan doen of naar welke verre oorden ze wilden reizen. Beiden wisten dat hun toekomst er lang niet zo spannend zou uitzien als in hun dromen maar een aaneenschakeling zou worden van soirees en bals, feestelijke lunches en paardrijlessen.

Nee, met Nicolai verveelde ze zich geen moment en bij hem vond ze steun als ze die nodig had.

Ook Nicolai had de laatste jaren een zekere spanning opgemerkt in zijn relatie met Amalia. Die opwinding was de laatste weken alleen maar toegenomen. Soms wist hij niet wat te zeggen en heerste er een soort van drukkende geladen stilte tussen hen. Op andere momenten had Nicolai op het punt gestaan zijn hartsvriendin de waarheid over zijn gevoelens voor haar te bekennen. Net op het laatste moment herinnerde hij zich dan altijd zijn sociale status. Wanneer hun ouders achter de ware gevoelens van hun kinderen zouden komen, zou dat een breuk betekenen tussen Amalia en Nicolai. Dat wilde hij niet riskeren. Dus slikte hij zijn woorden maar weer in.

Uiteindelijk was eergisteren gebeurd wat moest gebeuren. Tijdens een van hun vele wandelingen was Amalia in tranen uitgebarsten en had ze hem bekend helemaal niet met die neef te willen trouwen.

'Ik kan het niet, ik kan het echt niet doen. Het gaat in tegen mijn eigen overtuiging, tegen alles wat ik voel. Ik kan echt niet met die Felix trouwen!'

'Ssssst, stil nu maar.' Nicolai legde zijn arm troostend om haar schouders en depte met een zakdoek de tranen van haar wangen. Zijn hart brak om zoveel machteloosheid. 'Ik vrees, meisje, dat het nu eenmaal zo gaat in jouw kringen. Gearrangeerde huwelijken zijn meer regel dan uitzondering. We wisten dat het er ooit van zou komen. Een huwelijk uit liefde is een utopie.' Hoewel Nicolai zelf daar heimelijk nog het meest problemen mee had. Hij had gedurende hun ommetje de tijd genomen om even met Amalia op een boomstronk te gaan zitten en haar te kalmeren.

'Dat begrijp ik. Maar dan moet ik mijn aanstaande toch minstens kennen... er een diepe vriendschap voor voelen voor ik me voor de rest van mijn leven met die man verbind?' snifte ze. 'Als ik eerlijk ben met mezelf en mijn diepste gevoelens, dan vertik ik het om me te begraven in een liefdeloos huwelijk!'

Amalia was opgeveerd en had, met haar vuisten gebald, ondamesachtig met grote stappen heen en weer gemarcheerd. 'Het is tijd om mijn leven in eigen handen te nemen', vond ze. Nicolai zat nog altijd op de dode stronk naar haar te kijken. Met zijn ellebogen leunde hij op zijn knieën, zijn handen hingen als in gebed nonchalant daartussenin. Hij overzag de situatie en beoordeelde zijn jeugdvriendin. Dit was helemaal Amalia zoals hij haar kende. In een oogwenk kon ze van totale verslagenheid, verdriet en complete wanhoop omslaan in een vrouw met een vechtlust van wie generaals van Napoleon nog schrik zouden krijgen. Het was die vechtlust, die passie die Nicolai zo in haar bewonderde en naar haar deed verlangen. In dat korte moment had hij een besluit genomen.

'Wanneer je, zoals je zelf zegt, je eigen leven in handen wilt nemen, moet je daar wel de consequenties van dragen. Zou je dat kunnen?'

'Natuurlijk! Jij weet beter dan wie ook dat ik best tegen een stootje kan. Ik val niet flauw, zoals een doorsnee adellijk juffertje bij het minste dat tegenslaat', klonk het zelfverzekerd.

Nicolai glimlachte. Dat klopte inderdaad.

'Daarnet zei je dat je verloving met die Felix ingaat tegen je eigen overtuiging, tegen alles wat je voelt. Maar zeg me eens... Wat voel je dan?' Nicolai tastte verder af. Voor hij zijn liefde voor Amalia uitte, moest hij zeker zijn. Nicolai voelde zich laf, maar hij kon niet anders. Er hing zoveel van haar antwoord af.

Amalia merkte dat Nicolai haar voor het eerst van haar stuk bracht. 'Hoe bedoel je? Dit gesprek gaat wel een beetje de onfatsoenlijke kant uit!' In een oogwenk verschool ze zich ter verdediging achter haar sociale masker. 'Je vraagt een dame toch niet naar haar gevoelens?'

Amalia had gelijk. Hoewel Nicolai en zij elkaar al van hun geboorte kenden, had hun strikte opvoeding hun ervan weerhouden om over iets echt diepzinnigs te praten. Daar lag meer dan waarschijnlijk de reden waarom hij tot op heden zijn eigen gevoelens niet aan Amalia kenbaar had gemaakt en dat zelfs nu nauwelijks durfde. Dit ging de verkeerde kant uit. Het laatste wat Nicolai nu nodig had, was Amalia die haar stekels opzette.

'Ik bedoel... aan welke eisen moet volgens jouw overtuiging een echtgenoot voldoen?' De onzekerheid schemerde door zijn stem.

'Ah, zo...'

Amalia dacht even na. Hoeveel van het antwoord zou ze onthullen? Zeker niet alles. Dat zou haar kwetsbaar maken. De spanning werd voelbaar.

'Hij zou me moeten respecteren en een goede conversatiepartner zijn, dezelfde interesses hebben als ik, moderne opvattingen hebben over opvoeding en... hij zou van me moeten houden.'

Nicolai schaterde het uit. 'Wat jij zoekt, is een schoothondje! Je vindt nooit een man die aan al je eisen voldoet.'

Amalia fronste haar wenkbrauwen en wierp ter verdediging op: 'Maar ik zou ook van hem houden en hem respecteren en kinderen schenken!'

Ze verloor niet graag een discussie.

Nicolai werd opnieuw bloedserieus: 'Amalia, ik daag je uit. Noem één man die aan al die eisen voldoet.'

De jongeman wist dat ze hieraan niet zou kunnen weerstaan. Amalia was, als het hierop aankwam, de moedigste van hen beiden.

Amalia stond als aan de grond genageld. Ze was in de val gelopen. Weer die onbehaaglijke stilte. Ze durfde Nicolai nog nauwelijks aan te kijken, bang dat hij de waarheid in haar ogen zou lezen. Door haar wimpers taxeerde de jonge gravin haar gesprekspartner. Hij knikte traag en bijna onmerkbaar. Precies om haar aan te moedigen. Had hij het geraden?

Amalia keek weg.

'Jij.'

Nicolai strekte zich van de boomstronk en zette die ene stap die nodig was om Amalia van haar spanning af te helpen. Hij voelde zich schuldig vanwege zijn tactiek en wilde dat zo snel mogelijk rechtzetten. Nicolai nam haar kin tussen duim en wijsvinger en dwong haar op die manier hem aan te kijken. De onzekerheid glinsterde in haar ogen. Nog nooit had hij zoveel emotie in haar blik gezien.

'Weet jij aan welke eisen een echtgenote moet voldoen voor mij?'

Amalia schudde haar hoofd.

'Mijn echtgenote zou van me moeten houden.'

'Keuze genoeg, dan.'

'Ja, maar er is er maar één die ik wil.'

Bij die bekentenis hadden ze elkaar veelbetekenend aangekeken en volgde een dialoog waarin zoveel werd gezegd met zo weinig woorden. De herinnering deed Amalia blozen.

Na een poosje hadden ze hun wandeling vervolgd en naarmate ze vorderden, begrepen Amalia en Nicolai dat als ze hun toekomst samen een kans wilden geven, dat enkel mogelijk was als ze alles achter zich lieten en ergens anders opnieuw begonnen.

'Jij en ik weten dat jouw ouders nooit zullen toestemmen in een huwelijk met mij.'

Amalia knikte: 'Dan zullen we moeten weggaan. Alle noodzakelijke spullen inpakken, de rest achterlaten en vertrekken.'

'Kun je dat?'

'Ja. Hoe dan ook, ik zou toch moeten vertrekken. En jij?'

'Het zal niet gemakkelijk zijn, maar ik doe het graag... voor jou.'

Op de terugweg ging de tijd op aan plannen maken voor de grote vlucht. Alles moest in het grootste geheim gebeuren, zelfs Sofie mocht nergens van weten, zo kon ze ook niets verder vertellen als ze door Amalia's vader op de rooster werd gelegd. Want hoewel Amalia Sofie als een vriendin beschouwde, was haar kamenier een onverbeterlijke roddelaarster die geen geheimen voor zich kon houden. Aan haar zusje had Amalia wel alles verteld met de belofte haar te schrijven zogauw ze enig uitzicht had op een vaste verblijfplaats. Dat had Evelyne, veertien en radeloos bij het idee haar dagelijkse belevenissen niet meer aan haar grote zus te kunnen toevertrouwen, enigszins gekalmeerd.

Het plan van Nicolai was eenvoudig. Twee nachten na vandaag zou Amalia zich onopvallend kleden en wachten tot de bedienden zich hadden teruggetrokken in hun kamertjes. Als alles stil was in het huis kon ze gemakkelijk vertrekken langs de deur van de bijkeuken, de enige deur van het statige huis die altijd open was. Nicolai zou haar opwachten een twintigtal meter buiten de grote leeuwenpoort, waar de afgezaagde stam van een dode boom lag. Hij zou voor proviand en vervoer zorgen. Waar ze heen gingen, wisten ze nog niet, zo ver hun geld hen kon brengen. Plots had Amalia aan een setje juwelen gedacht dat ze bij haar twintigste verjaardag had gekregen. Die twee armbanden, een kort halssnoer en oorbellen zouden flink wat geld opbrengen mocht het nodig zijn.

Langzaam keerde Amalia terug uit haar herinneringen. Haar vingertoppen waren nu bijna net zo koud als de stenen leeuw. *Waarom, papa, waarom wilde je me dwingen te trouwen met een vreemde, zonder kans op liefde? Mijn dochters zullen vrij kunnen kiezen met wie ze hun leven willen delen. Ik zie je nooit meer terug. Het beste. Vaarwel.* Ze wist dat hij haar gedachten enkel in zijn dromen zou kunnen horen. Met een laatste blik op het slapende huis draaide ze zich om en liep door de poort. In de verte zag ze Nicolai staan bij twee opgetuigde paarden.

Toen Nicolai haar nauwkeuriger opnam, verscheen er een frons op zijn voorhoofd. Hij was niet helemaal tevreden over haar vermomming. Het zorgvuldige kapsel en de witte zoom van haar jurk verraadden, ondanks de eenvoud, haar goede afkomst. Ook met haar manier van bewegen viel ze door de mand. Toch maakte Nicolai er geen opmerking over. Hij begreep uit haar stilzwijgen dat ze het moeilijk had om afscheid te nemen en wilde dat niet nog zwaarder voor haar maken. Vlak voor hij Amalia hielp opstijgen keek ze hem heel even recht in de ogen en kuste hem hartstochtelijk op de mond. Die kus vertelde hem dat ze haar lot, haar toekomst in zijn handen legde. Nicolai besteeg zijn paard. Hij dwong de hengst stapvoets in zuidelijke richting.

Ten huize Bartachevitsch wist niemand van zijn vertrek, behalve zijn vader met wie hij een goede band had. Die had al enkele maanden aangevoeld dat zijn zoon niet langer meer zichzelf was. Nadat hij naar het hele verhaal had geluisterd, had hij Nicolai het adres gegeven van een zakenpartner in Koningsbergen. De man was betrouwbaar en zou als communicatiekanaal en geldschieter fungeren.

Amalia had zich vergist. Ze zou haar vader nog eenmaal terugzien, zeven jaar later op het huwelijk van haar zusje met wie ze een innige briefwisseling had weten te onderhouden. Daar kreeg ze in een kort gesprek te horen dat ze, gezien de schande, niet meer welkom was ten huize Tischkevitsch, hoewel ze alsnog op haar bruidsschat kon rekenen.

Amalia en Nicolai trouwden en vestigden zich in Kapytnik, een klein dorpje aan de grens met Pruisen. Nu ligt dat gehucht in Polen. Amalia's vlucht en haar huwelijk werden een succes, bezegeld met de geboorte van een dochter, Evelyne. Doordat haar verbintenis met Nicolai als een schandaal werd bestempeld, was ze verplicht zich uit het mondaine leven terug te trekken en vervreemd te raken van haar familie. Het was een kleine prijs die Amalia meer dan bereid was te betalen voor de vrijheid van haar dochters.

Nicolai en Amalia hebben Evelyne een, voor die tijd, vrije opvoeding gegeven, haar toch bewust makend van haar achtergrond, van wie ze was. Ze kon vrij haar eigen echtgenoot kiezen. Het werd een lange Noord-Duitser afkomstig uit Osnabrück, Freiherr Alexander von Gert. Wanneer je Evelynes kleindochter, Johanna, die nog altijd leeft, vraagt naar haar grootmoeder vertelt ze keer op keer hoe ondanks hun vergevorderde leeftijd de liefde en de eenheid tussen haar grootouders duidelijk zichtbaar was. Johanna heeft echter nagelaten haar grootmoeder te vragen naar haar levensverhaal. Schriftelijke getuigenissen zijn door de geschiedenis heen verloren gegaan waardoor er over Evelyne verder weinig geweten is. Maar wel dit: Evelyne was in zekere zin het buitenbeentje van de familie. Ze was rustig, altijd bemiddelend bij discussies. Dit in tegenstelling tot het passionele karakter dat gravin Amalia Tischkevitsch overdroeg op haar kleindochter, Freiin Maria von Gert. Die passie zou mee aan de basis liggen van een unieke familiegeschiedenis.

Maria

Zonder zorgen

Kapytnik, Rusland, augustus 1908

Als ik terugdenk aan mijn jeugd, dan was dat voor mij de meest gelukkige en onbezorgde tijd die ik heb gekend. Ik werd geboren op 23 januari 1894 en was de tweede dochter uit een hecht gezin van vijf kinderen.

Vanuit haar positie als eerstgeborene, was mijn vier jaar oudere zus Sofie een beetje een tweede mama voor de jongens van zeven en vier, Jan en Viktor. Niet dat mama hulp nodig had om ons in het gareel te houden, maar Sofie had het moederinstinct duidelijk in zich en nam de jongens vaak onder haar hoede. Daardoor kon ik me gemakkelijk onttrekken aan de meeste van mijn verantwoordelijkheden als oudere zus. Niet dat ik er zoveel had.

Sofie zag er in veel opzichten net zo uit als ik. Niemand kon ontkennen dat we zussen waren. Ze had dezelfde lichtbruine haren, lange postuur en scherpe gelaatstrekken als ik. Die hadden we beiden van papa geërfd. Sofie was alleen iets kleiner en breder en had priemende felblauwe ogen, die alles zagen. De mijne waren van een zilvergrijs met soms wat azuurblauw of zeegroen in, naargelang mijn stemming. Als je erin keek, leek ik altijd te dromen. Wat vaak ook zo was.

Sofie, ikzelf en Nadia, mijn twee jaar jongere zusje, kregen thuis privéonderwijs van een gouvernante, juffrouw Raschkova. Haar voornaam heb ik nooit geweten. Ze droeg altijd een zwarte japon en had iets eenzaams en melancholisch over zich. Volgens Sofie had ze, voor ze bij ons kwam, haar ouders verloren in een ongeluk. Aangezien ons gezin op dat moment om een gouvernante verlegen zat en juffrouw Raschkova van goeden huize was, werd ze aangenomen. Onze gouvernante dwong respect af en nooit hebben we het in ons hoofd gehaald haar te plagen of het leven zuur te maken. Ze gaf ons les in geschiedenis, schoonschrift, borduren en natuurlijk etiquette. Vanaf onze kinderjaren werden we gewezen op het klassenverschil en hoe we met anderen moesten omgaan. Er werd ons op het hart gedrukt niet neerbuigend met het personeel om te gaan, altijd de juiste afstand te bewaren en nooit tegen iemand over private aangelegenheden te vertellen. Niet dat ik tijdens mijn jeugd geen liefde heb gekend, maar alles gebeurde binnen de op dat moment geldende sociale grenzen.

Huishoudelijke taken werden bij ons thuis door een staf van een dozijn inwonend personeel gedaan, dus die hoefden we niet voor onze rekening te nemen. Alleen wanneer mama of papa vonden dat we ondeugend waren geweest en een lesje in nederigheid verdienden, moesten we de bedienden helpen bij hun dagelijkse taken. We hebben op latere leeftijd alleen maar voordelen uit die straffen gehaald en het zorgde voor een goede verstandhouding tussen ons en het personeel. Aan het hoofd stonden een butler en een huishoudster. Verder bestond het binnenpersoneel uit een kokkin met twee keukenhulpjes, drie kamermeisjes, een knecht en een kindermeisje voor de jongens. Het buitenpersoneel dat het domein en de tuinen onderhield, telde vijf personen: een boswachter, een tuinier, een koetsier en twee stalknechten die ook in de tuin meehielpen.

Enkel de butler, de huishoudster en onze tuinier hadden een gezin te onderhouden. Zij kregen een huisje toegewezen in het bos. Daardoor woonden er niet minder dan vijfendertig personen, inclusief de familie, in het park. Het vormde een dorpje op zichzelf. Het uitgestrekte bos bevond zich aan de oost- en noordkant van het domein. Ten zuiden kon je de uitgebreide moestuin vinden, dicht bij de keuken, en een grote siertuin met prieeltjes, een serre met exotisch geurende bloemen en een kronkelend beekje met verschillende houten bruggetjes en plekjes om ongestoord te kunnen lezen, waar ik in de zomer graag en vaak gebruik van maakte. Ten slotte kon je het huis bereiken via de lange oprijlaan met grasveld en strakke geometrische bloemperken aan de westkant van het domein.

Het overige personeel betrok de zolderkamers op de tweede verdieping van ons huis, het enige kasteeltje in Kapytnik, een gehucht dat slechts drie straten besloeg. De thuis uit mijn jeugden kinderjaren was een symmetrisch rechthoekig gebouw, zonder vleugels om de warmte in de winter beter binnen te houden, opgetrokken uit grijze steen met hoge ramen die veel licht doorlieten. Iedere kamer was gedecoreerd in een bepaalde heldere frisse kleur. Een houten lambrisering en houten plafonds vervolledigden de afwerking aan de binnenkant. Onder de zolder had je onze slaapkamers, een klein salon, het enorme boudoir van mijn moeder, vanwaar ze het huishouden bestierde, en de gastenverblijven. Op de begane grond waren diverse salons, een muziekkamer, een eetkamer, papa's kantoor en een grote ontvangstruimte voor bals en andere feesten. Hier had mijn grote zus op haar zeventiende verjaardag haar debuut gemaakt. Het was een prachtig feest geweest, had Sofie naderhand verteld, en hoewel er geen hooggeplaatste personen van buiten de streek bij waren geweest, had ze het toch enorm naar haar zin gehad. Het zou binnen een jaartje of twee, drie wellicht mijn beurt worden en ik kon bijna niet wachten tot het zover was.

Aangezien Sofie zich meestal met onze kleine broertjes bezighield, bleef er voor mij tijd genoeg over om samen met Nadia ondeugendheden uit te halen. Mijn jonge zusje, qua uiterlijk het evenbeeld van mama, had een typisch Russisch uiterlijk met wat ruwere gelaatstrekken en een bolle neus, maar de fijne gestalte van papa. Ik was de rebel van het gezin en trok die arme Nadia vaak mee in mijn avonturen. Vaak vochten we samen met de

kinderen van het personeel op denkbeeldige slagvelden. Naderhand bleken de in ons enthousiasme veroorzaakte verwondingen vaak minder ingebeeld te zijn. Bij menig ongelukje kreeg
Nadia dan meestal net zoveel straf als ik. Of een enkele keer
zelfs als enige, als ik een goed excuus wist te verzinnen om de
schuld van me af te schuiven. Die spelletjes zorgden regelmatig
voor een geruïneerde jurk. Wanneer mijn onderjurk was beschadigd bij het doorwaden van het beekje dat de grens aangaf tussen het kasteeldomein en de enige geplaveide straat van ons
dorp, dan wist ik dat met wat hulp van onze meid voor mijn
ouders verborgen te houden. Maar voor een gescheurde of ernstig bevlekte zoom van mijn wandeljurk moest ik vaak een goede
uitvlucht verzinnen. En dan was Nadia vaak het eerste slachtoffer dat bij me opkwam. Niet dat mijn smoesjes altijd zo succesvol geaccepteerd werden door mama en papa.

Zo herinner ik me de dag dat ik, ongeveer dertien en op het
toppunt van mijn puberteit, aan het ravotten was met Helena,
de dochter van Boris, onze tuinier en soms koetsier ad interim.
Niet dat Helena en ik elkaar te na stonden, zoiets begon en eindigde altijd onschuldig. Van iedereen die bij ons op het domein
woonde, was Helena immers mijn beste vriendin. Ze had lange
dikke blonde haren waar, als ze ze los liet hangen om te borstelen, geen einde aan leek te komen. Gevlochten waren Helena's
haren een dik pak, dat haar moeder achteraan op haar hoofd
cirkelde en vaststak. Ik was duidelijk minder bedeeld wat de
lengte en de kwaliteit van mijn haren betrof. Mijn haren stelden
eenmaal gevlochten niet veel meer voor. Helena was nogal mollig, maar had daar geen negatief zelfbeeld over, ze lachte altijd
en was ongelooflijk spontaan. Een eigenschap die ik enorm in
haar waardeerde. Wanneer ik met haar speelde, verschool ze
zich niet achter een vals respect voor de dochter van haar vaders
werkgever en huisbaas. In tegenstelling tot sommige andere kinderen van onze staf. Bij spelletjes ging Helena voluit voor de
overwinning, waar anderen uit schrik zich de woede van mij,
mijn zussen of broertjes op de hals te halen, zich inhielden. Niet

dat zoiets gegrond was. Noch ikzelf, noch Sofie of Nadia of de jongens zouden het in ons hoofd halen Helena of een van de andere kinderen gemeen te behandelen. Papa en vooral mama hadden ons streng op het hart gedrukt geen misbruik te maken van onze positie. Ik denk dat de kinderen de opdracht ons niet voor het hoofd te stoten vooral van hun respectievelijke ouders, ons huispersoneel, kregen. Alleen Helena trok zich van de hele zaak niets aan. We hadden de grootste pret en aangezien zij op goede voet stond met Alexandra, onze kokkin, wisten we altijd wel een tussendoortje te bemachtigen, want van al onze kwajongensstreken kregen we natuurlijk honger. Ook die bewuste dag hadden we een paar wortelen buitgemaakt. In een opwelling besloten Helena en ik om de buit te vechten. Nadia liet die kelk wijselijk aan zich voorbijgaan. Mijn zus en ik moesten zo meteen naar boven om ons te verkleden voor het diner. We hoorden Greetje, de kamenier die ons zou helpen bij het aankleden, al roepen dat we naar binnen moesten komen en waar we nu toch in godsnaam zaten. In een allerlaatste poging Helena de laatste wortel afhandig te maken, schoot ik met mijn rechterarm naar voren.

... ksssst ...

De aan de kanten polsboord lichtjes opgepofte mouw van mijn pastelblauwe crêpe namiddagjurk was blijven haken achter een oude grote spijker, die in de buitenmuur van het houten tuinhuis was geslagen. Mijn rechtermouw vertoonde aan de onderarm nu een flinke winkelhaak van gemakkelijk acht op vijf centimeter. Alle drie stopten we abrupt met het spel en hielden enkele seconden onze adem in.

'Geen kans dat mama of Sofie dat niet merken, zelfs niet als Greetje het heel mooi probeert te herstellen', constateerde Nadia droog.

'Ja, dat valt zo op', zei Helena met wat medelijden in haar stem.

Ik keek ontsteld naar mijn arm. Mijn hersens draaiden op volle toeren, snel een uitleg verzinnend om een uitbrander te voorkomen. Er was weinig tijd meer, want Greetje bleef maar roepend vragen waar we zaten. We hadden geen keus meer en moesten nu echt naar binnen. Onderweg naar onze kamers zouden we met een aan zekerheid grenzende waarschijnlijkheid mama of papa tegenkomen.

Nadia leek wat leedvermaak te hebben, ervan overtuigd dat ik dit voorval deze keer echt niet in haar schoenen kon schuiven: 'Eens zien welke uitvlucht je hiervoor gaat verzinnen.'

Ik stak plagend mijn tong uit naar haar. 'Ik vind er wel wat op.' In mijn binnenste was ik van plan haar die opmerking betaald te zetten.

'Nu moeten we echt naar binnen', gromde ik.

We namen afscheid van Helena en lieten haar achter in de moestuin met de vierde wortel nog steeds in haar hand.

Greetje, netjes gekleed in een zwarte jurk met witte kraag, schort en polsboorden, kwam ons tegemoet toen we de voordeur naderden.

'Waar hebben jullie jongedames nu weer uitgehangen?'

Ze leek meer geïrriteerd over hoe ze ons netjes en verzorgd op het geijkte uur aan het diner moest krijgen dan over de staat van ons voorkomen of waar we hadden gezeten. Greetje wilde zich de woede van Alexandra, die erop stond dat haar zorgvuldig bereide zevengangenmaal warm en stipt werd opgediend, niet op de hals halen. Het kamermeisje leek de scheur in mijn mouw niet op te merken. Haar enige zorg op dit moment was ons via de grote, houten trap in de inkomhal zo snel mogelijk op onze kamers te krijgen.

Rechts van de met de afgeronde muur van de hal meedraaiende, sierlijke trap was de deur naar papa's kantoor, vanwaaruit hij zowel de belangen van de familie behartigde als het uitgestrekte beboste domein rond het kasteel beheerde. Ook in zijn hoedanigheid als dorpsverantwoordelijke van Kapytnik, iets wat hij pas enkele jaren daarvoor was geworden, ontving hij er al eens enkele leden van de *mir*, de dorpsraad. Wanneer de voltallige *mir* van Kapytnik samenkwam, gebeurde dat in het gemeentehuis aan de andere kant van de straat, schuin tegenover de gietijzeren poort aan de ingang van de oprijlaan naar ons huis. Papa was een vooraanstaand burger in het dorp en zeer geliefd. Hij beschouwde zijn aanstelling tot dorpsoudste of *starosta* als een grote eer en nam zijn verantwoordelijkheden heel serieus. Papa stamde af van een van de vele adellijke families die Catharina de Grote in 1744 bij haar verloving met groothertog Peter waren gevolgd van Duitsland naar Rusland. Hij en alle mannelijke afstammelingen droegen de titel van Freiherr, wat ongeveer overeenkomt met baron. De getrouwde dames in de familie werden op officiële gelegenheden, die bij ons veeleer zeldzaam waren, met Freifrau aangesproken, de ongetrouwde met Freiin. Daarbuiten maakte niemand van ons gezin gebruik van die titel. De oorkonde en het wapenschild die onze positie moesten bewijzen, bewaarde mijn vader zorgvuldig in zijn bureau.

En ja hoor, net op dat moment verliet papa zijn kantoor, duidelijk al gekleed voor het avondmaal. Papa, lang en smal, had een zorgvuldig getrimde grote snor. Geen typisch Russisch uiterlijk. Zijn blonde haren en fijnbesneden gelaat verraadden zijn vreemde afkomst. Mijn kleine rechte neus en dunne lippen heb ik van hem.

Ondanks mijn gehavende staat stapte ik netjes en plichtsgetrouw op papa toe om hem met een reverence te begroeten. Hij leek mijn verfomfaaide uiterlijk niet ongewoon te vinden: 'Jullie hebben blijkbaar weer een uitputtende dag gehad.' Een speels lachje kwam me tegemoet, hij verwachtte geen antwoord.

Uit gewoonte nam papa mijn rechterhand om me uit mijn buiging recht te helpen. Hij draaide zich al half naar Nadia, om ook haar begroeting met een soortgelijk gebaar te beantwoorden, toen zijn oog viel op de winkelhaak in mijn mouw. Een frons verscheen op zijn voorhoofd: 'Wat is dat?'

Alsof het niet nog erger kon, zag ik in mijn ooghoek mama boven aan de trap staan. Ze leek nog snel, al lopend, een laatste hand te willen leggen aan een klein knoopje op het lijfje van haar enkellange japon in grijze zijde. Onder haar jurk droeg ze instapschoentjes van dezelfde kleur met strikjes op de toppen.

Toen ze het bonte gezelschap in de hal zag, keek ze ons met haar zachte dromerige ogen aan: 'Wat is wat?'

Bezorgd kwam ze de trap afgelopen. Aangezien het haar op één na oudste dochter betrof, verwachtte ze het ergste. Toch bleef ze kalm, vastbesloten ook dit probleem met de nodige gratie snel en vakkundig op te lossen. Nog even streek ze haar hazelnootbruine opgestoken haren glad. Aan de linkerkant van haar kapsel had ze een kam van schildpad gestoken.

'Ze heeft weer maar eens een jurk beschadigd, lieverd, dat schijnt een wekelijkse gewoonte te worden', constateerde papa. 'Wat is je excuus nu weer, mijn dochter?'

Kort keek ik in Nadia's triomfantelijke blik om dan mijn aandacht weer op papa te vestigen: 'Het is Nadia's schuld. Ze wilde mijn penseel bij het schilderen afhandig maken en toen is dat achter mijn mouw blijven haperen en is hij gescheurd.'

'Dat is niet waar!' onderbrak mijn zusje me verontwaardigd.

Mijn moeder was inmiddels tot bij ons gekomen. Ook haar begroette ik met een korte buiging. Mama sloeg een snelle blik op de winkelhaak. Ik voelde dat mijn uitvlucht deze keer onvoldoende geloofwaardig overkwam.

'En nu graag de waarheid, kinderen.' Hoewel het uit de mond van mijn moeder zacht klonk, was het overduidelijk een bevel dat we maar beter opvolgden.

Nog voor ik de kans kreeg mijn leugentje te verantwoorden, hoorde ik Nadia's verklikkende stem: 'Ze heeft geprobeerd Helena een wortel af te pakken en is daarbij met haar mouw aan een spijker blijven haperen.'

Mijn stilzwijgen bevestigde dat Nadia de waarheid sprak. Papa keek mama kort aan, als om even te overleggen wat ze zouden doen. Ze hadden nooit veel woorden nodig gehad om elkaar te verstaan. Ze waren streng maar rechtvaardig en ik kan me niet herinneren dat ze ooit een van ons geslagen hebben. Ook nu kon ik een terechte straf niet ontlopen en ondanks mijn rebelse karakter legde ik mij al bij voorbaat neer bij hun oordeel.

'Het kan zo echt niet langer hoor, Maria. Je moet leren zorg te dragen voor je spullen. Je weet dat er meisjes zijn die het slechts met één jurk moeten stellen en dan ga jij zo ondoordacht te werk met je japonnen. Het is trouwens niet echt gepast voor een jongedame om om eten te gaan vechten.' Mama schudde zachtjes maar afkeurend heen en weer met haar hoofd.

Papa had de situatie stilzwijgend geëvalueerd en was tot een besluit gekomen: 'Om je te leren meer zorg te dragen voor je kledij ga je de volgende dertig dagen onder het toezicht van Greetje alle verstel- en borduurwerk van het hele huishouden op je nemen.' Hij keek even kort naar het kamermeisje om te zien of ze het order had begrepen.

Nadia hoorde ik kort even achter haar hand gniffelen. Ik stond al paraat om haar een sneer toe te werpen maar papa was me voor: 'En jij, jongedame, hoort geen leedvermaak te hebben over de aan je zus opgelegde straf. Je gaat haar bijgevolg de komende vijftien dagen helpen, begrepen?'

Greetje, die het tafereel al de hele tijd van op een afstand had gevolgd, keek beduusd op. Net als Nadia en ik wist ze dat dat betekende dat er de volgende twee weken van kousen stoppen en zomen herstellen bitter weinig in huis zou komen. Die hele straf zou meer dan waarschijnlijk ontaarden in een giechelpartij. Er zou in die periode minder verstelwerk gedaan worden dan anders in twee dagen.

'Ja, papa', antwoordden Nadia en ik gedwee in koor.

'Genoeg getreuzeld nu, Alexandra zal het ons kwalijk nemen als er weer een paar kinderen niet op tijd zijn voor het eten. Ga jullie snel opfrissen, dan zie ik wat ik met de kokkin kan regelen.' Mama maakte een teken dat we moesten opschieten.

Met een knicks namen we afscheid van onze ouders en haastten we ons de trap op naar onze vertrekken. Onderweg naar boven hoorde ik mama tegen papa fluisteren: 'Denk je dat Maria ooit eens een dagje niet de kwajongen gaat uithangen?'

'Misschien als ze wat ouder wordt. Ik vraag me af van wie ze dat rebelse trekje heeft geërfd? Jij noch ik schijnen daar last van te hebben.'

'Dat heeft ze van je schoonmoeder! Daar kan ik je een verhaal of twee over vertellen.'

'O, ja?' klonk het zeer geïnteresseerde antwoord van mijn vader.

Halverwege de klim naar boven draaide ik me om en zag mijn moeder geamuseerd naar haar echtgenoot kijken. Mijn vader beantwoordde haar glimlach met de zijne, nam haar hand, legde die op zijn arm en begeleidde haar zo naar de salon, waar we kortelings ook werden verwacht.

Op die manier beëindigde mijn moeder de reprimande. Nooit heb ik mijn ouders weten ruziemaken, of zelfs maar hun stem verheffen. Twee van de meest vredelievende mensen die ik heb gekend. Van onze kokkin heb ik gehoord dat mama en papa, in al die jaren dat Alexandra bij ons in huis was, slechts eenmaal gediscussieerd hadden. Dat was helemaal in het begin van hun huwelijk, toen ze ons huis wilden kopen. Mama was van geboorte orthodox en papa katholiek. Nu konden katholieken in die tijd geen grond kopen in Rusland. Papa voelde zich in zijn trots gekrenkt, omdat hij in zijn ogen haar geen onderdak kon bieden en niet naar behoren voor zijn kersverse vrouw kon zorgen.

'Het probleem', zo vertelde Alexandra, 'werd uiteindelijk opgelost door je grootmoeder, de gravin. Zij kocht dit kasteeltje als bruidsschat voor haar dochter en zo zou je vader toch het recht verkrijgen om land te bezitten. Je vader wilde de gift eerst niet aanvaarden, maar wist dat hij eigenlijk niet anders kon. Mijnheer heeft zelfs voorgesteld je grootmoeder ervoor te vergoeden, hij kon dat gerust want zat om geen centen verlegen. Maar de gravin wilde daar niets van horen, neenee, ze beschouwde het als een cadeau aan de liefde. Ja, zo zei ze het. Een cadeau aan de liefde. Mijnheer heeft zich uiteindelijk bij de situatie neergelegd, zeker toen bleek dat je moeder zwanger was van je zus, Sofie. Maar er is wel wat tijd overgegaan.'

Met ingehouden adem had ik, leunend met één elleboog op de keukentafel, naar de kokkins verhaal geluisterd, terwijl ze doorging met het kneden van het deeg voor het brood van morgen.

Een aanzoek

De tijden veranderden van jeugdig en onbezorgd naar onzeker en dreigend. De jarenlange vriendschap tussen Rusland en Duitsland leek op haar einde te lopen. De binnenlandse positie van tsaar Nicolas II begon, na meer dan driehonderd jaren Romanovdynastie, te wankelen. Papa kreeg naarmate de tijd vorderde een bezorgde frons op zijn voorhoofd. Eerst alleen wanneer hij de krant las, later bleef die trek er ook verbeten staan wanneer hij de kranten terzijde legde. Hij probeerde zijn zorgen voor ons te verbergen. Maar ik registreerde alles.

Ik werd ouder. Mijn grootvader omschreef me ooit als een vlinder die transformeerde van een rebelse tiener naar een zelfbewuste jongedame van twintig lentes, met enkele romantische trekjes in haar karakter. Als ik terugdenk aan het bewuste voorval met de wortel en de winkelhaak in mijn mouw, schaam ik me diep. Papa is er nog eenmaal op teruggekomen toen we allemaal stijfdeftig stonden te wachten op het rijtuig om naar het jaarlijkse lentebal te vertrekken.

'Ach, wat zijn mijn kinderen op korte tijd zoveel veranderd', zuchtte hij nostalgisch terwijl hij zijn nageslacht in de grote hal bekeek. 'Het lijkt nog maar een paar dagen geleden dat Maria hier het nodig vond te vechten om eten met een van de kinderen van onze tuinier en daar zelfs een gescheurde jurk voor overhad.'

'Om dan een leugentje op te dissen en te proberen alles in Nadia's schoenen te schuiven', vervolgde mama. Iedereen die zich het voorval herinnerde, barstte in lachen uit, terwijl de anderen door elkaar om opheldering vroegen. Ik daarentegen, compleet uitgedost in een zijden violetkleurige japon met zilveren accenten, bijpassende slippers en tasje, kreeg een blos van jewelste. Waarom moest papa daar net nu over beginnen, nu Ivan hier was om ons naar het bal te begeleiden, dacht ik. Ik trok mijn mond tot een streep, in de hoop mijn gêne en irritatie te kunnen verbergen. Ivan beantwoordde de uitspraak van mijn vader met een mysterieuze glimlach. Hij hoefde geen verdere uitleg en wist al welk vlees hij in de kuip had.

We hadden Ivan Bartachevitsch, een verre neef van mama, enkele maanden daarvoor beter leren kennen. Dat gebeurde tijdens een logeerpartij gehouden in het paleis van zijn ouders, op drie uur rijden van Kapytnik. De visite werd georganiseerd ter ere van de nieuwjaarsfestiviteiten, die vier dagen zouden duren. Wisten wij, de jeugd, veel dat het hele feest opgezet was met de bedoeling de contacten tussen Ivan en zijn studievrienden enerzijds en de dochters von Gert anderzijds te bevorderen. Aangezien Sofies vierentwintigste verjaardag naderde en ze nog ongehuwd was, kreeg ze weldra de stempel van 'oude vrijster' toebedeeld. Dat wilde mama koste wat het kost vermijden. Ook van mij werd het een en ander in die richting verwacht, waar ik me niet tegen verzette. Juffrouw Raschkova had ons meer dan eens verteld dat een jongedame van onze stand geacht werd voor haar vijfentwintigste, liefst vroeger, een geschikte huwelijkspartner te vinden. Geschikt betekende van adel en minstens even bemiddeld als mijn vader. Onze gouvernante had, hoewel ze zelf nooit getrouwd was geweest, het huwelijk afgeschilderd als een avontuur waarin je als vrouw tot volledige ontplooiing kon komen en je dagen onafgebroken gevuld waren met het leiden van de huishouding, de 'echtelijke plicht' vervullen, kinderen baren en die zien opgroeien. Ik had me nooit vragen gesteld bij die uitstippeling van mijn leven, dat zou niet gepast zijn. Het werd van me verwacht, dus ik voldeed aan die wens.

Het hele opzet was, van buitenaf gezien, meer dan nodig. Niet dat Sofie, Nadia en ik lelijk waren en daardoor niet aan een echtgenoot zouden raken. We zagen er meer dan behoorlijk uit. Maar behalve een paar dansfeesten per jaar in het dorp, waar we de enige aristocratische familie waren en dus geen geschikte levenspartner konden zoeken, en enkele soirees bij nauw verbonden leden van de families von Gert of Bartachevitsch, kregen mijn zussen en ik geen kans om met geschikte jongemannen kennis te maken. In tegenstelling tot papa's invloedrijke vrienden gingen wij in de winter niet naar Sint-Petersburg voor het jaarlijkse seizoen. Waarom dat zo was, wist ik toen nog niet en eerlijk gezegd stond ik er ook niet echt bij stil. In ieder geval betekende onze afwezigheid in de tsarenstad aan de Neva dat aanmoedigingen zoals het logeerpartijtje bij Ivans ouders noodzakelijk waren om ons van de nodige kandidaten te 'voorzien'.

Het opzet van onze ouders had effect. Ivans vrienden hadden enkel oog voor de nu snel volwassen wordende Nadia. Als een zwerm zoemende bijen kleefden ze aan mijn jongste zusjes slanke taille. Sofie, door haar iets gezettere postuur niet echt in trek bij de heren, deed alsof ze het helemaal niet erg vond dat alle aandacht naar Nadia ging. Ze trok zich hele dagen terug in een van de salons en borduurde of las wat. Sofie had haar status van eeuwige vrijgezel al met een zekere gelatenheid aanvaard. Mama legde zich daar nog niet bij neer.

In tegenstelling tot zijn kameraden richtte de zoon des huizes zijn aandacht verrassend genoeg op mij. We kenden elkaar vaag van vroegere korte ontmoetingen, toen ik nog een kind was, wanneer zijn ouders in de zomer bij ons logeerden of omgekeerd. Ivan was vijf jaar ouder dan ik en bezig met een opleiding in het leger die eeuwig leek te duren. We hadden elkaar daardoor in het laatste decennium nauwelijks gezien.

Tijdens het logeerfestijn kregen we alle kansen om onze wederzijdse kennismaking te vernieuwen en te verdiepen. De strikte sociale gedragsregels werden tot een minimum beperkt. Zelfs het chaperonneren van paartjes die buiten wilden wandelen werd al eens 'vergeten'. Een enkele keer reden Ivan en ik paard, wanneer het bitterkoude weer dat toeliet. De heldere dagen waren daar uitermate geschikt voor. Wanneer we door het besneeuwde landschap draafden, voelde ik me onaantastbaar. De hemel ging onmerkbaar over in het landschap waardoor geen horizon te bekennen viel.

'Wat zijn jouw plannen voor deze zomer?'

Ivan had me uit mijn mijmering gehaald met zijn ogenschijnlijk oppervlakkige vraag. Ieder die tussen de regels kon lezen wist dat de ruiter naast me informeerde naar bijzondere gebeurtenissen die op mijn programma zouden kunnen staan. Als ik elders verplichtingen had, zoals een verloving of een huwelijk, zou ik antwoorden dat ik het erg druk zou hebben die zomer. Een goede verstaander wist dan dat zijn gesprekspartner doelde op de aankopen voor mijn uitzet of het organiseren van een huwelijksreis. Wanneer de dame in kwestie nog geen idee had wat ze de komende tijd ging doen, wist haar compagnon dat ze vrij was en eventueel kon ingaan op zijn avances.

De temperatuur veranderde mijn uitgeademde lucht in een wolkje onuitgesproken verlangens voor de toekomst. Ik was een beetje uitgekeken op de routine die me de laatste jaren in mijn ouderlijk huis draaiende hield. Er was weinig om ons af te leiden en de verveling had me tot slaaf gemaakt. Diep vanbinnen hoopte ik dat een huwelijk me de nodige afleiding zou geven.

'Niet veel eigenlijk. Hetzelfde als ieder ander meisje van mijn leeftijd, denk ik. Lezen, wandelen in onze tuin of paardrijden.'

'Geen reis gepland?'

'Naar waar zou ik moeten gaan?'

'Ik weet niet, de Krim misschien.'

'Nee. Niets gepland.'

'Ah.' Ivan beëindigde daarmee de korte conversatie.

Wanneer de winterzon zich eens een dagje verborg, wandelden we met de andere jongelui tot aan de bibliotheek waar we uren-

lang kletsten over wat ons maar bezighield. De jongedames bor-
duurden of tekenden dan wat en roddelden erop los terwijl de
heren zich vermaakten met een potje biljart. Soms speelde Sofie
wat op de vleugel die in het grote salon stond en luisterden we
met een half oor naar haar vingervlugge spel. Ivan bevond zich
meestal binnen mijn gezichtsveld. Het klikte tussen ons. Niet dat
ik tot over mijn oren puberaal verliefd was op hem. Maar ik
voelde een vriendschap voor hem groeien die, naarmate de dagen
verstreken, steeds dieper werd. Voor een huwelijk was dat, dacht
ik, meer dan voldoende. De rest zou later wel volgen.

Op het nieuwjaarsbal, dat het hoogtepunt van de festiviteiten
moest zijn, had hij me verzocht een wals voor hem te reserveren.
De zaal zag er prachtig versierd uit. Overdadig, zoals dat in de
oude dagen de gewoonte was. Over de hele oppervlakte van het
plafond had men babyblauwe doeken gespannen en in enkele
vergeten hoeken stonden versierde naaldbomen, tot wel vijf
meter hoog. Overal primeerde de combinatie blauw en wit. Ook
de gastvrouw had zich in die kleur gehuld zodat ze meer weg had
van een ijsfee dan van een mondaine matrone. Tijdens het dansen raakten we aan de praat en vroeg hij toestemming om me
eens thuis te komen opzoeken. Met een knikje en een waarschijnlijk blozend gezicht, vanwege het mij vreemde maar bete-
kenisvolle voorstel, verleende ik hem dat recht. Kort voor middernacht telden we af naar het nieuwe jaar en op de twaalfde
slag trok iemand onzichtbaar de blauwe zeilen aan het plafond
weg en dwarrelden duizenden witte donsveertjes naar beneden.
De illusie van een besneeuwd landschap en de verrassing waren
compleet. Applaudisserend staarde ik naar de zwevende veertjes
en dacht na over wat het nieuwe jaar mij zou kunnen brengen.
Een echtgenoot? Misschien een baby? In ieder geval dezelfde
voorspoed als ik de voorbije twintig jaar had gekend.

Op twee januari vertrokken we met de slede terug naar huis.
Ivan en ik hadden, dik ingeduffeld tegen de vriestemperaturen,
in het portaal gestaan om afscheid te nemen. Mama, papa,
Sofie en Nadia zaten al ongeduldig in de slee. Ik had mijn meest

nauwkeurige reverence uit de kast gehaald. Hij boog correct over mijn hand en murmelde met een glimlach de woorden: 'Tot binnenkort? Ik verlang er al naar…'

Ik gebruikte de lange rit naar huis om eens lang en diep na te denken over Ivans laatste woorden. Ik werd er niet veel wijzer uit. Was dat nu wat sommigen omschreven als hofmakerij? De voorbode tot een aanzoek? Het was eigenlijk wel spannend. Vooral omdat ik niet wist wat me de komende tijd zou overkomen. Mama en juffrouw Raschkova hadden er altijd vaag, bijna abstract over gesproken. Net zoals wanneer ze het hadden over echtelijke plicht. Ik had op mijn zeventiende eens voorzichtig bij mijn gouvernante gepolst naar wat die echtelijke verplichtingen dan wel precies inhielden.

'Dat zal je echtgenoot je wel uitleggen als het zover is', was het botte antwoord.

Het gevraagde bezoekje kwam er nauwelijks een week later. Ik bevond me op de eerste etage, alleen in een klein maar warm salon dat we vanwege die laatste eigenschap meestal in de winter gebruikten, en had Ivan tegen tienen te paard in volle vaart de oprit naar het kasteel zien opkomen. Mijn hart was een beetje sneller beginnen te slaan, maar alsof er niets aan de hand was, las ik gewoon verder in het boek waarin ik op dat moment bezig was. Ik verwachtte binnen enkele minuten de butler of, als diens aanwezigheid elders vereist werd, een van de meiden om me van Ivans komst op de hoogte te brengen. Maar ik bleef wachten. Steeds weer dezelfde zin uit het boek staarde me aan. De rest van de voormiddag raakte ik geen blad verder. Hij kwam toch voor mij? Pas enkele uren later bij de lunch zag ik hem, toen hij samen met papa de eetkamer binnenkwam. Ivan was, vermoedde ik, eerst nog even tot bij mijn vader gegaan om toestemming te vragen voor dit bezoekje. Het was immers niet zijn gewoonte om ongenodigd bij mijn ouders langs te komen. Het middagmaal verliep door het onverwachte maar aangename bezoek ontspannen en informeel. Ivan kreeg een plaatsje toegewezen aan mijn rechterkant en vertelde een komisch verhaal over de altijd mompelende butler van zijn ouders, die de voorbije week mogelijk nog meer aan het murmelen was geslagen toen bleek hoeveel werk het was om de restanten van onze logeerpartij op te ruimen. 'Zelfs toen mijn vader zijn bediende 's nachts nodig had, had de arme man het niet kunnen laten. Mama was wakker geworden en dacht dat er fluisterende dieven in huis waren. Ze heeft het hele huis wakker gegild.'

Iedereen aan tafel schaterde het uit maar ik was er met mijn hoofd niet echt bij. Ik probeerde me voor te stellen hoe mijn leven als getrouwde vrouw eruit zou zien. Getrouwd met Ivan. Het voelde geruststellend en comfortabel aan.

De lunch was nauwelijks beëindigd toen Ivan plots overdreven formeel vroeg: 'Willen Freiin Sofie en Freiin Maria me vergezellen op een wandeling door de tuinen? Ik heb ze in geen jaren gezien en ze zijn waarschijnlijk veel veranderd. Ik heb gehoord dat ze nog mooier geworden zijn dan ze al waren, zelfs met dit weer.' Hij keek overduidelijk in mijn richting en verwachtte dus van mij een antwoord.

Waarom deed hij nu plots zo plechtig? Met een glimlach en een knikje stemde ik in met het voorstel: 'Natuurlijk.'

De zon scheen maar het was bitterkoud buiten, dus bedekten Sofie en ik elk onze schouders met een wollen sjaal. Ivan en ik begaven ons naar de terrasdeuren voor de wandeling. Vanwege de sneeuw bleven we op de paden. Sofie volgde plichtsbewust. Ik liet hem de serre zien en vestigde zijn aandacht op enkele grote en kleine wijzigingen die de tuin in de loop van de laatste jaren had ondergaan. Alles verliep in een formele afstandelijke sfeer, zoals het hoorde. Het voelde anders aan dan tijdens de visite aan Ivans ouders. Minder ongedwongen. Ik was niet echt op mijn gemak. Na de wandeling begeleidden we hem tot aan de stallen waar zijn paard werd opgezadeld. We namen afscheid op dezelfde conventionele wijze.

Na het eerste bezoekje volgde al snel en tweede en een derde. Alle verliepen op dezelfde manier, behalve dat Ivan voor de lunch niet meer tot bij mijn vader liep. Hij arriveerde iedere keer tegen tien uur. In aanwezigheid van mama praatten we wat en lunchten dan met de rest van het gezin. De visites werden afgerond met een korte wandeling door de tuinen, keurig gechaperonneerd door Sofie, die altijd een paar meter achter ons bleef lopen. Net genoeg om ons binnen haar blikveld te houden, maar ver genoeg om ons toe te laten privé met elkaar te praten. Die moeite had mijn zus zich kunnen besparen, want de onderwerpen bleven binnen het toelaatbare.

'In welke vakken heb je je verdiept?'

'De gouvernante heeft de nadruk vooral gelegd op etiquette en borduren. Maar ik vond schoonschrift en vooral geschiedenis interessant.'

'Hou je van kinderen?'

'Ja, natuurlijk. Ik hoop van er zelf ook ooit te hebben.'

Ik probeerde Ivan met ieder antwoord gunstig te stemmen en hem er zo van te overtuigen dat ik een goede echtgenote zou zijn, zoals me door mijn moeder opgedragen was.

Aan de stallen namen we vervolgens afscheid. Ik kon dan altijd rekenen op een speelse glimlach en een ondeugende twinkeling in Ivans ogen wanneer hij me de hand kuste. Een woordeloze belofte voor een volgende keer. Die blik had mijn twijfel langzamerhand doen wegebben. Ivan was niet de afstandelijke man die met me over het tuinpad liep. Ik concludeerde dat hij met opzet zo deed om mijn reputatie niet in gevaar te brengen, mocht onze hofmakerij niet in een huwelijk resulteren.

De dagen werden weken en de weken maanden. De lente liet haar eerste schuchtere stapjes zien. Ivans bezoekjes werden een constante, waar het hele gezin reikhalzend naar uitkeek. Hij begon ons ook te vergezellen naar enkele feesten. Algemeen werd aangenomen dat een huwelijk in de maak was. Ook bij mij waren de verwachtingen gewekt. Toen kondigde het jaarlijkse lentebal van Kapytnik zich aan. Ivan was enkele uren eerder aangekomen. Hij had mee de namiddagthee genuttigd om daarna in het kantoor van papa te verdwijnen. Daar was hij sinds zijn eerste visite niet meer geweest. Mijn zussen, mama en ik hadden op de trap veelbetekenend naar elkaar gekeken en gingen daarna naar onze kamers om eerst nog wat te rusten en ons daarna te kleden voor het bal.

Zou hij het vandaag vragen, vroeg ik me af. Zittend op mijn bed bekeek ik mijn baljurk die op een kleerhanger aan mijn kast hing. Of heeft hij er genoeg van en wil hij de hofmakerij vroegtijdig beëindigen? Ik liep naar het raam en nam het overbekende uitzicht in me op, piekerend over wat de avond me zou brengen, zelfs over het antwoord dat ik zou moeten geven. Ivan had me geen enkele indicatie gegeven. Gedurende de voorbije periode was zijn gedrag onveranderd gebleven. In aanwezigheid van mijn ouders gedroeg hij zich afstandelijker dan vroeger het geval was geweest. Tijdens de wandelingetjes werden onze gesprekken informeler, duidelijk met de bedoeling elkaar beter te leren kennen. Nooit had hij in die conversaties zijn intenties, een eventueel huwelijk, kenbaar gemaakt. Soms begon ik echt te twijfelen aan zijn bedoelingen.

En toen stonden we, allemaal piekfijn uitgedost, zoals eerder gezegd, in de grote hal te wachten. Ivan had van een van de gastenvertrekken gebruikgemaakt om zich te verkleden en stond nu in het gala-uniform van kapitein klaar om te vertrekken. Hij zag er imposant uit in het strakke jasje en de perfect zittende broek. Jan en Viktor hadden van hun privéleraar, die enkele jaren geleden het kindermeisje had vervangen, toestemming gekregen nog even tot bij ons te komen. Ze keken Ivan vol ontzag en met grote ogen aan. Op dat moment begon papa dus over het voorval met mijn gescheurde mouw. Ik had het voorbije uur zo hard mijn best gedaan om er op mijn voordeligst uit te zien en zag dat nu tenietgedaan door papa's opmerking. Ik wilde echt niet dat Ivan zou denken dat ik een wildebras was. Het zou hem misschien doen terugkrabbelen. Dan zou mijn kans om uit de eenzame routine te kunnen vertrekken, verdwijnen als sneeuw voor de zon.

Het rijtuig reed voor. We begaven ons naar buiten en haastten ons in de gesloten koets, getrokken door zes perfect bij elkaar passende grijze paarden. Een korte rit voerde ons naar de gemeentelijke feestzaal waar een bescheiden versiering de anders kale ruimte wat opfleurde. Een groepje muzikanten, opgesteld in de verste hoek, hief de intro van de openingsdans aan nu wij, de eregasten, aangekomen waren. Het bal kon beginnen. De genodigden, een ontspannen mengelmoes van keukenmeiden, knechten, boeren en hun vrouwen, ambachtslieden en burgerij, zagen er allemaal op hun manier prachtig uit. Iedereen uit Kapytnik en omgeving had zijn uiterste best gedaan om aanwezig te zijn op de avond die het begin van de vasten moest inluiden. Een traditie in ons dorp om dan nog eenmaal feest te vieren. Mama en papa stonden plichtsbewust op de dansvloer, hoewel mijn moeder niet graag danste en ook Nadia had een danspartner gevonden. De rest van ons gezelschap keek de kat nog even uit de boom. Sofie raakte aan de praat met de vrouw van de dorpsbakker in wat er volgens mij een geanimeerd gesprek uitzag. Het dansfeest had meer weg van een boerenbruiloft dan van een stijf aristocratisch bal. Eenmaal per jaar werden alle klassenverschillen in Kapytnik gelaten voor wat ze waren.

Ik informeerde bij Helena, die een jaar geleden getrouwd was, hoe het met haar eerstgeborene ging toen Ivan me even apart nam, de omgeving afspeurend, beducht voor eventuele concurrenten. Na een korte inspectie van de ruimte leek hij gerustgesteld.

'Heb je nog plaats in je balboekje?' fluisterde hij zachtjes.

Ik had er geen bij, aangezien het niet om een formeel bal ging, maar wist uit het hoofd te zeggen: 'Ja hoor, op een tango na, die heb ik al aan papa beloofd.'

'In die moderne dansen heb ik geen interesse, ik heb het meer voor de walsen.'

Ik glimlachte uitgebreid als antwoord, want vermoedde wat er ging komen.

'Zou je die voor mij willen reserveren?'

'Welke wil je?'

'Allemaal.'

Ik keek verbaasd op: 'Allemaal?'

'Ja, allemaal', klonk het zacht maar bevestigend.

Ik wist niet wat te zeggen, een stilte bleef in de lucht hangen. Wanneer we elke wals die op het programma stond samen dansten, zou dat de allusie van een op handen zijnd huwelijk alleen maar versterken.

Dan toch?

Uiterlijk bleef ik de waardigheid zelf, innerlijk was ik zenuwachtiger dan ooit voor wat ging komen. Ik had in mijn opleiding geleerd hoe ik een huishouden moest leiden, hoe de perfecte gastvrouw te zijn, zelfs hoe ik me hoorde te gedragen als ik ooit door een koning zou worden ontvangen. Maar niemand had me een draaiboek gegeven over hoe ik gepast diende te reageren op een huwelijksaanzoek.

We circuleerden wat terwijl ik Ivan voorstelde aan enkele mensen uit het dorp. Op geen enkel moment week hij van mijn zijde. Na een uurtje begon de intro tot de eerste wals van die avond. Ivan begeleidde me tot op de dansvloer en nam me, met inachtneming van de juiste respectabele afstand tussen onze lichamen, in zijn armen. Wat een grappig gezicht moet zijn geweest want rondom ons stond het hele dorp, met een half oog op de dansende paren, te tateren. Enkele kinderen laveerden onoplettend tussen ons door. We hadden de grootste moeite ze te ontwijken. Ivan en ik praatten niet. De woorden die zouden komen, zweefden tussen ons in als een broeierige hitte, die net als de stilte voor een storm, een woordenvloed, getemperd kon worden. De dans liep ten einde en ik voelde me een beetje benauwd en ongemakkelijk door de gespannen verwachting die zich als een knoop van mijn maag meester maakte.

Ivan zag mijn ongemak: 'Je ziet er verhit uit, laten we even buiten een frisse neus halen. Daar kikker je vast van op.'

'Het is hier ook zo benauwd, veel te veel mensen in deze kleine ruimte. Ik moet papa echt vragen om het lentefeest volgend jaar toch bij ons thuis te laten doorgaan.'

In de ruimte van nauwelijks vijftien bij twintig meter die voor alle doeleinden gebruikt werd, bevond zich, zoals eerder gezegd, een groot deel van de bevolking van Kapytnik en omgeving, ongeveer tweehonderdvijftig zielen. Het aantal was door de jaren heen alleen maar gestegen. Door de toenemende populariteit bezochten ook inwoners van naburige dorpen, inclusief hun notabelen en de weinige aristocratie, het informele bal. We bewogen ons richting de rand van de dansvloer toen ik een bekende zag staan.

'Opa Nicolai! U had toch gezegd dat u het lentefeest dit jaar aan u zou laten voorbijgaan? Gaat alles goed met u?'

Mijn grootvader had een halfjaar geleden zijn vrouw verloren en was daar nog steeds niet van hersteld.

'Zo goed als de omstandigheden het toelaten, mijn kind. Ik wilde jou in je mooie jurk voor geen geld ter wereld missen. Dus ben ik toch maar gekomen.'

Ivan werd ongeduldig want hij liep al verder richting het terras en trok me daarbij onder zachte dwang met zich mee.

'Maar grootvader! Dat kan u volgend jaar toch ook nog?' riep ik nog snel achter me.

'Laat ons hopen dat er volgend jaar nog een lentefeest kán doorgaan', onderbrak Ivan me.

'Is de situatie zo erg?' Met 'de situatie' doelde ik op de stijgende spanningen tussen mijn vaderland en het Duitse Keizerrijk.

Ivan knikte kort als teken dat hij me verder niet wilde vervelen met een monoloog over de huidige politieke situatie. De broeierige stilte borrelde ondanks de bitterkoude avondlucht weer op. We liepen door de grote geopende deuren het terras op met daarachter het grasveld. Ik beperkte me tot een duistere verre uithoek van het terras. De smeltende sneeuw, die op de tegels was geruimd maar op het gazon was blijven liggen, zou mijn delicate slippers ruïneren. Met mijn heup leunde ik tegen de balustrade en keek Ivan, die half op dezelfde balustrade ging zitten, vol verwachting aan.

Hij slikte hoorbaar en haalde diep adem: 'Maria...' Ivan

zocht naar de juiste woorden en vond ze. Wat volgde, kwam er vlot en blijkbaar ingestudeerd uit: 'Maria, je zult ongetwijfeld al wel gemerkt hebben dat het genoegen om de voorbije maanden in jouw gezelschap te mogen vertoeven, mij erg gelukkig heeft gemaakt. Nauwelijks was een visite voorbij of ik verlangde al naar de volgende. Ik kan alleen maar zeggen dat hoe beter ik je in de laatste maanden leerde kennen, des te aangenamer je me verraste. Je intrigeert me. Ik denk dat ik een heel mensenleven zal nodig hebben om je echt te kunnen doorgronden. Bij jou verveel ik me nooit. Je zou een goede vrouw voor me kunnen zijn. Mag ik je vragen mijn huwelijksaanzoek, dat bij deze onder woorden is gebracht, in overweging te nemen?' Ik keek hem sprakeloos aan. Zijn afstandelijkheid aangaande een dergelijke persoonlijke materie verbaasde mij eens te meer. Ik nam een moment om alles in me op te nemen. Waarschijnlijk had Ivan net zomin een handleiding gekregen als ik.

Hij zag mijn verwarring aan voor twijfel en vervolgde: 'Ik weet dat een officier die dient in het leger van Zijne Majesteit de Tsaar, naar eer en geweten, momenteel een dame geen aanzoek zou mogen doen, dat is me deze namiddag door je vader ook gezegd, aangezien de kans bestaat dat ik je dan vroegtijdig tot weduwe maak, maar wil je het alsjeblieft toch in beraad houden?'

'Is papa dan tegen je aanzoek gekant?' stamelde ik.

'Nee, natuurlijk niet, maar hij weet hoe de situatie tussen Duitsland en Rusland er momenteel voorstaat. De kans is groot dat ik naar het front gestuurd word als de oorlog uitbreekt. Hij wil dat je er goed over nadenkt en alle aspecten in overweging neemt. Ik ben dezelfde mening toegedaan. Een oorlog is op handen. Ik zal dan weinig of helemaal niet thuis zijn. Je vader wil gewoon niet dat zijn dochter haar wittebroodsweken alleen moet doorbrengen. Maar daar hoef jij je geen zorgen over te maken. Ik vind wel een oplossing.'

'Ik zou toch met je mee kunnen reizen naar het front, of waar je ook heen wordt gestuurd?' was mijn ambitieuze antwoord.

'Dat wil ik je niet aandoen, het leger is een veel te ruwe omgeving voor een dame als jij. Je vader en ik dachten dat als je op mijn aanzoek ingaat het misschien beter was als we na ons huwelijk gewoon bij je ouders gingen inwonen tot die hele toestand opgeklaard is.'

Even was het stil.

'Dat is inderdaad de meest praktische oplossing', bedacht ik hardop.

'Betekent dat dat je toestemt?' Ivan wist het antwoord al, een scheve grijns verraadde zijn vermoeden.

'Ja, ik stem toe. Maar als het voor jou hetzelfde is, hoeven al die voorzorgen niet. Ik kan best voor mezelf zorgen maar als jij en ongetwijfeld papa daar beter van slapen, dan...'

Een korte kuise kus op mijn wang beëindigde mijn antwoord. Zijn hele gezicht werd verlicht door een stralende glimlach, een spiegelbeeld van het mijne. Ik voelde dat van mij nu werd verwacht dat ik hem op de mond kuste. Maar er liepen en stonden, her en der verspreid over het terras, overal koppels, sommigen hadden ons al aangekeken, nieuwsgierig naar wat we zo intiem te bespreken hadden. Ik voelde me onwennig. Ivan leek, met een korte blik op de omstanders, mijn gevoel te delen.

'Kom, we gaan het goede nieuws delen met je ouders.' Hij nam mijn hand, stak die door zijn arm en begeleidde me naar binnen. De korte begrijpende glimlachende blikken van de dorpelingen bevestigden mijn vermoeden dat zij in ieder geval al moeiteloos hadden geraden wat er zonet voorgevallen was. Als we niet snel handelden zou mijn positieve antwoord mama en papa bereiken nog voor we de kans gekregen hadden het hun zelf te vertellen.

Binnen was het feest inmiddels in volle gang, ouders met kinderen waren zelfs al naar huis. Navigerend door de gezellige drukte arriveerden we bij een groepje waarvan mama, papa en nu ook mijn grootvader deel uitmaakten. Onze gezichten moeten boekdelen gesproken hebben, want de conversatie met een notabele uit een naburig dorp verstomde terstond. Papa had geen verdere uitleg nodig en ook mama leek niet verrast ons zo gelukkig samen te zien. Voor de zekerheid leek ze te vragen: 'En?' Ivan en ik keken elkaar een moment stralend aan, waarop mijn verloofde antwoordde: 'Ze heeft ja gezegd. Er zal een bruiloft moeten worden gepland.'

Papa nam spontaan Ivans hand en schudde die hartelijk, alsof hij zijn lang geleden verloren zoon weer in de armen kon sluiten. 'Welkom in de familie, mijn zoon. Niet dat je daar nog geen deel van uitmaakte, maar toch, welkom in ons gezin.' Een stortvloed aan felicitaties door de omstanders vielen zowel Ivan als mij ten deel, samen met een zeldzame schunnige opmerking over mijn echtelijke plichten. Ik reageerde wat onwennig en voelde het schaamrood naar mijn wangen stijgen. Als bij wonder hoorde ik de eerste verlossende tonen van een Weense wals. Mijn toekomstige echtgenoot keek me veelbetekenend aan: 'Mijn dans, geloof ik?'

Niemand trok dat in twijfel. We begaven ons voor de tweede maal die avond naar de open ruimte. Nu hadden we iets meer plaats om te manoeuvreren, want de meeste kinderen waren al naar bed. Ivan hield me iets dichter bij zich dan bij de eerste wals. Enkele nieuwsgierige blikken werden in onze richting gezonden maar we hoefden niet bang te zijn voor roddel. We zweefden over de dansvloer, helemaal opgaand in de muziek. Ik was gelukkig, opgelucht dat de knoop in mijn maag verdwenen was en iedereen mocht dat zien. Even kwam de twijfel over Ivans afstandelijkheid naar boven, maar die gedachte duwde ik vakkundig terug naar de achtergrond. Misschien moest ik er bij mama eens naar vragen?

De plechtigheid werd anderhalve maand later in beperkte kring gehouden in de kerk van Kapytnik. Enkel Ivans ouders – hij was enig kind – papa en mama, Sofie, Nadia, de jongens en opa Nicolai, samen met de huishoudelijke staf, waaronder Greetje en Helena, woonden de dienst bij. Ook enkele dorpsbewoners hadden de moeite genomen hun werk even terzijde te leggen en naar de ceremonie te komen. Bij nader inzien had ik het toch niet met mama over Ivans afstandelijke gedrag gehad, ervan overtuigd dat het zichzelf wel zou oplossen eenmaal we getrouwd waren. Ik droeg een zwarte, uit chiffon vervaardigde, getailleerde japon met crèmekleurige zoom die reikte tot aan de toppen van mijn tenen. Een crème kimonojasje, afgezet met bont en een grote hoed maakten het ensemble compleet. Ik voelde me net een prinses. Mijn kersverse echtgenoot droeg het uniform waarin hij me ten huwelijk had gevraagd. Ik was trots op mijn knappe echtgenoot.

Ivan werd twee dagen later, vanwege de precaire omstandigheden in binnen- en buitenland, alweer op de kazerne verwacht. Net daarom beperkten we de festiviteiten tot een uitgebreid maal en hielden we geen dansavond. Het hing als een donkere wolk boven het feest. Ik voelde me schuldig en kon me daardoor niet volledig overgeven aan mijn geluk.

Met uitzondering van mijn schoonouders woonden alle genodigden op het domein, waardoor er weinig logés te huisvesten waren, dus bleef alles relatief rustig. Sofie stond haar slaapkamer met boudoir vanwege de grootte en het comfort, haar recht als oudste dochter, aan ons af en ging mijn oude slaapkamertje betrekken.

De dag daarop liepen Ivan en ik na de lunch door de tuinen, nu zonder Sofie als chaperonne. We genoten van de eerste warmtegevende zonnestralen van dit jaar en namen plaats in een van de vele prieeltjes.

'Morgenvroeg moet ik weer terug naar de kazerne.'

'Weet ik. Je vader vertelde het me daarstraks.' Een stilte.

Zoveel emoties spookten door mijn hoofd. De voorbije nacht was me duidelijk geworden wat echtelijke plicht inhield. Ivan was een zachte maar dwingende minnaar geweest, een en al begrip voor mijn onervarenheid. Was hij tevreden over me? Was ik niet te passief gebleven? Ik had de behoefte mijn hersenspinsels bij mijn man ter sprake te brengen maar wist niet hoe. Daarom hield ik het gesprek oppervlakkig.

'Wanneer zie ik je weer?'

'Binnen twee weken hebben alle mannen van onze sectie het weekend vrij, dan ben ik weer drie dagen thuis.'

Ik knikte begrijpend.

'Ik mag al blij zijn dat dit verlof, vanwege ons huwelijk, werd toegestaan. Anders hadden we het moeten uitstellen.'

'Je ouders vertrekken morgen ook. Dan lijkt alles weer zoals voorheen. Alleen heb ik nu Sofies grote kamer in plaats van mijn oude kleine kamertje en draag ik jouw ring rond mijn vinger.' Ik keek naar het bewuste kleinood en draaide de diamant terug op zijn plaats.

Ivan trok me naar zich toe en ik legde mijn hoofd op zijn schouder.

'Zie je, net daarom wilde ik dat je bij je ouders bleef wonen. Hier heb je afleiding. Nu kun je je moeder helpen bij het leiden van het huishouden in afwachting tot je er zelf één hebt. Of je kunt je met Jan en Viktor bezighouden. Verfijn hun opvoeding maar wat, ze hebben het misschien nodig', voegde hij er grappend aan toe.

Ik keek nog steeds erg sip.

'Toe, kijk niet zo weemoedig, misschien heb je straks wel je handen vol met een kind van mij, dan heb je niet eens de tijd meer om te piekeren.'

Het idee een kind te hebben leek me plots een zalige gedachte en ik toverde mijn mooiste glimlach tevoorschijn.

'Daar heb je hem, de glimlach waarvoor ik als een blok gevallen ben. Verlies hem nooit, hoor je. Want ik wil hem zien, iedere keer ik naar huis kom.'

Mijn echtgenoot vertrok de dag daarop om zich bij zijn strijdmakkers te voegen. Ik verveelde me en wist met mezelf geen blijf. Als een plichtsbewuste echtgenote assisteerde ik mama en Alexandra bij het opstellen van de menu's, maar het hielp niet om van mijn slechte humeur af te raken. Dat werkte ik regelmatig uit op Greetje of Nadia.

Twee weken later kwam Ivan terug en ik genoot met volle teugen van zijn aanwezigheid. Toch moet ik bekennen dat er bij mij enige gereserveerdheid bleef. Dat ik mezelf niet toeliet vol overgave van hem te houden. Ergens in mijn achterhoofd bleef de schrik dat ik hem zou kunnen verliezen als een hamer kloppen. Ik had in die weken dan ook regelmatig hevige hoofdpijn en trok me dan de hele dag terug in mijn kamers. Uiterlijk was ik alles wat een jonggehuwde dame hoorde te zijn. Ik speelde met Jan en Viktor, hielp mama en Sofie bij de organisatie van het huishouden, zoals Ivan me had opgedragen, maar innerlijk gierde de onmacht door mijn lichaam.

In die enkele dagen dat hij thuis was, deed ik alles om hem ter wille te zijn. Ik droeg mijn mooiste jurk, een mantelkostuum in dezelfde blauwe tint als mijn ogen. Gewoon omdat Ivan ooit eens had gezegd dat die me leuk stond. Hoewel ik een ochtendmens was, sliepen Ivan en ik uit. We waren altijd de laatsten aan het ontbijt en vulden onze dagen met wandelen in de tuinen en met vage plannen maken voor de toekomst, zonder ooit de nakende oorlog ter sprake te brengen. De communicatie tussen Ivan en mij was nauwelijks veranderd sinds ons huwelijk. De onderwerpen bleven oppervlakkig. Op een avond probeerde ik een intiemer gesprek aan te knopen. Aan mijn kaptafel was ik mijn haar aan het vlechten voor de nacht terwijl mijn man in zijn kamerjas op de rand van het bed ongeduldig op me wachtte. Via de spiegel keek ik hem aan.

'Vind je het leuk wat we doen... in bed?'

Ivan was een beetje verward over mijn onverwachte vraag: 'Natuurlijk!'

'Ik bedoel... ben je tevreden over me?' De onzekerheid over mijn onervarenheid klonk door in mijn stem.

Hij stond op en liep naar me toe.

'Ach, dat loopt wel los.'

Ivan boog zich over mij en kuste me in mijn hals. Hij beschouwde het gesprek als afgelopen.

Na drie dagen moest Ivan vertrekken. Hij zat al in de auto die door zijn overste was gezonden om hem op te halen toen ik eindelijk de moed verzamelde om mijn prangende vraag te stellen. 'Wanneer heb je je volgende verlof?'

Ivan leek eerst niet te willen antwoorden, maar besefte toen dat een eerlijke respons de beste manier was: 'Alle verloven zijn onverwacht en voor onbepaalde tijd ingetrokken. Ik laat je per telegram weten wanneer ik de kans krijg nog eens naar huis te komen, goed?'

Ik slikte vlug een krop in mijn keel weg en schonk hem, voor de zoveelste keer dat weekend, mijn meest stralende glimlach, hoewel het huilen me nader stond dan het lachen. Wanneer ik diep in Ivans ogen keek, voelde het als afscheid, als vaarwel en ik keek vlug een andere kant op om mijn diepste angsten niet kenbaar te maken.

'Dat is goed, ik zal erop wachten', forceerde ik zo luchtig mogelijk.

'Verlies de moed niet en schrijf me als er wat is.' Geen vraag, geen bevel.

Met een kus namen we afscheid. Ivan gaf een teken aan de chauffeur en hetzelfde moment knapte er iets in mij. De auto reed richting de oprit en werd alsmaar kleiner en kleiner. Als een kind bleef ik staan tot ik er honderd procent zeker van was dat ik hem niet meer zag. Pas dan ging ik naar binnen. Jan en Viktor zouden me waarschijnlijk met hun spelletjes proberen te amuseren, ik had de afleiding meer dan nodig.

Kort daarop brak de lente definitief door. Sjaals en zware japonnen met lange mouwen werden gewisseld voor luchtige jurkjes met korte mouwen en zomerhoeden. De fluitende vogels en geurende bloemen leken me te willen troosten met hun opgewektheid. Maar de melancholie bleef altijd aanwezig. Ivan kreeg geen verlof meer en ik hoorde lange tijd niets van hem. Op een enkel telegram na, waarin hij meldde dat alles goed was met hem en dat er nog steeds geen verlof in het vooruitzicht was. Ik voelde me ziek, ellendig en trok me steeds meer terug in mijn kamer. Mama en Sofie waren bezorgd en hielden me in de mate van het mogelijke gezelschap, hoewel ik het niet altijd op prijs stelde. Het liefst hulde ik me in eenzaamheid en zelfmedelijden. Ik vond mezelf behoorlijk ondankbaar, maar had de moed niet om me op te laden. Mijn zus en moeder leek het niet te deren.

Midden mei kwam ik tot de vaststelling dat het ellendige gevoel dat zich van mijn binnenste meester had gemaakt een oorzaak had. Ivans laatste verlof had het een en ander teweeggebracht. Ik was zwanger. Nu de aanleiding van mijn ongesteldheid bekend was, herpakte ik mezelf, bood mijn excuses aan mijn ouders aan en stuurde mijn echtgenoot een telegram.

Lieve Ivan,

Wilde je melden dat ik zwanger ben. Stop. Alles gaat goed. Stop. Baby verwacht rond eind januari. Stop. Je ouders zijn al op de hoogte gebracht. Stop.

Maria

Drie weken later kreeg ik van Ivan een pak toegestuurd met een uitgebreide brief erbij. Hij schreef dat hij buiten zinnen was van geluk. Beloofde mij en de baby alles wat we maar wensten. Ook dat hij zo spoedig mogelijk naar huis kwam. De emotie die ik vaak in onze gesprekken had gemist, kleefde aan elk woord, aan elke zin. Ivan was dan toch de man die ik dacht dat hij was. Ik had de deur tot zijn gevoelens gevonden. Kinderen. Alles zou goed komen, als hij nu maar snel terug thuis zou zijn. In het pak stak een buitensporige hoeveelheid dure babykleertjes, allemaal gloednieuw. Mama, Sofie, Nadia en ik vergaapten ons aan de inhoud van het pak. Alles werd gesorteerd volgens grootte, netjes opgeplooid en alvast opgeborgen in een kast op een van de slaapkamers, die later ingericht zou worden als babykamer. Ik voelde me zo blij als een kind dat op haar naam-dag overdadig veel cadeautjes kreeg. Het zouden mijn laatste gelukkige momenten zijn. Want toen viel er een schot ver weg, in Sarajevo.

Oorlog

Kapytnik, 29 juni 1914

Enkele dagen later verwelkomde ik Ivans moeder die ik sinds ons huwelijk niet meer gezien had. Per brief had ik haar op de hoogte gebracht van de verwachting van haar eerste kleinkind. Blijkbaar gek van enthousiasme was ze halsoverkop in haar rijtuig gestapt en hierheen gekomen. 'Schat, wat een geweldig nieuws. Ik moest gewoon hierheen komen', kirde ze.

Filomena was de calèche nog niet volledig uitgestapt – ik had haar nog niet eens fatsoenlijk welkom kunnen heten – of ze stak een tirade af over wat ik de komende maanden moest laten en doen. Mama leidde haar de salon binnen. Het grootste deel van haar monoloog ging aan me voorbij. Ik hield het bij knikken en hummen.

We zaten goed en wel in een grote fauteuil, het gesprek tussen beide aanstaande grootmoeders in volle gang, toen mijn vader, die al die tijd in zijn kantoor had gezeten, lijkbleek met de krant in de hand binnenkwam. Mama voelde onmiddellijk dat er wat aan de hand was. Tegen haar gewoonte in sprak ze mijn vader met zijn voornaam aan, iets wat ze in ons bijzijn nog nooit had gedaan. 'Wat is er aan de hand, Alexander? Je ziet lijkbleek. Gaat het wel goed met je?' vroeg ze ongerust.

Zonder wat te zeggen legde mijn vader de krant op de salontafel, de tekst naar ons toe met de bedoeling onze aandacht erop te vestigen. Maar wij bleven in spanning vragend naar mijn vaders gezicht kijken, in de hoop daar enige verduidelijking te vinden.

'Kroonprins Franz-Ferdinand van Oostenrijk is gisteren tijdens het bezoek aan Sarajevo doodgeschoten. Zijn vrouw ook. De dader zou ene Gavrilo Princip, een Bosnisch-Servische nationalist zijn.'

'Mijn God', was het enige dat mijn moeder kon uitbrengen. Mijn schoonmoeder deed er voor eenmaal het zwijgen toe. Ik volgde haar voorbeeld.

'Dat wordt oorlog. Dat kan niet anders.' Mijn vader ging verslagen zitten in een van de twee armstoelen tegenover de grote fauteuil waarin ik met mijn moeder en schoonmoeder zat. Allen nog steeds onder de indruk van het bericht.

Ik probeerde de mogelijke gevolgen van het nieuws te verwerken. Die moord betekende volgens mijn vader oorlog en dat betekende dan weer dat Ivan naar het front gestuurd zou worden en ik hem gedurende lange tijd niet meer zou zien. Misschien viel hij wel op het slagveld. Dat alles flitste door mijn hoofd. Ik bereidde me voor op het ergste en nam mentaal afstand van mijn huwelijk. Diep in mijn binnenste nam ik die dag al afscheid van Ivan.

We boden Filomena de lunch aan, maar ze weigerde ons nog langer tot last te zijn en wilde zo snel mogelijk naar huis om haar echtgenoot op de hoogte te brengen van de laatste ontwikkelingen. In het daarop volgende uur meldden we de tragische moorden aan de rest van het huishouden. Ik schreef onmiddellijk een lange brief naar Ivan. Daarin probeerde ik een deel van mijn zielenroerselen neer te pennen zonder mijn echtgenoot te willen belasten met mijn doemdenkerij. Gevoelens van wanhoop en angst om de dood schemerden door de regels van de tekst terwijl ik de hoop niet mocht opgeven om hem levend en wel terug thuis te hebben.

De volgende weken werd het stil in huis. Een ondraaglijke spanning maakte zich meester van het domein van mijn ouders. We wachtten op meer nieuws. Papa begon de krant hardop te lezen in de salon zodat we allemaal de stand van zaken wisten. Voorlopig werd de moord als een alleenstaand feit beschouwd, maar tussen de regels door las je de toenemende wrok die tegen het Duitse Keizerrijk werd geuit. In die tijd hield ik me bijna dagelijks bezig met het neerpennen van lange brieven aan Ivan. Die bleven met opzet oppervlakkig en luchtig. Ik schreef hem over de karweien die in de tuin gedaan moesten worden, over de streken die Viktor had uitgestoken en over wat er die dag op tafel zou komen. Terwijl binnen in me een storm van gevoelens woedde.

Een maand na de moord op de Habsburgse kroonprins en zijn vrouw verklaarde Oostenrijk de oorlog aan Servië. Mijn vaderland zag de ongelijke strijd die het veel minder machtige Servië moest bekampen en snelde zijn kleine Balkanbroertje te hulp. We bevonden ons in staat van oorlog.

Mama begon onmiddellijk met het nemen van de nodige maatregelen. Alle grote salons, de balzaal en de muziekkamer beneden werden afgesloten. Grote witte katoenen zeilen werden over de meubels gelegd en de gordijnen werden gesloten. Alleen papa's kantoor en de eetkamer ontsnapten aan dat regime. Boven werden de jongens, Jan en Viktor, op dezelfde kamer gelegd, net als Sofie en Nadia. De vrijgekomen kamers werden afgegrendeld, samen met de gastenverblijven, die al grotendeels afgesloten waren. Ik mocht vanwege mijn status van getrouwde, zwangere vrouw alleen blijven slapen. Uitgebreide diners en lunches werden vervangen door simpele driegangenmenu's. Hoewel al die maatregelen nog niet echt nodig waren, maakten papa en mama ze uit voorzorg toch tot regel. Hoelang de oorlog zou duren, hoe streng de winters zouden zijn en hoe groot de voedseltekorten zouden worden wist immers niemand.

'We kunnen maar beter voorbereid zijn', zei mijn vader dan. Wie waren wij om dat tegen te spreken en uiteindelijk leden we geen honger. We moesten het alleen met minder luxe stellen. Mama stond erop dat de huishoudelijke staf niet moest participeren in de bezuinigingen. Ze kregen nog altijd evenveel eten en ondanks het feit dat er nu veel minder werk voorhanden was, werd geen van hen ontslagen omdat bijna alle mannelijke bedienden dienst namen in het leger. Mama hielp Alexandra zelfs in de keuken, een plek waar ik haar tot op dat moment nog nooit had gezien. Als ik daar nu aan terugdenk, dan ben ik ervan overtuigd dat we ons leven te danken hebben aan mijn moeders edelmoedigheid ten aanzien van ons personeel in die periode. De denkbeeldige muur tussen beide bewonersgroepen op het kasteel werd gesloopt en een harmonieus geheel kwam in de plaats.

Sofie, Nadia en ik voelden de noodzaak iets voor ons vaderland te doen en boden ons in navolging van de grootvorstinnen, zoals de krant meldde, als vrijwilligers aan bij het dichtstbijzijnde ziekenhuis. Geen van ons drieën had een medische opleiding, dus werden we tewerkgesteld als hulpverpleegkundige. Elk kreeg een slaapzaal toebedeeld, die we altijd netjes moesten houden. Volgens Vicky, de hoofdverpleegkundige, zouden we wel kunnen assisteren als verpleegkundige, wanneer de situatie dat noodzakelijk maakte. Ze wilde ons zelfs eerst niet aannemen, vanwege onze Duitse familienaam, maar moest wel omdat ze om hulp verlegen zat. De houding van Vicky verraadde dat ze in alle opzichten de dochter van een arbeider was die hard had moeten vechten om te kunnen werken en brood op de plank te krijgen. Haar priemende ogen en rotte tanden waren haar meest opvallende kenmerken. Intuïtief voelde ik aan dat ze iedereen haatte die het volgens haar in het leven gemakkelijker had dan zij.

We kregen donkere, vormeloze jurken waarvan de zomen tot aan onze enkels reikten als uniform. Ik leek meer op een poetshulp wat naderhand gezien ook het grootste deel van mijn takenpakket omvatte. Ik was de ruwe stof helemaal niet gewend. Ze irriteerde mijn huid, vooral rond mijn nek, waar de kraag met een stik werd vastgebonden. De snit van de jurk maakte het wel mogelijk mijn lichtjes toenemende buikje nog even verborgen te houden. Ik had geen zin om de hele dag thuis te zitten wachten tot ik moest bevallen. Dat zou me aan het piekeren zetten over waar Ivan zat, wat hij aan het doen was. Daar wilde ik niet aan denken, dus was de enige oplossing voor mij me bezig te houden, me kapot te werken van 's morgens vroeg tot 's avonds laat, zodat ik uitgeput in mijn bed kon neervallen en slapen van zodra mijn oor het hoofdkussen raakte. Mama probeerde me van het vrijwilligerswerk af te brengen, maar niets mocht baten. Samen met mijn zussen vertrok ik iedere morgen met het rijtuig om vijf uur naar het ziekenhuis om pas tegen negen uur, vlak voor het diner, weer terug te keren.

In het begin hadden we niet zoveel te doen. Sofie kreeg een zaal bestemd voor zieken met longaandoeningen, vaak uit de dichte omgeving, terwijl Nadia een zogoed als lege zaal met Russische frontsoldaten te verzorgen had. Mijn beide zussen werden in een ander gebouw van het ziekenhuis gestationeerd dan ik. De zaal die ik kreeg toebedeeld werd namelijk bezet door krijgsgevangenen, die net voldoende werden opgelapt voor ze naar een van de kampen in het Russische binnenland werden gestuurd. In tegenstelling tot de zalen waar mijn zussen werkten, waren bij mij de meeste bedden gevuld. Zeker na de succesvolle inval van Rusland in Oost-Pruisen en Galicië. Ik begon mijn lange dagtaak met het vegen en het dweilen van de vloer. Daarna probeerde ik het de zieken wat aangenamer te maken. Ik hielp ze met wassen, bracht ze een glas water als ze erom vroegen of las wat voor uit een boek of brieven die ze toegezonden hadden gekregen. Een dankbare dienst want velen waren analfabeet en geen van de verpleegkundigen sprak Duits.

Op een dag stond ik de vloer van mijn ziekenzaal te zwabberen. Een jongen, net oud genoeg om als koerier te dienen maar te jong om naar het slagveld te sturen, bracht me slecht nieuws. Grootvader Nicolai was onverwacht gestorven. Van zodra hij het nare bericht had gemeld, verdween hij om mijn zussen hetzelfde te gaan vertellen. Ik bleef helemaal alleen achter in het midden van een zaal vol met gewonden, hier en daar kreunde er één van de pijn, maar daar lette ik nu even niet op. Ik voelde mezelf in elkaar zakken, enkel de bezemsteel hield me overeind. Alle emoties van de voorbije maanden borrelden aan de oppervlakte op. Ik barstte in snikken uit, toch wilden de tranen niet komen. Mijn donkerste gedachten en grootste angsten werden waarheid. Ik besefte dat het een keerpunt was. Ik wreef melancholisch dromend met mijn vrije hand over mijn buikje. *Vanaf vandaag, mijn kind, vanaf vandaag zal ik niet anders dan doden tellen.*

'Daar ben jij nog veel te jong voor.'

Ik schrok op en keek in de richting vanwaar de stem in vlekkeloos Pools had geklonken. In het dichtstbijzijnde bed lag een zwaargewonde jongeman, ik schatte hem midden in de twintig. Hij had een verband rond zijn hoofd waar enkele piekjes van zijn kortgeknipte haren onderuit staken. De piekjes plakten samen van het bloed waardoor de kleur van zijn haar niet te definiëren was. Ook zijn rechterschouder en -arm staken in een aangespannen dik verband. Door mijn ervaring van de laatste maand zag ik dat de zwachtel diende om het bloed te stelpen dat uit de waarschijnlijk diepe wond in zijn bovenarm moest sijpelen. Deze man was fysiek sterk verzwakt, maar in zijn ogen schitterde de levenslust. Ondanks de ernst van zijn verwondingen twijfelde ik niet dat hij het zou halen.

'Het mag dan misschien wel oorlog zijn maar dan nog, jij bent veel te jong om doden te tellen', herhaalde hij.

Ik liep op zijn bed af: 'Excuseer, ik wist niet dat ik hardop had gesproken. Ik wilde u niet wekken.'

'Je hoeft je niet te excuseren, ik sliep niet, ik lag gewoon maar wat naar je te kijken.'

Ik voelde dat mijn wangen rood aanliepen van verontwaardiging door de opmerkingen van deze brutale vreemdeling.

'En trouwens, dat doe je wel vaker, tegen jezelf praten. Zo ben ik al heel wat over jou aan de weet gekomen', vervolgde hij.

Zijn spraakvermogen had duidelijk geen ernstige kwetsuren opgelopen.

Ik voelde de nood hem van antwoord te dienen: 'O, ja?'

'Om te beginnen weet ik dat je zwanger bent', fluisterde hij discreet hoewel waarschijnlijk niemand in de zaal Pools zou verstaan. Mijn mond viel open van verbazing. Ik wilde al niet meer weten wat hij nog allemaal had geraden noch hoeveel tijd hij had gespendeerd aan zijn observatie. Om mezelf een houding te geven, veranderde ik van onderwerp: 'Hoe komt het dat u Pools praat, luitenant? Op uw kaart hier staat dat u Oostenrijker bent.' Ik wees naar de medische kaart die aan de voet van zijn bed hing.

'Ik kom uit Galicië. Pools leek me een nuttige tweede taal om te kennen. Dat heb ik in Wenen gestudeerd.'

Ik bleef onwrikbaar naar hem staan kijken. Om zich een houding te geven praatte hij dan maar verder: 'Mijn naam is Peter, Peter Brede. Ik ben vorige week gewond geraakt bij Lemberg.'

Hij stak, de pijn verbijtend, zijn linkerhand uit. Er stak een trouwring rond zijn vinger.

Ik nam hautain zijn hand aan ter begroeting: 'Freifrau Maria von Gert Bartachevitsch.'

Op die manier probeerde ik hem nog op zijn plaats te zetten voor zijn eerdere onbeschaamdheid.

'U bent Duitse?' onmiddellijk in zijn moedertaal vervallend.

Hij leek niet in het minst onder de indruk van mijn titel.

'Nee, maar wel van Duitse origine. En mijn Duits kan er net mee door, Herr Brede.'

'Laten we het bij Duits houden. Dan hoor ik mijn moedertaal nog eens en kun jij oefenen. Goed, Freifrau?'

Het ijs was gebroken.

Vanaf die dag werden mijn werkuren er heel wat plezieriger op. Ik zorgde ervoor dat het poetswerk zo snel mogelijk achter de rug was zodat er meer tijd overbleef om een praatje te slaan met Peter. Op die manier kon ik inderdaad mijn onvolkomen Duits wat oppoetsen. Zo kwam ik te weten dat zijn vader, een koophandelaar van graan en hout die tussen Duitsland en Ratibor had gereisd, aan longontsteking was gestorven toen Peter nog maar veertien was. Mijn patiënt zelf had chemie gestudeerd en was gespecialiseerd in de samenstelling van cellulose. Op die manier kwam Peter in een papierfabriek terecht. Kort na zijn indiensttreding was hij met Elisabeth, de dochter van de eigenaar van de fabriek getrouwd. Dat zeer tegen de zin van haar ouders, wist mijn patiënt tussen twee bedrijven door te vertellen. Peter, vorige maand zesentwintig geworden, had ook nog twee kinderen, Anja en Francis.

Ik vertelde hem over mijn situatie. Mijn prille huwelijk, de baby die in mijn buik groeide en de dood van opa Nicolai. Vooral dat laatste had me heel erg aangegrepen. Ik kende mijn grootvader als een fris, kwiek en positief man. Tenminste zolang mijn grootmoeder had geleefd. Haar vroege dood had hem geconfronteerd met zijn bijna voorbije leven. In die periode had hij me de prachtigste verhalen verteld uit lang vervlogen tijden. Het idee gescheiden te moeten leven van mijn grootmoeder, van wie hij zielsveel had gehouden, had hem gebroken. Eigenlijk had opa Nicolai toen al afscheid genomen van het leven. Waarschijnlijk lag in zijn onwil om nog van het leven te genieten de oorzaak van zijn dood zonder voorafgaande waarschuwing. Geen ziektes, geen bijkomende ongemakken hadden ons gealarmeerd. Hij was gestorven aan eenzaamheid.

Ik hield van de gesprekken met Peter, vooral van zijn humor. Daarmee liet hij me het goede van iedere situatie inzien. Deze man was zo anders dan alle anderen die ik gekend had. Peter was spontaan in de omgang zonder me te willen bruuskeren. Hij bleef altijd galant. Een enkele keer dacht ik dat hij met me flirtte. Bezorgd als hij was, drong Peter er niettemin op aan te stoppen met het vrijwilligerswerk en me op de nakende geboorte van mijn eerste kind te concentreren. Er waren momenten dat ik me afvroeg wie hier de patiënt was en wie de verpleegkundige.

'Als je op jezelf past, kom jij er wel. Je bent geen doetje. Je hebt een sterke overlevingsdrang. Als er iemand deze verschrikkelijke oorlog overleeft, ben jij het', zei hij dan.

Ik ging veel opgewekter naar huis, ofschoon ik in het najaar geen enkele brief van Ivan meer ontving. Hij zat nu waarschijnlijk aan het front en had noch de tijd noch de mogelijkheid iets van hem te laten horen.

Langzaamaan werd ik me ervan bewust dat ik in de gaten gehouden werd. De hoofdverpleegkundige bekeek mij en mijn werk met het grootste wantrouwen. Ze stond nog steeds argwanend tegenover mij en mijn naam. Op een morgen, nadat ik de Oostenrijkse krijgsgevangene een glas water had gebracht en hem nog even toedekte, nam ze me terzijde en kweelde me toe in het plat Russisch: 'Zeg, het zijn geen toeristen, hoor. Je hoeft ze niet te verwennen. Trouwens, wat bespreek je allemaal met hen in dat smerige taaltje? Volgens mij ben jij een collaboratrice. Ik ga je gedrag melden aan de hoofdchirurg.'

Vicky stond zo dicht bij me dat de walm van haar onfris ruikende adem in mijn neusgaten prikte.

'U doet maar', antwoordde ik beleefd maar kort. 'Ik betwijfel of ik u van uw idee kan afbrengen maar ik collaboreer niet.'

'Je kunt het toontje dat je tegen me aanslaat beter laten. We zitten hier niet in een of ander kasteeltje waar jij keizerin kunt spelen. Hier ben ík jouw meerdere en...'

Ik onderbrak haar: 'Ik wil deze patiënten op een wijze behandelen zoals ik hoop dat mijn echtgenoot behandeld zou worden mocht hij ooit hetzelfde lot moeten ondergaan als deze krijgsgevangenen. Of wilt u niet dat uw echtgenoot, broers of vader goed verzorgd worden aan de andere kant van de frontlinie?'

Daar had de hoofdverpleegkundige niet van terug. Ik liet haar staan waar ze stond en ging terug naar mijn werk.

Twee dagen later werd ik bij de hoofdarts van het ziekenhuis geroepen. Voor de eerste keer in mijn leven voelde ik me haveloos en sociaal minderwaardig in mijn bezwete werkplunje toen ik in het grote kantoor van de ziekenhuisdirecteur stond. In zijn witte schort was hij volledig het tegenbeeld van het schepsel tegenover hem. Het leek me een minzame rustige man aan wie de momenteel heersende chaos compleet voorbijging. Hij was kaal op de kruin en de weinig overgebleven haren boven zijn oren en in zijn nek waren grijs. De hoofdarts had een bierbuikje, wat hem een joviale aanblik gaf. Hij keek even nadenkend in een dossier dat voor hem op het bureau opengespreid lag alvorens hij op correcte wijze het woord tot mij richtte.

'Ik ga eerlijk met u zijn, juffrouw...' Hij zocht mijn naam in het eerder vernoemde dossier, keek even verrast en stond op. Hij gebaarde me verontschuldigend dat ik mocht plaatsnemen in een van de twee zeer grieflijke armstoelen voor zijn schrijftafel en zei: 'Freifrau von Gert Bartachevitsch. Ik moet u waarschuwen voor individuen als de hoofdverpleegkundige op uw afdeling.' Hij bleek nog iemand te zijn die op etiquette stond. Het zou niet de berisping worden die ik had verwacht.

Hij vervolgde zijn uiteenzetting: 'Er zijn mensen van haar slag die niet echt opgezet zijn met mensen van uw... klasse. Hoe moet ik het zeggen...' Hij aarzelde. 'Er ontstaat momenteel een bepaalde gevaarlijke groep revolutionairen met extreem socialistische standpunten en ik vrees dat uw directe overste daar een van is. Voor haar bent u met uw vrijwilligerswerk een doorn in het oog. Volgens Vicky kan op uw plaats beter een betaalde werkkracht komen die het inkomen meer dan nodig heeft.'

Door papa's vele uurtjes voorlezen uit de krant snapte ik waarover hij het had. Ik knikte begrijpend.

'Daarbij komt nog dat uw zwangerschap zo langzamerhand bekend is geworden binnen ons hospitaal, u kunt het nu nog moeilijk wegsteken. Wanneer wordt uw baby verwacht?'

Ik was niet verrast of teleurgesteld dat mijn geheim ontdekt werd: 'Eind januari zou ik normaal moeten bevallen.'

'Maar dan bent u al in uw derde trimester! Freifrau, ik moet er echt op aandringen dat u het vrijwilligerswerk in onze instelling staakt. Meer nog, ik sta erop! Voor uw eigen veiligheid en dat van uw ongeboren kind. Dit werk is veel te vermoeiend voor u.'

Ik was geenszins de frêle freule waar deze man me voor aanzag en zou heus niet van een beetje poetswerk flauwvallen op de vloer van zijn ziekenhuis. Maar ik voelde de achterliggende reden van zijn verzoek aan.

De directeur was opgeveerd vanachter zijn immense bureau, cirkelde in ijltempo rond het meubel en nam mijn hand. Me als dusdanig dwingend op te staan.

'Freifrau, alstublieft, blijft u vanaf morgen thuis, dan kan de hoofdverpleegkundige zich niet aan u ergeren en kunt u rusten. Dit zware werk is echt niet geschikt voor iemand in uw toestand.'

Ik had de arts tot op dat moment nog niet onderbroken: 'Mijnheer, ik begrijp uw zorgen en ook het moeilijke parket waarin ik u, door mijn status, schijn te brengen. Ik zal daarom, samen met mijn zussen, onmiddellijk het vrijwilligerswerk stopzetten.' We begrepen elkaar zonder verdere uitleg. Het ronde gezicht van de man klaarde direct op.

'Dank u, ik apprecieer uw inzicht in deze moeilijke situatie enorm en ben... opgelucht dat u mijn raad ter harte neemt.'

Voor hem was de zaak hiermee afgehandeld. We bewogen ons richting de deur.

'Geen dank', probeerde ik hem te sussen.

'Als ik ooit iets voor u of uw familie kan doen, hoeft u het maar te vragen.'

Met een knicks nam ik afscheid van de arts, hij boog zich over mijn hand en ik haastte me naar mijn zussen. Ik vond het jammer dat mijn dagen in de toekomst niet meer gevuld zouden zijn, maar de baby zou daar ongetwijfeld verandering in brengen.

De goede raad van de hoofdchirurg mocht niet baten. Hij had het bij het rechte eind gehad. Het werk was veel te vermoeiend geweest. De avond van mijn laatste werkdag in het ziekenhuis kreeg ik hevige buikpijn. De dagen en de weken daarop hield ik zoveel mogelijk het bed, maar kort voor kerst beviel ik onverwacht vroeg van een dochter, Filomena, Franja voor ons. Mijn dochter was tenger maar blaakte van levenslust. In die woelige tijden leek ze bijna het lot te willen uitdagen. Ik had mijn eerstgeborene naar mijn schoonmoeder genoemd, want dat zou Ivan zeker leuk vinden. Ik kon hem echter niet rechtstreeks van het heuglijke nieuws op de hoogte brengen. Ik wist immers niet waar mijn echtgenoot zich bevond. Daarom stuurde ik een brief naar het dichtstbijzijnde hoofdkwartier van onze troepen, in de hoop dat hij dan wel terecht zou komen. Ivans moeder liet weten dat ze zeer vereerd was dat onze eerste dochter naar haar werd genoemd, maar dat ze momenteel niet op visite kon komen vanwege het weer en de snel achteruitgaande gezondheidstoestand van mijn schoonvader.

Ondanks de oorlog hadden Filomena en ik niets te kort. Toch merkte ik dat Alexandra steeds meer moeite had een behoorlijk maal voor ons allemaal te bereiden. We aten sinds enige tijd met zijn allen, personeel en familie, in de grote keuken. De eetkamer werd afgesloten om hout uit te sparen voor de verwarming van de weinige nog in gebruik zijnde kamers. Nu werden enkel nog een paar slaapkamers, de bediendevertrekken en de keuken gebruikt, waarvan enkel mijn slaapkamer, vanwege de baby, en de keuken werden verwarmd. Alle activiteiten concentreerden zich in deze eetruimte. Papa las er de krant terwijl Alexandra met mama het eten voorbereidde. Het was een gezellige drukte. Zo gezellig dat ik soms vergat dat het oorlog was. Alleen Ivans permanente afwezigheid drukte me voortdurend met mijn neus op de feiten.

De winterse sneeuw werd verruild voor de eerste schuchtere lentebloemen. Franja groeide als een kool onder de eerste zonnestralen. De zomers zwoele lucht bracht beloften in de vorm van bijna tropisch geurende bloemen uit moeders tuin. Het leek een illusie, ik verwachtte ieder moment een donderslag bij heldere hemel. Ik ontving geen enkel briefje of telegram van mijn echtgenoot en begon me langzaam af te vragen of hij mijn berichten wel had ontvangen. Hoewel Rusland vele successen had geboekt in Galicië en Polen bleek de post uit de frontgebieden moeilijk of niet tot bij ons te geraken. Ik was lang niet de enige officiersvrouw die in die periode niets van haar echtgenoot te horen kreeg. In de eerste week van augustus leek het tij te keren. Op 5 augustus werd er om Warschau gestreden en Rusland leed er grote verliezen. Sommige kranten berichtten over een 'Grote Terugtocht'. Vol angst luisterden we naar papa die het bewuste artikel vanuit zijn armstoel in de hoek van de keuken voorlas.

'Papa, als wij ons nu eens aanmelden? Viktor is nog veel te jong, maar ik ben al bijna vijftien. U kunt ook nog goed mee en Rusland heeft ons nodig', zei Jan uitbundig alsof het een gezinsuitstap naar het park betrof.

Mama en Alexandra keken verschrikt op van hun bezigheden. Papa viel hem in de rede: 'Nee, mijn zoon, dat gaat niet.' Hij zei het rustig en duldde geen tegenspraak, maar Jan wilde zich daar niet zomaar bij neerleggen.

'Maar waarom dan niet?'

Papa zuchtte: 'Om te beginnen mag jij dan misschien veertien zijn, het is toch nog veel te jong om op een slagveld je tijd te verdrijven.'

Jan wilde dat opnieuw tegenspreken: 'Er zijn veel jongere knapen die in het leger gaan.'

Voor de eerste maal in mijn leven zag ik mijn vader zo opgewonden dat hij een rood aangelopen gezicht kreeg.

'En hoe denk jij lijf en leden te redden met de familienaam die je hebt? Waarom denk je dat ik niet werd opgeroepen? Zelfs als je je zou weten te redden aan het front, dan is het maar de vraag of je compagnons je niet de keel zouden oversnijden met een naam als "von Gert".'

Jan wilde nogmaals tegenpruttelen, maar werd door papa vakkundig de mond gesnoerd nog voor hij wat kon zeggen.

'Nee Jan, ik wil het niet, we hebben al genoeg leden van dit huishouden, die zich hebben laten meeslepen in die mallemolen. Kijk maar,' in een weids gebaar naar de hele keuken wijzend, 'de meeste mannelijke personeelsleden hebben zich opgegeven en zijn vertrokken. Ivan is ook al vertrokken en we hebben in bijna een jaar niets meer van hem gehoord.'

Jan gaf zijn protest met zichtbaar ongenoegen op. Het was duidelijk dat hij het hele idee om naar het front te trekken nog niet had opgegeven. Ik was maar wat blij dat Jan en Viktor veel te Duits en vooral te adellijk waren om ingelijfd te worden. De behoefte aan een lange wandeling groeide. Deze zomer leken de temperaturen net iets warmer dan andere jaren, maar hier in huis had ik het koud tot op mijn botten. Zwijgend legde ik Franja in haar wandelwagen en dekte haar toe met een lichte katoenen sjaal om haar tegen de felle zonnestralen te beschermen. Sofie stond op en deed de achterdeur voor me open. Nog steeds zwijgend reed ik Franja naar buiten. Niemand bood aan me te vergezellen, wetend dat ik alleen wilde zijn. Papa's opmerking had de aandacht gevestigd op hoe lang het geleden was dat ik Ivan had gehoord of gezien. Iedereen voelde zich duidelijk opgelaten.

Ik zette er meteen een stevig tempo in. Aan het einde wilde ik vermoeid genoeg zijn, zodat ik niet meer in staat zou zijn te denken. Eigenlijk wilde ik naar de tuin achter de zaal waar het laatste lentebal had plaatsgevonden. Meer bepaald naar de balustrade aan het terras achter de ruimte die er nu zo ongebruikt bijstond. Ivan had gelijk gehad, het was het laatste bal geweest.

Maar papa en mama hadden ons wandelingen buiten het domein afgeraden. De oorlog, hoewel ettelijke kilometers van ons vandaan, werd tegenwoordig ook achter de poort aan het einde van onze oprit uitgevochten. We voelden het als we een zeldzame keer met het rijtuig door ons dorp reden en we zagen het in de ogen van een enkele dorpsbewoner wanneer die ons met wantrouwen, achterdochtig en soms vol haat aankeek. Daarom beperkte ik me tot ons domein. Eerst de siertuin, die een verwilderd aanzien gaf, daarna de bossen, die tot op heden nog niet te lijden hadden onder de oorlog. Ik bleef Franja's wandelwagen duwen, tot ik echt niet verder meer kon. Franja zelf sliep gelukkig vast op het stevige ritme van mijn stappen. Pas toen ik bijna door mijn knieën zakte van vermoeidheid, stond ik mezelf toe terug te keren naar het huis. Ik moest al uren weg zijn geweest, toch overviel me het gevoel dat de wandeling niet het gewenste effect had gehad. Ik voelde nog steeds een zwaarte in mij die ik niet kwijt kon. Alsof ik op mijn pad steeds weer op een muur botste. Een muur waarachter de antwoorden op al mijn vragen lagen.

Afgepeigerd en bezweet van het helse tempo arriveerde ik terug in de keuken. Onmiddellijk voelde ik dat de ongemakkelijke sfeer gedurende mijn afwezigheid alleen maar was toegenomen. Had Jan dan toch de discussie met papa doorgedreven? Nee, dat was het niet. Zwijgend zocht ik oogcontact met de leden van mijn gezin. Mama? Sofie? Nadia? Maar geen van hen beantwoordde mijn vragende blik. Papa leek me zelfs compleet te willen ontwijken. Arme vader, hij voelde zich toch niet schuldig over zijn eerdere opmerking? Al die gedachten schoten door me heen tot ik op de verder kale keukentafel een rechthoekige lichtbruine enveloppe zag liggen met een zwarte band in de linkerbovenhoek. Bedachtzaam liep ik erop af, mijn dochter, kraaiend in haar wandelwagen vergetend. Het was aan mij geadresseerd. Ik hoefde de gestandaardiseerde tekst niet te lezen om te weten wat erin stond. De zwarte hoek vertelde mij genoeg. Ik liet de onheilsboodschap onaangeroerd liggen, bang er mijn vingers aan te verbranden. Dezelfde stappen die ik zonet behoedzaam richting de grote tafel had afgelegd om mijn nieuwsgierigheid te bevredigen, zette ik nu achterwaarts in de hoop het moment ongedaan te kunnen maken. Ik zakte op de grond neer en begon zachtjes te huilen. Eindelijk. Alles wat ik in het voorbije jaar had opgekropt, kwam naar buiten. Het was pijnlijk stil in de keuken, op mijn snikken na. Niemand bewoog. Wat ik al die tijd had verwacht, waar ik mezelf op had voorbereid, was gebeurd. Ik was eenentwintig, moeder van een zes maanden oude baby en weduwe.

Van de periode die daarop volgde tot en met de winter weet ik weinig tot niets meer. Midden november kreeg ik van het leger een pakketje met een brief:

Mevrouw,

Met spijt moeten wij u meedelen dat enkele van de door U verstuurde brieven niet tijdig bij uw echtgenoot arriveerden. Wij sturen U ze daarom ongeopend terug.

Met de meeste hoogachting

In het pakketje zaten alle brieven die ik Ivan had gestuurd sinds ik wist dat ik zwanger was. Inclusief die waarin ik hem op de hoogte bracht van de geboorte van Franja. Ik las ze allemaal, een voor een. In de hoop er nog iets van Ivan in terug te kunnen vinden. Ze zagen er nog net zo uit als toen ik ze in hun omslagen had gestoken. Hij had ze nooit ontvangen. Ik was teleurgesteld en verdrietig om zoveel noodlot in mijn leven. Na de dood van Ivan en zijn ontbrekende lichaam dat ik niet eens kon begraven, was het de zoveelste klap. Ik bleef meestal in bed liggen. Mama en Nadia, die veel volwassener geworden was door de recente gebeurtenissen, zorgden voor me. Het waken over Franja werd aan Sofie overgelaten. Niets interesseerde me nog, ik weigerde me aan te kleden of te eten. Het weinige dat ik at werd me door mijn moeder of zus gevoerd als was ik een baby. Voor mij leek mijn leven voorbij. De toekomst scheen me somber voor te komen. Ik wentelde me in zelfmedelijden.

'Toe, mijn kind, eet toch wat' of 'Maria, je moet je herpakken, Franja heeft je nodig', waren veelgehoorde uitspraken in die bitterkoude donkere maanden. Pas tegen de lente hadden ze enig effect en deed ik een enkele poging om even tot in de keuken te lopen, een lichte maaltijd te eten en dan weer in mijn bed te kruipen. Een andere keer vroeg ik of Franja tot in mijn kamer kon komen, zodat ik even met haar kon spelen.

Ruslands nederlagen werden afgewisseld met zeges. De situatie aan het oostfront zat in een impasse. Langzaam herstelde ik van de dood van Ivan. Ik begon oog te krijgen voor de wereld rondom mij, waaronder de bloemen die mijn kamer en mijn humeur moesten opvrolijken.

'Mama, het was echt niet nodig om de bloemen uit je tuin aan mij op te offeren, ze zijn veel mooier buiten', zei ik op een dag, midden in de zomer van 1916. Ik had me opgekleed, een lange rok en tunica, met het voornemen samen met mama een wandeling te maken door de bossen. Het zou me goeddoen. Mijn moeder keek me, netjes gekleed in een mantelkostuum, een moment sprakeloos aan: 'O... Ik dacht dat Nadia je dat had verteld.'

'Nee hoor, ik weet nergens van.'

'Nu, ze zijn van Belaçk.'

Belaçk, de tweede zoon van mijn vaders beste vriend, woonde in een statig herenhuis in het naburige dorp. Hij had zijn vrouw, met wie hij vier jaar geleden was gehuwd, kort voor de oorlog verloren in het kraambed. Door een vreemde speling van het lot had hij niet hoeven te strijden in deze, voor mij nu waanzinnige oorlog.

'Belaçk?! Waarom stuurt die me ineens bloemen?'

'Dat zal ik je allemaal tijdens de wandeling vertellen. Kom, laten we vertrekken.'

Met een grote zomerhoed in de hand liep ik naast mijn moeder, over een smal pad, door het bos. Ik liet de zonnestralen over mijn gezicht dansen. Voor het eerst sinds lang genoot ik van de natuur rondom mij. De gedachte aan mijn overleden echtgenoot hield me 's nachts niet meer wakker. Ik had mezelf gedurende ons korte huwelijk altijd voorbereid op zijn dood en hoewel ik mezelf minder galant had laten gaan in mijn verdriet dan de bedoeling was geweest, had de gebeurtenis me gehard.

'Het is begonnen een veertiental dagen na... je weet wel.'

Mijn moeder verwees naar de dag dat ik het telegram met het overlijdensbericht van Ivan had gekregen. Ze tastte mijn gevoeligheid betreffende Ivans dood af, maar ik had geen moeite meer om over het voorval te praten. Dus knikte ik bevestigend om mama op haar gemak te stellen en liet ik haar zonder onderbreken verder vertellen.

'Het begon met één boeket, dat hij liet leveren met een kaartje erbij. Ik weet ook niet waar hij dergelijke bloemen haalt met de huidige tekorten.'

Het was voor mij geen geheim dat bijna alle voedingswaren naar de troepen gingen en dat er grote tekorten waren aan het thuisfront. Luxeproducten, zoals bloemen, waren helemaal niet meer te krijgen.

'Een week later stond hij hier zelf met nog een boeket, nog groter en mooier dan het vorige. Hij vroeg een gesprek met je vader en mij. Het heeft niet lang geduurd, hoor. Belaçk zei dat hij had gehoord over de tragische dood van Ivan in de slag bij Warschau en jouw ziekte. Hij leek echt erg met je in te zitten en stelde daarom voor om met je te trouwen en dan samen naar Amerika te vertrekken, zodat je de hele situatie hier achter je kon laten. Je vader was in eerste instantie akkoord met het voorstel maar zei wel dat Belaçk geduld moest hebben totdat je weer beter was.'

Ik keek mama ongelovig aan, klaar om te protesteren tegen een gearrangeerd huwelijk met een man die niet eens het fatsoen had gehad een respectabele rouwperiode af te wachten alvorens de weduwe in kwestie het hof te maken. Mijn moeder zag de opkomende reactie in mijn ogen en probeerde onmiddellijk het brandje te blussen.

'Maria, nu moet je goed naar me luisteren.' Haar wijsvinger stak in de hoogte, klaar om me een berisping te geven. 'Ik zal nooit ofte nimmer een huwelijk voor je arrangeren of je dwingen met een bepaald persoon te trouwen, zeker niet na wat er met je grootmoeder is gebeurd. Ik wil niet het risico lopen je te verliezen. Dus je vader en ik geven je de vrije keuze Belaçks aanbod aan te nemen of niet.'

Ik stond klaar om het zonder meer af te wijzen. Mijn lichaamstaal moet boekdelen gesproken hebben.

'Ik vraag je wel je antwoord goed te overwegen, mijn kind. Neem alle tijd die je nodig hebt om deze beslissing te nemen', zei mijn moeder nu op veel zachtere toon. 'Maria, je moet onthouden dat het woelige tijden zijn. Als ik papa moet geloven kan de oorlog morgen voor onze deur staan. Het offensief van Broesilov lijkt tot mislukken gedoemd. Om nog maar te zwijgen over de spanningen in Petrograd. Onze oude wereld, Maria, vergaat. Jij bent nog jong, neem deze kans om aan deze wrede oorlog te ontsnappen, voor hij je inhaalt. Op jouw leeftijd kun je toch geen weduwe blijven?'

In afwachting van mijn antwoord bleef het even stil. We liepen door.

'Goed moeder, ik zal erover nadenken.'

Daarmee was voor mij de kous af. Ik had het enkel gezegd om het onderwerp te laten rusten. Mama slaakte een zucht van opluchting. Maar voor mij was de beslissing al gevallen.

In de voorbije maanden had ik heel goed nagedacht over mijn huwelijk met Ivan, over mijn twijfels toen. Ik was tot het besluit gekomen dat ik nooit van Ivan gehouden had omdat ik mezelf dat niet wilde toelaten. Omdat ik niet de kans wilde lopen gekwetst te worden. En toen mijn grootste angst bewaarheid werd, had ik mezelf gehaat omdat ik die enkele kostbare dagen met Ivan zo verkwanseld had. Ik was misschien met de juiste echtgenoot getrouwd, maar wel om de verkeerde redenen. Het doorbreken van mijn isolement, van mijn routine was mijn drijfveer geweest en niet de liefde. Dat was een fout die ik geen tweede keer wilde maken. Nu ik eindelijk tot die slotsom gekomen was, kon ik onmogelijk mijn familie verlaten nadat ze zo goed voor me hadden gezorgd. Ik had die strohalm, die me verbond met mijn verleden, nodig om me aan vast te klampen. Ik zou Belaçks aanbod afwijzen.

Er zijn momenten geweest in het daaropvolgende jaar dat ik heb getwijfeld aan mijn beslissing om niet met Belaçk te emigreren. Maar de ontmoeting met een oude bekende in de zomer van 1918 bevestigde me dat ik toch de juiste beslissing genomen had.

Revolutie

Kapytnik, maart 1917

De situatie in Rusland was zo hopeloos verergerd dat niemand nog in een goede afloop geloofde. De moord op Raspoetin eind 1916 luidde het begin van een bewogen jaar in. Stakingen en demonstraties tegen de tsaar ontwrichtten heel Petrograd. Eind februari vond je in onze hoofdstad geen kruimel brood meer. Na vier dagen van betogingen bevond het grootste slagveld van Rusland zich niet in Polen of Wit-Rusland, maar in de straten en op de kaaien van Petrograd. Het leger sloeg aan het muiten. Begin maart konden de revolutionairen zelfs rekenen op de steun van de elitetroepen van Ruslands marine, die zich op hun basis in Kroonstadt ontdeden van de meeste van hun officieren. Niet de rede maar de honger bestuurde het eens zo machtige keizerrijk. De oorlog met de Centralen, Duitsland, Oostenrijk-Hongarije en het Ottomaanse Rijk, werd een verloren zaak. Niet minder dan 1,35 miljard mensen waren in de oorlog betrokken. Dat was drie vierde van de toenmalige wereldbevolking.

Papa vreesde voor een aanslag. De haat ten aanzien van zijn persoon – hij was tenslotte van Duitse herkomst – was nu duidelijk voelbaar in het dorp dat hem eens zo had liefgehad. Geen van de dorpelingen deed nog moeite zijn of haar gevoelens voor ons verborgen te houden. Ik hoorde vader meermaals praten over 'die verdomde Sovjets met hun opruiende taal'. Tussen mama en papa werd al eens fluisterend de mogelijkheid van een vlucht geopperd. De frontlinie was nu immers gevaarlijk dichterbij gekomen, slechts enkele kilometers. 's Nachts in ons bed hoorden we de kanonnen bulderen en zagen we lichtflitsen aan de donkere horizon. Misschien zou het gemakkelijker zijn de Duitse kant van de oorlog op te zoeken. Ik deed alsof ik het niet hoorde en het te druk had met Franja, die nu een schattige peuter van twee was.

Op een dag midden in maart stormde Boris, ondanks zijn hoge leeftijd die hem ook had weerhouden deel te nemen aan de oorlog, de keuken binnen. Iedereen keek verschrikt op.

'Wat is er Boris, je lijkt van je melk?' Papa stond onmiddellijk zijn comfortabele stoel af aan de bleke, bevende en op adem komende Boris. Er was zoveel veranderd. Een tijd geleden zou vader dat kleine gebaar ten aanzien van een bediende nooit gedaan hebben, maar de laatste jaren waarin we in de grote keuken als nauwe gemeenschap leefden, hadden de grens tussen staf en familie duidelijk vervaagd.

'Nu weet ik iets... meneer... dat nog niet... in... uw krant staat', hijgde Boris.

'Wat dan? Wat man, spreek!' Mijn vader was ongeduldig en wilde het nieuws het liefst meteen uit Boris trekken.

'De tsaar is... afgetreden.'

Ongelovig keek papa Boris aan: 'Waar heb je dat verhaal vandaan?'

Mama en Sofie hielden bevend hun hand voor hun mond, om de tranen die dreigden op te komen alsnog terug te kunnen dringen. De tsaar kon binnen onze familie op behoorlijk wat sympathie rekenen, zelfs al had zijn beleid in het verleden wat mankementen vertoond. Ik suste mijn dochter die de spanning in de ruimte leek te voelen.

Boris hapte nog steeds naar adem: 'Ik hoorde het van de smid... toen ik nog een voorraad kolen ging halen... om de winter mee door te komen. Hij had het van zijn neef die deze morgen... in het dorp naar een toespraak is gaan luisteren van een Sovjet die rechtstreeks uit Petrograd kwam. De tsaar en de tsarevitsj... hebben afstand gedaan van de troon. Er is op die bijeenkomst hevig gediscussieerd. Ze hadden het ook over u en de familie.'

'Wat hebben wij daarmee te maken?'

'Volgens die Sovjet zijn het mensen zoals de tsaar en uw familie die verantwoordelijk zijn voor de honger die de dorpelingen nu lijden. Hij sprak over een eerlijke herverdeling van de goederen als de Sovjets aan de macht zullen komen.'

'En wat heeft dat dan te betekenen?'

'Ik denk dat ze van plan zijn het kasteel aan te vallen en leeg te plunderen, meneer. Tenminste, dat zei de smid. Hij wilde me waarschuwen.'

Na die woorden sloegen mijn zussen en ik in paniek. Wat als ze het op ons persoonlijk gemunt hadden? Beelden van mijn vermoorde en verkrachte zussen doemden voor me op. Moeder trachtte ons allemaal te bedaren. Met een korte veelbetekenende blik op mama nam papa de beslissing: 'We moeten gaan, vannacht nog.'

Moeder draaide zich resoluut naar ons om en nam rustig maar vastberaden het woord: 'Goed, we gaan inpakken. Sofie en Nadia, jullie vullen samen één koffer. Net als Jan en Viktor. Maria, jij zorgt dat alle noodzakelijke spullen voor Franja ook in jouw koffer terechtkunnen. Kinderen, het is de bedoeling dat je zo weinig mogelijk en tegelijk zo veel mogelijk meeneemt. We moeten met onze bagage zo snel mogelijk en incognito kunnen reizen. Neem dus geen baljurken en kostuums mee, die hebben we niet nodig. Denk aan praktische kledij, wandeljurken, warme japonnen, sjaals en dergelijke. Als jullie daarmee klaar zijn, verzamel je alle kleine juwelen en andere kleine waardevolle voorwerpen hier in de keuken.' Mama leek niet onvoorbereid.

Iedereen schoot uit de startblokken om de opgedragen taken te volbrengen. Zelfs Greetje kwam me boven helpen met pakken. Het huis veranderde van een in winterslaap zijnde reus, die het die oorlogsjaren was geweest, naar een zenuwachtig werkend nest vol mieren, alsof er deze avond nog een groot feest gegeven zou worden en alles nog in gereedheid gebracht moest worden. Alleen de dreigende sfeer die in de kamers hing verraadde dat er hier geen bal gegeven zou worden. Tenminste niet meer door mijn familie. Iedereen liep door en tegen elkaar en verdween in zijn respectievelijke kamer. Papa trok zich terug in zijn kantoor, ongetwijfeld om de nog in het huis aanwezige liquide middelen te verzamelen. Ook moeder ging aan de slag. Ik, met mijn armen vol spullen van Franja, zag haar rustig maar met een bedroefde trek om haar mond de overloop nemen tot aan de deur van haar boudoir. Ik stond even als aan de grond genageld naar haar te staren. Plots besefte ik wat een wonderbaarlijke vrouw mijn moeder was en hoe moeilijk het voor haar in die laatste jaren geweest moest zijn. Ik had het haar ook niet gemakkelijk gemaakt door me bij de dood van Ivan zo te laten gaan en daarbij de opvoeding van mijn dochter aan haar over te laten. Ik nam me voor haar daar bij de eerstvolgende gelegenheid over aan te spreken en te bedanken.

Toen de bruine lederen koffer openlag op mijn kaptafel en mijn kledij en de spulletjes van Franja uitgespreid op mijn bed lagen, had ik voor de eerste keer sinds mama ons de orders had gegeven even de tijd om alles in ogenschouw te nemen en te overdenken. Ik voelde de tranen opwellen en met een blik op Greetje, die aan de andere kant van het bed stond, wist ik dat dat bij haar ook het geval was. Ik hoorde haar snikken en liep om het bed naar haar toe.

'U gaat me toch niet achterlaten, wat moet er dan van ons allemaal terechtkomen?'

Voor de eerste keer sinds ik haar kende, verloor Greetje haar zelfbeheersing. Ze verborg de tranen achter haar handen en als een angstig veulen, nood aan bescherming, dook ze in mijn armen.

'Dat weet ik niet, Greetje, maar we vinden wel een oplossing. Papa is er vast al één aan het uitwerken', probeerde ik haar te troosten. Het leek te werken en na een tijdje gingen we weer aan de slag.

De rest van de dag ging op aan het maken van verborgen zakjes in onze kleding en koffers om de vele kostbare juwelen in te verbergen. Zomen van jurken, brede hoedenranden en korsetten, alle mogelijke bergplaatsen werden overwogen en gebruikt.

Op een bepaald moment boog vader zich over me heen, glimlachte en zei: 'Nu bewijzen al die praktische straffen toen je ongehoorzaam was, eindelijk hun nut.'

Ik glimlachte terug, waardeerde zijn grapje om me op te beuren en boog me verder zwijgzaam over mijn taak. Papa wist dat ik zijn kleine humor nodig had om me min of meer waardig door deze nieuwe crisis heen te slagen.

Als ik al ooit opnieuw aan trouwen zou denken, zou hij net zo een steunende humor als vader moeten hebben.

Die gedachte en het beeld van een zwaargewonde soldaat in een ziekenhuisbed lieten een hevige koude rilling over mijn rug lopen. Ik verdrong de opwelling en concentreerde me op mijn werkje.

Ondanks het al iets warmere weer hadden we allemaal onze dikste jassen aan. We stonden klaar in de keuken om afscheid te nemen van het personeel. Alexandra, Greetje, Boris en zelfs Helena, die nu in het dorp woonde met haar man en kinderen, waren er. Allen met een droevig gezicht. Vader deelde de laatste lonen uit, met een flinke som erbovenop. Genoeg om het een klein jaartje uit te kunnen zingen. Sommigen weigerden het aan te nemen, maar papa stond erop.

'Mijn familie en ik hopen dat we snel kunnen terugkeren. In tussentijd hoeven jullie het kasteel en het domein niet te onderhouden. Zorg in de eerste plaats voor jezelf en jullie gezinnen. Diegenen die op het domein wonen, kunnen dat gerust blijven doen.'

De laatste mededeling verraste hen. Wetende dat ze op die manier verzekerd waren van een bed voor die nacht, namen ze mijn vaders voorstel graag aan. Ik gaf Helena een laatste knuffel.

Het was donker. Bedrukt en in stilte liepen we naar de stallen waar we in het rijtuig zouden stappen. Normaal zou de koets tot aan de voordeur gereden worden. Maar omdat die zichtbaar was vanaf de poort en we vreesden dat we geen kans zouden krijgen om te ontsnappen als de dorpelingen lucht zouden krijgen van onze vlucht, hadden vader en Boris die oplossing bedacht. Hij was ook de enige bediende die met ons mee zou reizen. Vanuit de stallen konden we met het rijtuig rechtstreeks naar een pad door het noordelijke bos rijden zonder door omwonenden gezien te worden. Vier koffers werden op en achter aan het rijtuig vastgesnoerd.

Waar we heen gingen, wisten alleen Boris en vader. Pas veel later hoorden we dat de meeste aristocraten de noordelijke route via Finland hadden gekozen om te ontsnappen. Wisten wij veel dat die route de meeste kans op slagen zou geven. Op dat moment vonden mijn vader en Boris dat net die route uitgesloten was omdat vanuit onze positie Finland enkel te bereiken was via Petrograd, een stad die we vanwege de opstand tegen de tsaar wilden vermijden. Om zo snel mogelijk Russische bodem te kunnen verlaten, leek het voor mijn vader het beste om recht op de frontlinie af te gaan en die op de een of andere manier, waarschijnlijk met behulp van zijn Duitse naam, over te steken. Maar dat alles zou me pas in de loop van de nacht duidelijk worden.

Toen we het hobbelige pad door het noordelijke bos doorkruist hadden werd de rit in de koets aangenamer. Toch was het er niet comfortabel met zes volwassenen en een kleuter in de nauwe ruimte. Papa en mama hadden zich samen met mij in de rijrichting gezet. Sofie, Nadia en Viktor zaten tegenover ons. Jan was vrijwillig, om het ons gerieflijker te maken, naast Boris op de bok gaan zitten. Ik had mijn slapende dochter in mijn armen, waardoor mijn kleine geprangde plekje in de hoek van het rijtuig nog ongemakkelijker werd. Ik herinnerde me de stilzwijgende belofte aan mijn moeder op de overloop eerder die dag en was vastbesloten het niemand moeilijker te maken dan het al was. Dus mopperde ik niet.

Er werd niet gesproken en na een uurtje zag ik dat Viktor langzaam tegen de schouder van Sofie in slaap viel. Ook Nadia, die tegenover me zat, knikkebolde en leunde met haar slaap tegen de roodfluwelen wand van de koets. Als in een spiegelbeeld deed ik hetzelfde, maar zonder succes. De onrust diep in mij hield me wakker. Daardoor nam ik de tijd om het interieur van de karos wat nauwkeuriger te bekijken. Hoewel de fluwelen bekleding er rijkelijk uitzag, kwam de binnenkant verder sober over. Er waren geen lantaarns om licht te kunnen scheppen in het donker. Kleine gouden ornamenten en fijne afwerkingen waren achterwege gelaten. We hadden dit rijtuig tot op heden weinig gebruikt omdat het slechts vier personen op comfortabele wijze kon vervoeren. Vaak werd het voor het vervoer van het personeel gebruikt. Voor gezinsuitstapjes gaven we de voorkeur aan het veel grotere en duidelijk herkenbare rijtuig met wapenschild of, wanneer het weer het toeliet, de open landauer. Ik staarde door het raam naar de diepte van de donkere nacht, naar het verre verleden. Het had geen haar gescheeld of vader had enkele jaren geleden alle koetsen vervangen door die nieuwe uitvinding, de auto. Maar moeder was ertegen geweest, bang dat er doden zouden vallen door die helse machines. Nu betreurde ik die beslissing want een auto had ons veel sneller op onze bestemming kunnen brengen.

Plots werd ik opgeschrikt door een verre plof. Ik wist niet of ik geslapen had of niet. Waar daarnet het zwarte primeerde, zag ik aan de horizon een helgele champignonwolk. En nog één, iets kleiner en blijkbaar verder van ons verwijderd dan de vorige. Ook papa tuurde met me mee door het raam. In de verte hoorden we schreeuwen, mannen om hulp roepen en orders die werden gegeven. Naar ik schatte waren we het front genaderd tot op een halve kilometer. De gelaten doodse stilte die ons sinds het verlaten van mijn ouderlijk huis had vergezeld, werd ingeruild voor de angstige spanning die we eerder die dag ook hadden ervaren. Iedereen was nu wakker en zag hoe enkele verwilderd uitziende mannen door de vallei, die zich tussen ons en de gevechten op de andere heuveltop bevond, naar ons toe renden met de dood op hun hielen. Binnen een minuut zouden ze de koets bereiken. We hadden niet veel tijd meer.

'Deserteurs!' fluisterde ik-weet-niet-wie.

Papa nam de situatie in zich op en reageerde in een oogwenk. Hij deed het raampje open en Boris riep: 'Het lukt nooit, we raken er niet doorheen.'

Papa's antwoord was kort en functioneel: 'Draai om, we keren terug.'

'Naar het huis, meneer?'

'Nee, verder weg. Rij richting Minsk.'

Het raampje werd gesloten. Het rijtuig kwam onmiddellijk weer in beweging, maar het zou nog een aanzienlijke tijd duren vooraleer we gekeerd waren. De deserteurs naderden nu snel, nog enkele seconden. Ik deed de deur aan mijn kant van de koets op slot in de hoop tijd te kunnen winnen, mochten ze toch tot bij ons geraken. Met mijn verschrikte dochter op schoot was dat geen sinecure. Viktor deed hetzelfde aan zijn kant. Boris bleek zijn functie van koetsier alle eer aan te doen. Zonder zich iets van de grenzen van de weg aan te trekken draaide hij in één vlotte beweging het rijtuig in de tegenovergestelde richting en stoof in volle vaart over het pad in de richting vanwaar we zonet gekomen waren. Ik waande ons al terug in veiligheid maar een plotse ruk aan de koets waarschuwde me dat een van de mannen ons nog net had kunnen bereiken en zich aan de rijdende karos had weten vast te klampen. Even later voelden we dat het rijtuig opnieuw in evenwicht gebracht werd. We hoorden een wegstervende kreet. De deserteur had moeten lossen en was, gezien de snelheid waarmee we reden, ongetwijfeld tijdens zijn val om het leven gekomen. Ik moest even aan Ivan denken en kreeg een wrange smaak in mijn mond. De vluchtende soldaten waren Russen geweest. Misschien zat er wel een vriend van Ivan bij die de toestand even verderop zo uitzichtloos had gevonden dat weglopen de enige optie was om te kunnen overleven. Dan hadden wij hem zonder te helpen achtergelaten. Ik voelde me een lafaard maar probeerde mijn geweten te sussen met de gedachte dat ik in de eerste plaats aan het leven van mijn dochter moest denken. Wat Boris had gedaan was niet zonder risico. Een van de assen van het rijtuig had door de oneffenheden in de berm, een put of een steen kunnen breken en dat had ons het leven kunnen kosten. Er waren al eerder hele gezinnen in zulke omstandigheden gestorven. Toen ik er even over nadacht, kwam ik tot de slotsom dat wanneer die mannen ons hadden weten te bereiken, de situatie even precair geweest zou zijn als wanneer de as zou zijn gebroken. De deserteurs hadden dan ongetwijfeld de koets opgevorderd om te kunnen vluchten van het nabije slagveld en ons al dan niet levend achtergelaten. Ik was blij dat Boris het risico had genomen.

Hoewel het midden in de nacht was en zo donker dat we geen hand voor ogen zagen, werden de daaropvolgende uren gebruikt om kalmerend op elkaar in te praten. De gebeurtenissen werden steeds weer vanuit een andere invalshoek geëvalueerd.

'Hebben jullie het gezicht gezien van die eerste met zijn gescheurde jasje? Die had echt een boeventronie!' Viktor vond de hele gebeurtenis blijkbaar amusant.

'Viktor, vergeet niet dat dat geen boeven zijn maar soldaten die vechten om ons rijk te vrijwaren van de Duitsers', sprak papa hem vermanend toe.

Ik trad mijn vader bij: 'We weten niet wat ze allemaal al hebben meegemaakt waardoor deserteren voor hen de enige mogelijkheid op overleven betekende. Misschien zaten er vrienden van Ivan bij.'

'Waarom hebben we hen dan niet geholpen?' vroeg Nadia nieuwsgierig.

'Omdat we geen plaats meer hadden in of op de koets en de soldaten waarschijnlijk minder zachtaardig met ons hadden omgesprongen dan wij met hen. Trouwens, het is verboden om deserteurs te helpen', legde papa uit.

Mijn jongste zusje bleef doorvragen: 'Wat denkt u dat ze dan van plan waren?'

Vader kon het niet met zekerheid zeggen. 'Waarschijnlijk het rijtuig opvorderen, ons achterlaten en vluchten.'

'Ik heb zeker twintig soldaten gezien!' zei Viktor tegen Nadia.

'En als we gewacht hadden, waren het er zeker vijftig geweest die op ons af kwamen gelopen', antwoordde ze.

'Ze hadden allemaal nog nauwelijks een herkenbaar uniform aan.'

'Ik vond dat ze er rauw, bijna dierlijk uitzagen. Zo vuil allemaal!'

Nadia en Viktor vonden de hele gebeurtenis spannend en schenen mijn schuldgevoel niet te delen.

'Wat doet vermoeden dat vechten aan het front niet zo heldhaftig en aangenaam is als sommigen denken.' Papa doelde meer dan waarschijnlijk op zijn oudste zoon. Ik hoopte dat Jan het tafereel van daarnet goed in zich had opgenomen.

De rest van het gesprek ging aan me voorbij. Hier en daar voegde iemand nog iets toe dat de anderen was ontgaan, tot ze allemaal gerustgesteld waren. Pas tegen de ochtend leek dat te lukken. Oververmoeid door de opgedane emoties viel de een na de ander in slaap. Papa bood aan Franja van me over te nemen zodat ook ik eventjes kon rusten. Ik viel bijna onmiddellijk in een diepe slaap.

Het moet al middag geweest zijn toen ik uiteindelijk wakker werd. We waren ergens aan een herberg gestopt. Alleen mama en ik zaten nog in de koets.

'Waar zijn de anderen en Franja?' De slaap klonk nog goed door in mijn stem.

'Die zijn even de benen gaan strekken terwijl de herbergier het eten klaarmaakt en Boris een dutje doet. Je sliep zo vast dat we je niet wilden wekken. Ik ben bij je gebleven zodat je niet zou schrikken wanneer je wakker werd.'

'Dank je.'

Het was even stil terwijl ik de rokken van mijn lavendelkleurige wandeljurk herschikte tot ze enigszins presentabel waren. Het baatte weinig. Een netwerk van kreukels lachte me spottend toe. Toen herinnerde ik me mijn stilzwijgende belofte van de dag ervoor en greep deze gelegenheid aan.

'Mama? ... Ik wilde u nog bedanken om zo goed voor mij en Franja te zorgen toen ik me nogal liet gaan bij de dood van Ivan.'

'Dat is niet nodig, Maria', onderbrak mijn moeder me. 'Iedere moeder zou hetzelfde voor haar dochter gedaan hebben.'

'Dat weet ik, mama, maar toch spijt het me dat ik mezelf niet beter in de hand had en het u nodeloos moeilijk heb gemaakt. Ik beloof om u in de toekomst niet meer tot last te zijn.'

Mama keek me even onderzoekend aan. Alsof ze op dat moment een heel nieuwe dimensie van haar dochter leerde kennen.

'Wat ben je plots volwassen geworden', besloot ze.

Daarmee was de kous af.

Mijn moeder boog zich een weg uit het rijtuig: 'Kom, laten we een frisse neus halen en wat gaan eten. Daarna kun je je wat opfrissen. Je vader heeft daarvoor enkele kamers gereserveerd.'

Ik besefte dat ik een verschrikkelijke honger had, dwong mijn stramme spieren in beweging en hielp mezelf uit de koets.

'We blijven hier niet slapen. Na de maaltijd rijden we onmiddellijk verder.'

'Naar waar?'

'Dat weten we nog niet precies. Waarschijnlijk Minsk. Je vader en Boris zijn het erover eens dat we het beste tijdelijk in een grotere stad gaan wonen waar we anoniemer kunnen leven. We zullen ook van naam moeten veranderen.'

Bij die woorden nam ik mentaal voorgoed afscheid van mijn oude leven. Vreemd genoeg had ik dat niet eerder gedaan. Niet toen de oorlog begon, niet toen Ivan stierf en ook niet de dag daarvoor, toen we als een dief in de nacht onze thuis vaarwel hadden gezegd. Maar wel vandaag. Het afsluiten van dit hoofdstuk gaf me wonderwel een goed gevoel.

De dagen daarna verliepen in eenzelfde stramien. We reden 's nachts en tegen de morgen pauzeerden we ergens zodat Boris wat kon bijslapen en de paarden ververst werden. Na het avondmaal vertrokken we opnieuw. Jan of Viktor vergezelden Boris om de beurten op de bok. Om eventuele spoorzoekers op een verkeerd been te zetten gebruikten we bij elke tussenstop een andere naam. Ivanovitsch, Alexandrov, Raschkov of Petrovitsch. Ook sprak vader ons geregeld met een andere voornaam aan. Zo was ik soms Maria, soms Nora. Om dezelfde reden reed Boris nooit in rechte lijn naar Minsk. Hij maakte verschillende malen een omweg langs zuidelijke of noordelijke kant en reed dus in een grote slangenbeweging op Minsk af.

Iets meer dan een week later arriveerden we in Minsk. Daar bleven we enkele dagen in een bescheiden gasthuis. Vader had gemakkelijk een hotel kunnen vinden, maar deed dat heel bewust niet. De bedoeling om naar Minsk te komen was duidelijk. Ieder die naar ons op zoek was, zou in de Wit-Russische hoofdstad zeker het spoor bijster raken. Er was ook een tweede reden waarom ons gezelschap die grote stad aandeed. De avond van onze aankomst kregen we van mama de opdracht alle juwelen en kostbaarheden, die we de voorbije dagen in het geheim op ons lichaam hadden gedragen, uit hun schuilplaatsen te halen. Papa nam ze mee naar een juwelier en verkocht ze. Het geld dat ze opbrachten zou ons gemakkelijk vele jaren kunnen onderhouden. Het geld, allemaal kleinere biljetten, werd in vele kleine pakketjes weer in onze kleren genaaid. De hele procedure nam de tijd die we in Minsk waren volledig in beslag.

Na twee dagen sleepte ik me in de vroege morgen met enige tegenzin opnieuw richting het rijtuig. Mijn goede voornemens aan mijn moeder indachtig probeerde ik zo min mogelijk te klagen, temeer daar Franja duidelijk liet merken dat een zoveelste dag onderweg haar helemaal niet zinde. We reden zuidoostwaarts en 's avonds overnachtten we in Bobrujsk. De dag daarop kocht vader een paard voor Boris en gaf hem zijn laatste loon. Ik nam afscheid van hem.

'Doe je Helena mijn allerbeste groeten?'

'Ja jufrouw, ze zal u zeker missen.'

Alle banden met het verleden werden doorgeknipt. Zelfs Boris mocht niet weten waar we zouden wonen. Ik voelde dat we de eindbestemming naderden. Papa nam die dag samen met Jan uitzonderlijk plaats op de bok. Zonder oponthoud reden we de hele dag door. Tegen vier uur in de namiddag, veel vroeger dan we normaal stopten, arriveerden we in Alexandrovka, een klein stadje op dertig kilometer van onze vorige slaapplaats.

Bij het uitstappen memoriseerde ik voor de zoveelste keer het lesje dat mama ons de vorige avond had proberen in te prenten. Voortaan zouden we door het leven gaan als de familie Hert. We mochten onze titels niet meer gebruiken, publiekelijk geen reverence meer uitvoeren voor onze ouders en geen Pools meer praten.

Vader en moeder huurden een, naar onze maatstaven, relatief klein huis in het centrum van de stad. Toch was het gerieflijk ingericht. Beneden was er een kantoor, een leefruimte met een grote open haard en een keuken met alle modern comfort zoals een eigen waterpomp en een grote stenen oven. Achter de keuken was er een kleine tuin van negen are. Zes slaapkamers vulden de eerste etage, zodat Jan en Viktor en Sofie en Nadia per twee een kamer moesten delen. Mijn ouders en ik namen elk een kamer. Het kleinste kamertje dat als kinderkamer werd ingericht werd aan Franja toegewezen, zodat er nog een kamer overbleef voor eventuele gasten. Alle leefruimten waren afgewerkt met eiken balken aan het plafond en lambrisering tegen de wanden wat het hele huis een warm karakter gaf.

We hadden geen bedienden meer. Mijn moeder, mijn zussen en ik deden het huishouden, wat ons wonderwel goed afging. Poetsen, brood bakken, verstelwerk, eten bereiden, Franja verzorgen. Er was nog genoeg tijd over om wat te borduren of te lezen of gewoon gezellig te praten. We hielden geen koetsen of andere rijtuigen. Aangezien we in het centrum van de stad woonden, was een paard en *droshjka* voldoende voor de grotere boodschappen. Vader bleek groene vingers te hebben en maakte zichzelf nuttig in de tuin. Nadia werd een jonge twintiger en hield zich naast het huishouden voornamelijk bezig met de buurjongens het hoofd op hol te brengen. Het was niet verwonderlijk dat mijn jongste zusje er algauw een 'speciaal' vriendje op nahield. Sofie bloeide open zoals ik haar nog nooit had gekend. De minder formele sfeer in huis deed haar goed alsof een druk van haar schouders was gevallen. Onder invloed van Nadia begon ze schoorvoetend uit te gaan en genoot ze van haar nieuw verworven vrijheden.

Stilletjes integreerden we ons in het stadsleven. Toch bleven we angstvallig op onszelf. Het mag een wonder heten dat we niet door de mand vielen. Dat lag vooral aan de ijzeren discipline die we aan de dag legden. Mijn familie had geen keuze. We zaten immers vast in een dorp zonder de mogelijkheid om te vluchten of de financiële middelen om de vrijheid van het hele gezin af te kopen. De grenzen van Rusland werden namelijk streng bewaakt.

Jan en Viktor, toen vijftien en dertien gingen naar de plaatselijke school. Jan had de grootste moeite om zich aan het nieuwe regime aan te passen en hield papa avond na avond bezig met ideeën om zelf ook te gaan vechten. De nacht toen hij op de bok naar het slagveld had gekeken, had hem niet van zijn overtuiging kunnen genezen. Uiteindelijk kwam hij met vader tot een consensus. Wanneer de oorlog nog steeds bezig was op de dag dat hij zeventien werd, mocht hij zich van vader aanmelden bij het leger. Papa zou dan zelf ook dienst nemen.

'Al is het maar om jou tegen je dwaasheden te beschermen.'

Papa was een niet erg overtuigde katholiek maar in het jaar dat volgde heeft hij dag en nacht gebeden om het einde van de oorlog. Vreemd genoeg besloop me geen angst meer wanneer ik mijn vader en mijn oudste broer over hun dienstplicht in de Grote Oorlog hoorde praten. Het was nu bijna twee jaar geleden dat ik mijn echtgenoot verloren had en ik gaf alles geleidelijk een plaats in de geschiedenis. Aan mijn verbintenis met Ivan had ik immers Franja overgehouden om me te troosten. In de loop van de voorbije twee jaar had ik het idee gekregen dat mijn huwelijk een zijspoor van mijn levensweg was geweest. Ik was even van de hoofdweg afgedwaald, had een prachtig pad genomen dat snel een doodlopend landweggetje bleek te zijn. Het werd tijd, vond ik, om terug naar de hoofdweg te wandelen en mijn weg daar voort te zetten.

Naar mijn gevoel was de oorlog eigenlijk al afgelopen. Ik bevond me in een soort van vacuüm en waande me veilig en geborgen met de zekerheid dat het morgen ook nog zo zou zijn. Of zelfs beter. Hoewel geen enkel teken daarop wees. Ik dolde met Franja en leerde haar hoe ze het huishouden later zou moeten doen. Met haar knuistjes probeerde ze de hendel van de waterpomp en schaterde het triomfantelijk uit als de pomp dan enige scheutjes water loosde in het bassin. De zomer vloeide voor mij onmerkbaar over in de winter en voor ik het wist, zag ik het volgende jaar verschijnen. Niettemin was de wereld rondom me één grote chaos. Rusland heette niet langer Rusland maar de Sovjetrepubliek. Ene Vladimir Lenin werd met de trein via Finland het land binnengesmokkeld en organiseerde de ene opstand na de andere. De revolutie was in een stroomversnelling en tegen het einde van 1917 was mijn vaderland in een complexe burgeroorlog verwikkeld. Het winterpaleis in Petrograd werd bestormd. Goddank werd eind februari 1918 een deel van alle Russische problemen opgelost.

Papa kwam die dag voor het eerst in jaren fluitend terug van de winkel waar hij de krant was gaan halen. Mama en ik zaten samen verstelwerk te verrichten dicht bij het vuur. Franja speelde aan onze voeten met haar popjes. Bij het zien van vaders gezicht wist mijn moeder onmiddellijk waar de klepel hing. Ze liep op hem toe.

'Welk goed nieuws breng jij mee?'

Hij toonde haar trots als een kind de voorpagina van de krant. Vanuit mijn stoel kon ik die niet zien. Moeder toonde spontaan haar stralendste glimlach.

'Wat is er dan?' Ik was verschrikkelijk ongeduldig.

Papa probeerde de spanning voor mij nog wat op te drijven maar moeder maakte er een eind aan: 'Er is een verdrag ondertekend tussen de Centralen en Rusland. De oorlog is voorbij.'

Ik zag aan mijn moeder dat een grote last van haar schouders viel. Na een overleden vader, een gesneuvelde schoonzoon en het verlaten van haar thuis was het haar waarschijnlijk te zwaar geweest om ook nog eens een echtgenoot en zoon naar het front te zien vertrekken.

'Dan hoeven vader en Jan zich niet aan te melden!' concludeerde ik.

Daar had papa al aan gedacht, de opluchting stond duidelijk op zijn gezicht te lezen. Ik stond op en omhelsde mijn vader spontaan, iets wat een paar jaar geleden ondenkbaar geweest zou zijn. Halsoverkop liep ik naar de slaapkamers boven om mijn zussen die daar druk bezig waren met schoonmaken het goede nieuws te melden. Mijn dochter, beduusd dat ik haar zo plots achterliet, was ik voor even vergeten.

Vlak voor ik de kamer verliet hoorde ik papa zeggen: 'Dan zijn die verdomde Sovjets nog voor iets nuttig geweest.'

'Ze noemen zich tegenwoordig bolsjewieken, geloof ik', kwam het droge antwoord van mama.

'Bolsjewieken of Sovjets, witten of roden, allemaal één pot nat!'

'Sst, zorg maar dat niemand je hoort.'

Mama was nog steeds op haar hoede, bang dat de Duitse afkomst van haar man de buren ter ore zou komen met een lynchpartij tot gevolg. De vrede mocht dan wel getekend zijn, maar de haat die de Russische harten in zich droegen tegenover de Duitsers was allerminst gekoeld. De laatste maanden had dat gevoel zich ook tegen de tsaar en de aristocratie in het algemeen gekeerd. Hun eeuwenlange verspilzucht in de salons van het vroegere Sint-Petersburg en het fiasco dat de Grote Oorlog voor Rusland was geweest, werd hen kwalijk genomen. Onze Duitse en aristocratische afkomst kon, bij ontdekking, de familie in een precaire situatie brengen, waar we ons misschien niet meer uit konden redden. Daarom gaf ik mama overschot van gelijk toen ze de oppervlakkige neutrale relatie die ze had met de buren, wilde behouden.

Ontmoeting

Alexandrovka, augustus 1918

De lente van dat jaar gaf voor het eerst sinds lang ook echt een lentegevoel. Nadia trouwde met Igor, een buurjongen, en verliet het huis om elders het hare op te bouwen. Sofie hoefde haar kamer nu niet meer met iemand te delen en dat deed haar goed. Ondanks haar leeftijd vond ze een soort van tweede jeugd en legde ze inwendig haar status van 'oude vrijster' af. Ze begon uit te gaan, iets wat vroeger voor ons ondenkbaar was. Op een middag, het was hoogzomer en broeierig heet, vroeg ze me mee. We waren samen aardappelen aan het schillen in de keuken. Ik zag het voorstel van Sofie eerst niet zitten. In tegenstelling tot mijn grote zus had ik geen nieuwe naoorlogse garderobe. Ik had in meer dan vier jaar geen nieuwe jurk gekocht. Om het huishouden te doen hoefde ik mijns inziens niet naar de laatste mode gekleed te gaan. Nu voelde ik me opgelaten dat ik het niet gedaan had. In gedachten overliep ik mijn kleerkast en trok een beteuterd gezicht.

'Toe, Maria, je kunt je niet eeuwig opsluiten. Je bent nog niet eens vijfentwintig. Tijd om aan iets nieuws te beginnen.'

Sofie had duidelijk mijn gedachten niet kunnen lezen.

'Dat is het niet', verklaarde ik haar mijn gelaatsuitdrukking. 'Ik heb niets om aan te trekken.'

Nu ook Sofie mijn donkere jurk in ogenschouw nam, gaf ze me gelijk maar kwam meteen met een pasklare oplossing: 'Je kunt toch gemakkelijk een jurk van mij lenen!'

Ze wees met het aardappelmesje naar boven. Klaar om op te veren, de aardappelen aan hun ongeschilde lot over te laten en boven de inhoud van haar kleerkast voor me uit te spreiden. Ze had gelijk. Het huishoudelijke werk had voor het figuur van mijn vroeger mollige zus wonderen gedaan. We waren even groot en hadden nu bijna hetzelfde postuur. Sommigen dachten zelfs dat we een tweeling waren, zo leken we op elkaar. Ook karakterieel kwamen we grotendeels overeen. We stonden bekend als de twee rustige zusjes van de familie Hert, maar vandaag had Sofie een plots bijna kunstmatig enthousiasme tentoongespreid om me mee uit te krijgen. Ik kreeg argwaan. Was dit misschien een idee van mijn moeder om me terug aan een man te helpen?

'Toe, zeg ja. Er zullen een heleboel nieuwelingen bij het gezelschap zijn want deze middag is er weer een trein binnengekomen uit de Oeral.'

Heel wat van de jongemannen die in de oorlog onder de tsaar gedeserteerd en daarna opgepakt waren, werden in kampen ten westen van Siberië opgesloten. Door de veranderde machtsposities in Rusland werden die gevangenen nu met mondjesmaat vrijgelaten en terug naar huis gestuurd. Slechts enkele gelukkigen bereikten daadwerkelijk de veilige thuishaven. Het overgrote deel van de voormalige troepen van het Russische Rijk, inclusief deserteurs, werd in de oorlog tussen sociaaldemocraten en bolsjewieken ingezet en raakte op die manier nooit thuis. De uitzonderingen op de trein die vandaag in Alexandrovka was aangekomen hadden dus geluk gehad en dat moest naar Russische traditie worden gevierd.

'Het is goed, ik ga mee. Maar beloof me dat je me niet met een of andere idioot opzadelt.'

De aardappelen en de rest van het eten werden verder afgewerkt. We aten met het hele gezin en gingen daarna naar boven om ons op te maken. Mama en papa waren blijkbaar al door Sofie op de hoogte gebracht en moedigden ons aan op te schieten met onze voorbereidingen zodat we snel aan onze welverdiende ontspanning konden beginnen.

Mijn zus had afgesproken met enkele buurvrouwen, bijna allemaal weduwen van de oorlog, in het huis van een van hen. Sasha had geluk gehad. Haar echtgenoot, Vladimir, was teruggekomen uit de oorlog en had enkele strijdmakkers uitgenodigd voor een meerdaagse visite. Bij het binnenkomen in de salon stelde Sofie me voor aan het aanwezige groepje dames, allen gekleed in hun mooiste japonnen, felgekleurd met rokken tot op hun enkels. Ik verbaasde me over zoveel pracht en praal in de salon van deze provinciestad, want de houding van het groepje vrouwen getuigde allerminst van een verfijnde opvoeding of van blauw bloed. Terwijl ik plaatsnam in een fauteuil voelde ik me zelfs wat onwennig in mijn nette maar sobere jurk, dus bleef ik in de conversatie wat op de achtergrond. Uit het gesprek kon ik opmaken dat vele van deze weduwen de verlaten paleizen van de in de omgeving van Alexandrovka wonende aristocratie hadden geplunderd om te kunnen overleven. Daarbij was de achtergelaten garderobe van de landheren en hun echtgenotes niet aan de aandacht ontsnapt.

Ik probeerde het niet te laten merken maar ik was geschokt. Onvrijwillig moest ik aan mijn geboortehuis denken. Zouden de deuren bestand zijn geweest tegen indringers? Zouden mijn jurken daar nu ook uit de kasten verdwenen zijn? Zouden ze veel van de meubels vernield of gestolen hebben? Mijn blik kruiste die van Sofie en ik wist dat de voorstelling van een verlaten en totaal geruïneerd kasteel ook in haar hoofd omging. Ik vroeg me af of ik mijn thuis ooit nog zou terugzien. Misschien maar beter niet, bedacht ik droevig. Dan hoefde ik ook niet geconfronteerd te worden met de vernietiging van mijn oude wereld en kon ik me het domein herinneren zoals het was geweest toen ik er nog woonde. Prachtig, smaakvol en met een ongekende elegantie.

Ik probeerde mijn aandacht opnieuw op het heden te vestigen en hoorde de aanwezigen praten over het groepje teruggekeerde soldaten dat momenteel onder dit dak verbleef.

'Er zit zelfs een Duitse krijgsgevangene bij', wist Sasha trots te vertellen.

De anderen keken haar verschrikt aan, half verwachtend bij de entree van het bewuste heerschap meteen vermoord te zullen worden. Ze begrepen de fiere toon die in haar stem doorschemerde niet.

'Hebben ze die dan allemaal door elkaar in een en hetzelfde kamp gestoken?' vroeg een vrouw verontwaardigd.

'Blijkbaar', zei een andere afkeurend.

We zaten daar nog enkele minuten tot de laatste dames de groep vervolledigden. Toen kwamen de heren, allen in burger, binnen. Vladimir voerde het groepje aan en stelde zijn compagnons een voor een aan ons voor. Sasha probeerde tegelijkertijd hetzelfde te doen met de vrouwen. Het was even een complete chaos, waardoor ik de intrede van de Duitse krijgsgevangene had gemist. Ik stond naast Sofie met mijn rug grotendeels naar de deur gekeerd. Sasha stelde me voor aan haar echtgenoot toen die zijn aandacht van mij naar een punt ergens achter me verschoof: 'Man! Kom binnen, dan stel ik je voor aan de dames.'

Uit beleefdheid deed ik een stap achteruit om de nieuwkomer de kans te geven zich bij de groep te voegen en draaide me tegelijk naar de gast zodat ik geïntroduceerd kon worden. Ik voelde me plots lijkbleek worden en hoopte dat hij zich mijn naam niet meer herinnerde. Jammer, ik had geen geluk.

'Maar u bent de verpleegkundige uit het ziekenhuis!' Het vreemde accent verraadde zijn buitenlandse afkomst, niettemin vond ik het verbazend dat hij op een dergelijk korte tijd zo vloeiend Russisch had weten te leren.

'Kennen jullie elkaar dan?' vroeg Vladimir geïnteresseerd.

Ik probeerde me staande te houden naast Sofie en zocht een mogelijkheid het gesprek luchtig een andere richting uit te laten draaien. Ik bleef zoeken.

Sofie begreep plots de moeilijke situatie waarin we verkeerden en kwam ter hulp.

'We hebben tijdens de oorlog als hulpverpleegkundigen in een ziekenhuis in Minsk gewerkt. Misschien kennen jullie elkaar daarvan?' Met dat leugentje en een veelbetekenende blik richting Peter probeerde Sofie hem duidelijk te maken op zijn woorden te letten.

'Vreemd', zei Sasha en keek vragend naar haar echtgenoot.

'Ik dacht dat jij had gezegd dat hij ergens vergeten lag in het ziekenhuis van een of ander klein gehucht bij de grens voor ze hem bij jou in het kamp staken?' Peter viel haar in de rede: 'Dat klopt. Het was een zodanig klein dorpje dat ik er zelfs de naam van ben vergeten. Ik lag de meeste tijd ook buiten westen door die vervelende schotwond aan mijn hoofd.' Hij wendde zich nu tot mij: 'Waarschijnlijk verwar ik u met een van mijn koortsachtige droombeelden van toen. Maar genoeg nu over mijn nare herinneringen aan die vreselijke tijd. Ik verveel er jullie waarschijnlijk mateloos mee. Laat mij me voorstellen. Ik ben Peter Brede.' Met een knipoog bevestigde mijn voormalige patiënt me dat hij, althans voor nu, het spelletje zou meespelen. Joviaal stak hij me de hand toe en ik kwam hem met de mijne halverwege tegemoet. Hij droeg geen trouwring meer.

'Mijn naam is Maria Hert. Zegt u maar Maria.' In ruil voor zijn medewerking, dacht ik, kon ik dit keer best de sociale barrières wat afbreken.

'Goed, Maria zal het zijn.' Peter keek me in de ogen.

De houding van zijn rechterarm deed me vermoeden dat de verwondingen aan zijn schouder blijvend letsel hadden toegebracht. Een deel van zijn spieren was onbruikbaar geworden. De druk van zijn begroeting was daardoor zacht zonder aan mannelijkheid in te boeten.

Plots voelde ik dat de ogen van de omstanders op ons gefixeerd waren. Ik was hen helemaal vergeten. We hielden nog steeds elkaars hand vast. Verschrikt deed ik een stap achteruit en loste mijn greep, maar Peter hield mijn hand nog een fractie van een seconde gevangen en loste toen. Intuïtief voelde ik wat het wilde zeggen. Ik zou er best aan doen niet te gaan lopen zonder hem in de loop van de avond een uitleg te geven.

Sasha kweet zich opnieuw van haar taak als gastvrouw en stelde Peter voor aan mijn zus.

'Bent u echt Duitser?' vroeg Sofie.

'Nee, dat moet een vergissing zijn, ik ben Oostenrijker, ik kom uit Galicië.'

Sasha kwam tussenbeide. 'Peter, ik moet je echt nog aan de andere dames voorstellen', en manoeuvreerde hem met zich mee naar de volgende groep.

Sofie en ik werden even aan ons lot overgelaten en daar was ik blij om.

'Oef, ik dacht even dat hij alles ging verraden. Gaat het een beetje? Je ziet er pips uit', fluisterde Sofie.

'Ja hoor, het gaat alweer. Ik had het even benauwd. Dat is alles. Hij verwacht wel een of andere uitleg. Dus die geef ik hem zo snel mogelijk.'

'Vertel niet te veel, misschien is hij van kwade wil', siste Sofie waarschuwend.

'Nee, daar hoeven we geen angst voor te hebben.'

Ik ben alleen bang dat hij een afkoopsom wil voor zijn stilzwijgen en dat ik maar al te bereid zal zijn hem die te geven.

Dat idee tekende een spottend lachje rond mijn mond. Ik voelde dat er iemand naar me keek en keerde terug uit mijn gedachten. Vanuit een verre hoek van de kamer kruiste zijn steelse blik even de mijne. De dame met wie Peter in gesprek was kon, hoe hard ze ook probeerde, zijn aandacht niet lang vasthouden. Zijn ogen dwaalden steeds af naar een punt in mijn buurt. Ik deed of ik het niet zag en begon een praatje te slaan met een van de dames die nu samen met Sofie en twee heren een groepje hadden gevormd.

Toen zowat iedereen aan iedereen was voorgesteld gingen we in een langgerekte groep naar buiten, aangevoerd door een zelfverzekerde Sasha. Sofie en ik liepen stilzwijgend in de staart van de stoet. Het doel bleek een theesalon te zijn waar het voor een gemengd gezelschap, naar men ons vertelde, 's avonds heerlijk toeven was. Met de zwoele temperatuur zou het terras van de theesalon barstensvol zitten. Om tot bij het etablissement te raken moesten we over een pittoresk pleintje met in het midden een fontein. Plots doken uit de voor ons uitlopende rij twee lange figuren op. Peter en Vladimir. De laatste begon onmiddellijk een levendig gesprek met Sofie over de plaatselijke gewoonten rond het marktgebeuren, waarbij hij het tempo in die mate opdreef dat mijn zus de aansluiting met de groep zeker niet miste. Peter daarentegen zwakte het tempo juist af, om ons relatieve privacy te gunnen. Een drietal meters voor me draaide Sofie zich kort naar me om en knikte bemoedigend. Zo liet ze me weten dat ik de kans moest grijpen die Peter had gecreëerd om hem de situatie uit te leggen.

We draaiden het plein op.

Vijf meter.

Ik keek rond om te zien of er nog iemand binnen gehoorsafstand was.

Acht meter.

Zelfs Vladimir zou ons nu niet meer kunnen horen.

Tien meter.

Ik ontspande en probeerde het gesprek luchtig te beginnen: 'Zo, donkerblond dus.'

'Hoe bedoel je?' Peter was verrast door mijn intro.

'Door het bloed dat in je haar kleefde en het verband kon ik moeilijk opmaken welke kleur haar je had. Ik vroeg het me toen af en nu weet ik het.'

'Dus jij was toch de droom die me verzorgd heeft?' De sarcastische toon in zijn stem verraadde dat hij dat al wist.

Ik keek opnieuw naar de ruggen van het wandelende koppel ver voor me uit. 'Je draagt geen trouwring meer.'

'Jij ook niet.'

'Ivan stierf in de slag om Warschau.'

Ik zei het alsof het om een plant in de tuin ging.

'Sorry, het spijt me. Echt.' Hij klonk oprecht.

'Dat hoeft niet. Het is niet jouw schuld. Jij hebt hem niet neergeschoten. Je was er niet eens bij.'

We arriveerden bij de rand van de fontein en onderbraken de wandeling. Ik zette me met een bovenbeen op de rand van het bassin. Peter bleef naar me staan kijken, zijn beide handen in de zakken van zijn broek.

'Je hebt het blijkbaar al verwerkt.'

Ik knikte: 'Het nam wat tijd, maar ik ben erin geslaagd.'

'Je bent nog jong. Je kunt nog opnieuw beginnen.' Ik moest weer wennen aan Peters directe aanpak, maar zoals dat de eerste keer het geval was, zou ik die methode snel weten te appreciëren. Ik wist even geen antwoord te bedenken en streek dan maar met mijn vingertoppen mijmerend over het water in de stille fontein waarmee ik een V-vormige rimpeling creëerde in het voorheen spiegelgladde oppervlak.

Peter vervolgde voorzichtig: 'Als ik het me goed herinner was je toen zwanger.'

'Dat is waarom ik zo halsoverkop, zonder afscheid te nemen, moest stoppen met het werk. De directeur van het ziekenhuis had het door dat ik een kind verwachtte en toen begon de hoofdverpleegkundige me van collaboratie te beschuldigen omdat jij en ik zoveel met elkaar praatten. Mijn familienaam en sociale positie deden er ook geen goed aan. Voor haar was ik een doorn in het oog. Het was gewoon beter dat ik uit haar buurt bleef en daarom ben ik met het vrijwilligerswerk gestopt.'

Peter liet me met een bedenkelijke trek rond zijn volle lippen weten dat hij de situatie begon te begrijpen. Hij had de kranten ook gelezen.

Terwijl ik zo naar hem zat te kijken bedacht ik dat hij veel van mijn vader weg had. Ik was gestopt met als een havik rond me te kijken, beducht op afluisteraars, omdat ik besefte dat de toevallige passanten ons zagen als een paartje dat behoefte had aan een intiem gesprek zonder achteraf beschuldigd te worden van onzedelijkheid. De mensen bleven daarom op een respectabele afstand van ons vandaan, maar de korte blikken in onze richting vertelden me dat we niettemin in de gaten werden gehouden. De groep waartoe we behoord hadden, was allang om de hoek verdwenen. Zij zaten waarschijnlijk al op het terras te genieten van een kop thee of een ijsje en zouden voorlopig onze afwezigheid niet opmerken.

'Maar alles is toch goed gekomen met je baby?'

'Je kunt Franja moeilijk nog een baby noemen. Ik ben wel meer dan een maand te vroeg bevallen, maar alles is in orde gekomen met haar. Ze is nu een flinke kleuter van drie en een half jaar.'

'Lijkt me dat je er je handen aan vol hebt, als ik je zo over haar hoor praten?'

'Dat is ook zo, maar daar wilde ik het eigenlijk niet met je over hebben.' Na een moment vervolgde ik: 'Wij, mijn familie, ik... ik wilde je bedanken omdat je daarstraks hebt gezwegen.'

Een plagerige blik lichtte Peters ogen op: 'Graag gedaan. Ik heb onderweg tussen het kamp en hier ook de verhalen gehoord. Zowat de hele Russische aristocratie is op de vlucht.'

'Dat is niet alles. In het dorp waar we woonden, wisten ze van onze Duitse afkomst en dat heeft zich tegen onze familie gekeerd. Daarom zijn we begin vorig jaar op de vlucht geslagen. We hebben alles moeten achterlaten.'

Herinneringen aan thuis doemden weer voor me op. Een geladen stilte. Ik voelde dat Peter zich ongemakkelijk voelde bij het horen van mijn verhaal.

'Het is echt van levensbelang dat niemand weet wie we zijn. Zelfs niet waar we vandaan komen. Als ze weten dat we uit Kapytnik vertrokken zijn, kunnen ze alsnog onze identiteit achterhalen en dan weet ik niet wat er met ons zal gebeuren. We hebben immers geen geld om naar het buitenland te vluchten. Ik hoop dat we op je discretie kunnen blijven rekenen, ook tegenover Vladimir.'

'Je hoeft je geen zorgen te maken, je geheim is veilig bij mij. En wat Vladimir betreft, ik heb hem enkel gevraagd me te helpen je zus te entertainen zodat ik je in alle privacy kon spreken. Hij denkt gewoon dat ik mijn kansen bij jou aan het inschatten ben.' Zijn speelse lach verscheen weer.

Ik kreeg een verschrikkelijk rood hoofd toen de betekenis achter zijn woorden tot me doordrong. Het foefje aan Vladimir was waarschijnlijk geen leugen, maar net als de uitleg over onze verborgen geschiedenis evengoed een reden waarom hij me apart had willen hebben. Mannen, dacht ik. Half speels, half serieus stond ik verontwaardigd op in de hoop onze kennissen snel terug te vinden. Veel minder gehaast dan ikzelf en ontspannen, nog steeds met de handen in de broekzakken, liep hij naast me in de richting van de straat waarin we hen hadden zien verdwijnen.

Het duurde niet lang voor we de theesalon hadden gevonden waar Sasha en haar gevolg zich ophielden. Er was een verhit gesprek gaande tussen de verschillende dames en heren op het terras. Niemand leek ons te hebben gemist. Een leugentje zoals 'we waren aan het praten, zijn jullie uit het oog verloren en de weg kwijtgeraakt' werd hierdoor overbodig. De commotie werd snel aan ons verduidelijkt toen Sofie, duidelijk opgewonden, uit het etablissement naar ons toe kwam lopen en onmiddellijk onze vragende blikken beantwoordde: 'Ze hebben de tsaar en zijn familie vermoord! Allemaal! Zelfs de kinderen!'

In een flits zag ik de bebloede lijken van de meisjes, niet eens zo oud als ikzelf. Ik draaide me om naar Peter met een blik die niets verschool. Zo serieus was de situatie. Nu wist hij wat mij en mijn familie te wachten kon staan als ze lucht kregen van onze achtergrond. Het zwijgende antwoord in zijn ogen en het kleine, bijna onmerkbare, bevestigende knikje stelden me gerust. De rest van de avond werd over niets anders meer gepraat dan de brutale moord op de keizerlijke familie. De meningen waren verdeeld. Sommigen vonden dat de executie van tsaar Nicolas terecht was. Anderen vonden dat er eerst een proces had moeten plaatsvinden. Over de dood van de grootvorstinnen en de tsarevitsj was iedereen verontwaardigd. Sofie en ik hielden ons onopvallend oppervlakkig over het voor ons gevoelige onderwerp.

Gedurende de weken daarop hoorde of zag ik niets van Peter. Het kon ook niet anders. Hij wist niet waar we woonden en Sasha, die het wel wist, zou het niet in haar hoofd halen om alle fatsoen overboord te gooien en haar gast ons adres te geven. Ik dacht vaak aan Peter en hoewel ik me nauwelijks kon bedwingen, verkeerde ik niet in de mogelijkheid bij Sasha en Vladimir langs te gaan nu hun woning tot de nok toe gevuld was met ongehuwde mannen. Het geroddel zou niet van de lucht zijn. De onverwachte ontmoeting had me van mijn stuk gebracht. Ik was bang geweest dat ons geheim ontdekt zou worden maar wist nu dat dat onnodig was. Ik kon volledig op hem rekenen. Peter was, ofschoon hij in de oorlog een opponent was geweest, ongewild een medestander geworden in het geheimhouden van onze herkomst.

Het zwoele weer van die zomer maakte Franja onhandelbaar. Slapen werd onmogelijk, dus dacht ik dat een uitputtende wandeling naar een groot maar vergelegen park het meer dan noodzakelijke effect zou hebben op mijn ongeduldige dochter. Mama vergezelde ons. Daar aangekomen begaven we ons onmiddellijk naar de hoek van het gazon waar alle moeders met hun kroost verzamelden en lieten Franja vrij over het gras rollen, lopen en huppelen. Ik kon het niet laten en keek vanuit mijn ooghoeken naar de kant van het park waar flirtende, jonge, soms verliefde koppeltjes arm in arm onder het waakzame oog van Alexandrovka's meest notoire roddeltantes een tochtje onder de geurende bomen maakten. Ik herkende geen enkele bekende onder de wandelaars. Ik ging door mijn knieën en begon bloemetjes te zoeken tussen het gras, een gewoonte die Franja me had geleerd. Ik voelde teleurstelling en kort daarop zelfs ergernis. Ik was niet teleurgesteld in Peter omdat ik hem in geen enkele kuierende jongeman had herkend, maar ergerde me aan mezelf. Ik moest echt stoppen met hem overal te zoeken en aan hem te denken.

Natuurlijk vond ik hem niet tussen de flanerende paartjes!

Hij was hier immers alleen en als ik de logica mocht geloven zat zijn vrouw in Oostenrijk op hem te wachten. Maar waarom ging hij dan niet naar huis? Waarom droeg hij niet langer zijn trouwring? Was zijn vrouw misschien gestorven? Dan zou hij toch nog haar graf willen bezoeken of naar zijn kinderen terug willen? Ik moest mezelf in de hand houden, maar hoe hard ik ook probeerde niet aan hem te denken, het werd alleen maar erger. Het herinnerde me aan een legende over Caesar die ik ooit eens van papa had gehoord. De Romeinse keizer daagde een man uit om op een ezel naar Rome te komen, maar hij mocht op geen enkel moment aan de staart van de ezel denken. Anders zou hij onmiddellijk moeten terugkeren en de reis opnieuw aanvatten. Wanneer de man zou aankomen in Rome beloofde Caesar hem het hele keizerrijk. De uitgedaagde man kwam nooit in Rome aan. De oorzaak lag voor de hand. Hij kon zichzelf er niet van weerhouden om aan de staart van de ezel te denken.

Franja haalde me uit mijn mijmeringen en overhandigde me een versgeplukt bosje madeliefjes dat bij elkaar werd gehouden door een wit strikje. Het lint dat ik eerder die dag in haar haren had gevlochten. Dat kon zij nooit zelf hebben gedaan.

'Dank je wel, lieve schat.'

Ik zocht mijn moeder, die even verderop druk stond te praten met de dochter van de melkboer. Zij had duidelijk ook niet de hand gehad in het boeketje dat mijn dochter momenteel vasthield.

'Eindelijk heb ik je gevonden', klonk het achter me en ik wist meteen wie Franja had geholpen met het strikje rond het ruikertje. Uiterlijk beheerst rechtte ik traag mijn rug en draaide me om mijn as.

'Goedemiddag, Peter.'

'Middag, Maria.'

Franja stak haar kleine mollige handje in de mijne. Als een rots in de branding stond ze me bij.

'Had je me dan nodig?'

'Ja, ik vond dat ik je nog een verklaring schuldig was.'

'Over?'

Hij hief zijn rechterhand op, balde zijn vuist en wees zwijgend naar zijn ringloze vinger.

Ik constateerde: 'Dat was me inderdaad al opgevallen.'

Net op dat moment koos mama ervoor om het gesprek met de boerendochter te beëindigen en terug te keren naar haar dochter en kleindochter. Ze keek me vragend aan maar ik stond onwennig van mijn moeder naar Peter te kijken en terug, niet wetend wat te zeggen.

Mama nam het van me over en stak kordaat haar hand uit: 'Goedendag, ik ben Maria's moeder, Evelyne Hert. Aangenaam kennis met u te maken. En u bent?'

Ik kreeg het idee dat mijn moeders vraag totaal overbodig was en dat ze perfect wist wie deze man was. Had Sofie haar mond voorbijgepraat?

Peters spottende grijns kon je van ver zien toen hij ongedwongen antwoordde: 'Insgelijks mevrouw, mijn naam is Peter Brede.' Hij keek even rond en vervolgde: 'Ik heb het genoegen gehad door uw mooie dochter verpleegd te zijn geweest en wilde haar daar nu graag persoonlijk voor bedanken.'

De nadruk op het woord 'persoonlijk' was noch mama noch mezelf ontgaan. Mijn ogen moesten groot en rond als schoteltjes geworden zijn. Peter waagde het met me te flirten waar mijn moeder bijstond. De brutaliteit!

Mijn moeder keek er niet van op. Ze had zijn hint begrepen. Met een minzame glimlach en pretlichtjes in haar ogen wierp ze een blik op het bosje madeliefjes met het strikje errond: 'Dan ontlast ik jullie van dit hummeltje en laat u rustig begaan met uw dankbetuigingen aan mijn dochters adres.'

Ik kreeg geen tijd om mama ervan te overtuigen dat haar terughoudendheid overbodig was. Mijn moeder nam Franja bij de hand en draaide zich van ons weg: 'Ik zie je thuis wel. Daag.'

Ik was even niet goed van mama's reactie. Tijdens de hofmakerij van Ivan had ze me als een matrone bespied en nu duwde ze me praktisch in Peters armen. Onbegrijpelijk! Ik keek hoofdschuddend naar de rug van mijn steeds kleiner wordende moeder. Ik voelde me opgelaten, temeer daar mama duidelijk niet op de hoogte was van het bestaan van Peters huwelijk.

'Zullen we dan maar?'

Vanuit mijn ooghoeken zag ik Peter een vaag gebaar maken in de richting naar waar we zouden kunnen wandelen; het groepje bomen waar de koppeltjes zich schuilhielden tegen de sterke zonnestralen. Ik knikte en we slenterden die kant op.

'Je wilde me wat uitleggen?' Ik probeerde zo ongeïnteresseerd mogelijk te klinken.

'Het was je dus opgevallen dat ik geen trouwring meer droeg?'

Ik knikte.

'Nu, daar is een verklaring voor.'

Ik wachtte, was volkomen bereid naar zijn verhaal te luisteren.

'Je weet dat ik samen met Vladimir en de anderen in het kamp heb gezeten?'

Weer een knikje.

Uit zijn portefeuille haalde Peter een foto van hem gekleed in het velduniform van luitenant in het Oostenrijkse leger en liet die aan me zien. Ze was genomen tijdens zijn gevangenschap in Siberië, want op de beeltenis werd hij geflankeerd door twee potige Russische bewakers.

'Toen ze het Verdrag van Brest-Litovsk tekenden, werden wij vrijgelaten. Ik nam onmiddellijk contact op met het Rode Kruis om aan mijn vrouw en kinderen te laten weten waar ik zat.'

Peter slikte zichtbaar. De herinnering aan de gebeurtenissen lag overduidelijk gevoelig. Zijn stem trilde toen hij verder vertelde: 'Ze hebben me voor dood achtergelaten op dat slagveld, Maria. En Elisabeth heeft er geen gras over laten groeien. Bijna onmiddellijk nadat ze te horen had gekregen dat ik gesneuveld was, is ze hertrouwd, mede onder druk van haar ouders natuurlijk. Die waren al niet echt gesteld op mij. Maar dit slaat werkelijk alles.'

Ik probeerde me voor te stellen hoe ik me zou voelen in zijn situatie.

'Het moet een enorme teleurstelling zijn als je vrouw zo snel over je dood heen raakt.'

Peter was emotioneel nog steeds niet over die klap heen. Zelfs toen hij het meest kwetsbaar was in het bed in de grote slaapzaal van het ziekenhuis, was hij niet zo ontroerd geweest.

Ik redeneerde: 'Je kunt toch terug naar Oostenrijk en dat tweede huwelijk ongeldig laten verklaren. Zulke vergissingen gebeuren wel vaker, naar ik heb gehoord.'

Peter schudde verslagen het hoofd. 'Nee, dat kan niet. Ik wil zelfs niet meer terug. Nooit meer!'

Hij balde zijn vuisten in een poging niet in het openbaar te huilen. Met een pijnlijke grimas voelde hij aan zijn rechterschouder, waar ooit een verband had gezeten. De wond speelde blijkbaar op.

'Maar waarom niet?'

'Ze wil niet dat ik terug bij haar kom.'

Zijn stem brak.

'Ze heeft een kind, een kind met die andere man en blijft liever bij hem.'

Even later: 'Ik leef maar ik ben dood. Ik heb een verleden maar geen recht op een toekomst...'

In stilte wandelden we verder.

'Wat met je kinderen?'

'Ik schrijf Elisabeth af en toe. Zo blijf ik op de hoogte van hun levenswandel. Ze denken nu waarschijnlijk toch al dat die andere hun vader is.'

De sarcastische ondertoon drong door.

'Wat wil je dan doen?'

Peter haalde zijn schouders op. 'Ik weet het niet. In het kamp moesten we dwangarbeid verrichten en ik heb daar het vak van schoenmaker geleerd. Misschien open ik wel een atelier. Iedereen heeft toch schoenen nodig.' Met die paar nonchalante zinnen herstelde Peter zich.

Ik overdacht alles. Dus toch nog getrouwd. Onbereikbaar. Nu voelde ik me nog meer op mijn ongemak door de insinuaties van mijn moeder. Wat moet Peter wel niet van me denken?

Na een vijftal minuten algemene stilte: 'Waar is je trouwring?'

'Die heb ik onderweg naar hier in de trein plechtig door het raam gekeild. Als Elisabeth zonder pardon een tweede echtgenoot neemt, mag ik mezelf toch ook als ongehuwd beschouwen?'

De eeuwige ondeugendheid verscheen opnieuw in zijn ogen: 'En jij doet er goed aan dat ook zo te zien.'

'Waarom?'

'Waarom? Wat? Wanneer? Je lijkt wel een kind van vijf!' grapte hij.

Peter hield halt en keek me aan. 'Omdat ik misschien wel met je wil trouwen.'

In mijn ogen zocht hij naar de zekerheid dat ik de betekenis van zijn woorden begreep. 'Weet je dat ik, toen je zo plots uit het ziekenhuis verdween, nog vaak aan je heb moeten denken? In het kamp en na mijn vrijlating. Je bent in die korte tijd dat we elkaar in Kapytnik spraken onder mijn huid gaan zitten. Het is geen toeval dat ik je opnieuw tegen het lijf loop.'

Dat beschouwde ik als een compliment en ik kreeg er zowaar vlinders van in mijn buik. Mijn gezicht moet mijn reactie verraden hebben want Peter voelde zich gesterkt in de overtuiging dat zijn liefdesverklaring niet onwelkom was.

'Ik heb alles verloren. Mijn kinderen, mijn hele verleden. Maar ik heb jou in de plaats gekregen en dat laat ik me niet meer afnemen.' Peter zei het op een toon waaruit ik moeilijk kon opmaken of hij serieus was of een grapje maakte.

Hij zag de vertwijfeling in mijn ogen.

'Kijk, je bent een volwassen vrouw. Je bent zelf ook al eens getrouwd. Denk er eens goed over na. Neem je tijd. Als je je niet kunt verzoenen met mijn eerste huwelijk, dat, ik herhaal het nogmaals, voor mij niet meer bestaat, dan respecteer ik je keuze. Maar laat het idee minstens even bezinken.'

Ik dacht even na.

'Hou je nog steeds van haar?'

'Ik kan niet ontkennen dat liefde de basis voor ons huwelijk was. Ik zou op geen enkel ander fundament een huwelijk willen bouwen. Maar hoe kan ik nog van Elisabeth houden als ze mijn gevoelens zo snel overboord gooit voor de liefde van een andere man? Een echtpaar doorklieft goede en slechte tijden. Ik bleef in donkere momenten altijd vertrouwen in een goede afloop. Elisabeth niet en daarmee heeft ze mijn liefde voor haar voor altijd verloren laten gaan. Het evenwicht tussen haar en mij is zoek.' Peters verduidelijking klonk zeer overtuigend.

'Dus het zou een polygamisch huwelijk worden waar de eerste echtgenote afwezig blijft?'

Peter bevestigde: 'Ja, wij twee doen hier hetzelfde als Elisabeth en haar man in Oostenrijk. Ik laat Elisabeth vrij en zij mij.'

Ik overdacht de situatie en toen: 'Goed, ik zal het in overweging nemen. Maar verwacht niet snel een antwoord.'

'Als je je er comfortabeler bij voelt, hoef je hier zelfs niemand van het bestaan van mijn eerste huwelijk op de hoogte te brengen.'

'Nee, daar ben ik het niet mee eens', bedacht ik. 'Mijn ouders moeten ervan op de hoogte zijn en ermee instemmen.'

Peter knikte begrijpend. We liepen naast elkaar naar huis. Elk verzonken in onze eigen gedachten, elk worstelend met onze angsten en verlangens.

De maanden daarop werden moeilijk voor mij en mijn gezin. De moord op de keizerlijke familie luidde het begin in van een aanvalstocht tegen de nog weinig resterende adel in Rusland. Zowat iedereen die ergens nieuw aankwam en er een leven probeerde op te bouwen, werd er bijna onmiddellijk van verdacht een voortvluchtige aristocraat te zijn. Ik was blij dat vader reeds anderhalf jaar geleden besloten had te vertrekken. Daardoor waren we al behoorlijk ingeburgerd in Alexandrovka. Op geen enkel moment werden er in die periode verdachtmakingen tegen ons geuit, maar we bleven op onze hoede. We beseften dat het hele gezin, door te anticiperen op de problemen, door het oog van de naald gekropen was.

Het werd ook moeilijker om aan eten te raken. De devaluatie van de roebel was niet te stuiten en de meeste van onze juwelen waren in Minsk verzilverd. We hadden weinig financiële speelruimte en dus konden we niet veel meer doen dan besparen op onze uitgaven of onze toevlucht zoeken tot ruilhandel. Grondbezit werd in die periode afgeschaft, waardoor de eigendomspapieren van het kasteel waar ik geboren was waardeloos werden. Het was zelfs gevaarlijk ze in ons bezit te hebben. Ondanks de onderhuidse spanningen ging alles me zeer goed af want ik kon in de herfst van dat jaar rekenen op Peter. Hij werd mijn steun en toeverlaat en fleurde mijn dagen op met zijn lach en de ondeugende twinkeling in zijn schelmse ogen. Peter kon en mocht onverwachts bij ons binnenspringen. Na verloop van tijd werd hij een vaste tafelgenoot bij de lunch. Ik keek uit naar die momenten en was zelfs teleurgesteld als hij eens een keer oversloeg. Ja, als ik eerlijk was tegen mezelf, dan moest ik toegeven dat ik hopeloos verliefd was. Voor de eerste keer in mijn leven. Ik had Ivan graag gezien, maar de tijd was te kort geweest om echt van hem te kunnen houden. Mijn overleden echtgenoot had altijd gehandeld binnen de sociale grenzen. Hij had alles beheerst en gecontroleerd richting zijn doel gestuurd. Ivan had me nooit gevraagd of ik wel echt van hem hield. Hij was er misschien van uitgegaan dat dat inderdaad zo was of dat liefde niet nodig was als basis voor een huwelijk. Peter flirtte schaamteloos met me. Bij iedere gelegenheid die hij kreeg, daagde Peter me met zijn ogen uit om mijn gevoelens zonder woorden aan hem kenbaar te maken. Dankzij hem ontdekte ik de passie in het voeren van een dubbel gesprek. Eén over de dagelijkse beslommeringen, het weer, de laatste nieuwtjes en een tweede met onze blikken die kruisten, steeds weer, en gevoelens, plagerijen of beloftes uitwisselden. Zijn woordenschat met tweevoudige betekenis deed me vaak blozen. Peter liet me zweven. Ik kreeg puberale vlinders in mijn buik waarvoor ik me zou schamen als iemand erachter zou komen. Ik voelde me zelfs een tikkeltje schuldig ten opzichte van Franja.

Maar mijn dochter had geen enkel probleem met Peter, zij was mogelijk nog veel eerder voor zijn charmes gevallen. Want voor haar deed deze vreemde Oostenrijker werkelijk alles. Niemand hield zich zo intensief met haar bezig als hij.

Peter had, hoewel hij van goeden huize was, een heel andere aanpak dan ik voorheen bij Ivan had gezien. Mijn minnaar had lak aan de ongeschreven wetten van de hofmakerij. Hij vroeg mijn vader geen toestemming om me te bezoeken. Mijn vader betwistte dat niet maar behield niettemin enige gereserveerdheid ten opzichte van Peter. Peter zelf was van oordeel dat ik oud en ervaren genoeg was om zelf te beslissen of ik wilde ingaan op zijn avances. Dan stond hij nonchalant tegen de keukendeur geleund, altijd met één, vaak twee, handen in zijn broekzakken terwijl ik aardappelen schilde of rijst pelde. We konden het dan uitschateren wanneer Peter een grap met Jan of Viktor uithaalde of me plaagde tot ik rode oortjes kreeg. Evengoed konden we ernstige gesprekken voeren over de hachelijke toestand waarin Rusland momenteel verkeerde. Zoals vaak wist Peter dan met de open visie van een buitenstaander snel een pasklaar antwoord te vinden op veel van de hedendaagse binnenlandse problemen.

Zo zaten we op een avond met een zeldzaam goed glas wijn voor onze neus aan de grote keukentafel. Vader had ons net welterusten gewenst en was naar boven gegaan. Het hele huis sliep. We waren alleen. Het was gezellig. Het haardvuur smeulde. Peter bood me een sigaret aan, die ik graag aannam. Het was een luxe die ik me af en toe permitteerde.

'Heb je je nooit afgevraagd hoe een Oostenrijker als jij, zo kort na de oorlog, zonder problemen hier in Rusland werd aanvaard?'

'Ja, eigenlijk wel. Ik heb er zelfs lang over nagedacht en de verklaring lijkt me redelijk eenvoudig.'

Met een lucifer liet Peter mijn sigaret branden en vervolgde: 'De Russen zijn momenteel zo hard bezig hun eigen interne wonden te likken dat ze bijna vergeten dat er ook nog een oorlog in de rest van Europa aan de gang is.'

Ik dacht even over zijn woorden na.

'Is dat hetgene wat je bezighoudt? Of de Russen mij, een Oostenrijker, zullen aanvaarden? Jij bent toch ook een halve Duitse.'

'Ja, maar dat weet niemand hier.'

'Iedereen weet dat ik een buitenlander ben, mijn accent kan ik moeilijk verhullen, en degenen die het moeten weten, weten dat ik Oostenrijker ben, geen kat maakt er een probleem van.'

'Ik vroeg het me gewoon af, dat is alles.'

Ik tuurde in mijn wijnglas.

'Zijn er nog zo van die mijmeringen waarvan ik op de hoogte zou moeten zijn?'

Peter probeerde mijn blik te vangen. Ofschoon iedere vezel in mijn lichaam erom smeekte was ik niet bij machte zijn nu overbekende glinsterende kijkers te weerstaan.

'Ik kan niet ontkennen dat ik nog over je huwelijk pieker.'

'Daar kan ik je jammer genoeg niet van genezen.'

'Vooral over hoe ik mijn keuze zal verantwoorden tegenover mijn ouders.'

'Dus zelf zie je er geen graten in.'

Dat moest ik inderdaad toegeven.

'Wat heb je je ouders over mijn huwelijk met Elisabeth verteld?'

'Ik heb hen alles verteld wat ik wist, ook van je aanbod. En ja, ook van je vrouw en kinderen.'

'En?'

'Wel, ik dacht altijd dat papa het moeilijker met de omstandigheden zou hebben dan mama, maar het omgekeerde is waar. Vader snapt dat er een uitweg gezocht moet worden, dat jij vanwege een ondoordachte beslissing van je vrouw niet je hele leven als een emotionele gevangene hoeft te leven. Maar moeder is bang dat je ervandoor zou kunnen gaan, terug naar Oostenrijk. Niet zozeer naar je vrouw maar wel naar je kinderen want met hen heb je tenslotte een bloedband. Ik weet dat het van haar kort door de bocht is om zo te denken, maar mama denkt dat als je Elisabeth in de steek hebt gelaten, je dat met mij ook zult doen. Ze is eigenlijk ronduit tegen een huwelijk tussen ons. Het beeld dat ik achter zou kunnen blijven met een serie onwettige kinderen boezemt haar angst in.'

Peter glunderde. 'In tegenstelling tot je moeder lijkt het beeld van jou met een serie onwettige kinderen me allesbehalve schrik aan te jagen. Ik krijg er veeleer een gevoel van voldoening van.' Toen werd hij ernstig: 'Ik zou er geen baat bij hebben je ooit in de steek te laten. Hier in Rusland is mijn identiteit nog iets waard. Als ik terugga naar Oostenrijk duurt het jaren eer ik alle papierwerk in orde heb om me opnieuw levend te laten verklaren en de echtscheiding met Elisabeth aan te vragen. De ouders van Elisabeth zijn machtig en genieten veel aanzien in Wenen. Zij zullen dat niet zonder slag of stoot laten gebeuren. Als ik er al in slaag om te scheiden, maak ik haar derde kind tot bastaard en is haar reputatie en die van Anja en Francis voorgoed geruïneerd. Bovendien is het nog niet eens zeker dat ik daarna nog terug tot bij jou hier in Alexandrovka geraak.'

Ik was onder de indruk, dus onderbrak ik Peter niet.

'Maria, niemand beseft beter dan ik dat dit tweede huwelijk onwettig zal zijn door het bestaan van het eerste. De wetenschap dat ik je niets beters te bieden heb, doet me immens veel pijn. Ik wilde dat ik je ouders hardere garanties kon bieden, maar dat kan ik jammer genoeg niet.'

'Ik zal je hierin moeten vertrouwen, denk ik.'

'Ik weet dat je dat al doet.'

Als Peter min of meer verplicht was om stuurloos, zonder toekomst, door de Russische laaglanden te zwerven, zwierf ik liever met hem mee. Mijn minnaar strekte zijn linkerhand gespreid uit over de tafel, en zonder dat hij het blad losliet, schoof hij zijn vingers naar me toe.

'Weet je waarom ik met je wil trouwen?' Die vraag was retorisch. 'Omdat je me intrigeert.'

Ik lachte. 'Dat heeft ooit nog eens iemand tegen me gezegd. Ik hoop dat er iets meer is dan alleen intrige.'

'Ik bedoel... ik heb je al eens verteld dat de herinnering aan jou me overeind hield. Wel, ik herinnerde me vooral die zalig dromerige blik in je ogen. Je jeugdigheid. Je had net de dood van je grootvader te horen gekregen maar toch kon niets je toen van je stuk brengen. Ik trok me op aan je moed als ik het even niet zag zitten of dacht dat ik die ellende daar niet zou overleven. Nu lijk je gemakkelijk tien, soms twintig jaar ouder. De zorgen hebben zich van je meester gemaakt. Je ogen hebben een harde, bijna koude uitdrukking gekregen en ik wil er alles aan doen om die droom weer in je ogen tevoorschijn te halen. Jij hebt mij geholpen, zelfs zonder dat je in mijn nabijheid was. Ik hou van je en ik hoop dat ik lang genoeg leef om jou terug te geven wat je zo onbaatzuchtig voor me deed.'

Peter zag dat ik nog steeds piekerde over mijn moeders standpunt.

'Wil je dat ik eens met Evelyne ga praten?'

'Nee, dat hoeft niet. Ik probeer het zelf nog weleens.'

Mijn vingers verstrengelden zich in de zijne, die nog steeds op tafel lagen en ik schonk hem mijn meest mysterieuze lach. Als het Peters doel was mij m'n stralende ogen weer terug te schenken, dan mocht ik hem toch een beetje belonen voor zijn moeite. Toen beet ik een beetje verlegen even op mijn onderlip en neeg het hoofd. Flirten was niet echt iets waarin ik bedreven was. Peter vond mijn half geveinsde onwennigheid schattig.

Hij liet los, nam zijn halflege wijnglas en zei plagend: 'Op toekomstige beslissingen en een hele reeks onwettige kinderen?'

Zwijgend stond ik op en liep om de tafel. Zonder me zijn verbaasde blik aan te trekken nam ik spontaan plaats op zijn schoot. Ik genoot van het feit dat ik even de controle had over onze communicatie. Peter loste zonder morren zijn greep op de bokaal met wijn toen ik die van hem overnam en het tussen ons beiden in de lucht hief voor een toost: 'Vooral op een hele reeks onwettige kinderen. Over die beslissing hoef je niet meer te piekeren. Die heb ik al genomen.'

Peter keek zelfvoldaan. Hij begreep de betekenis van mijn

woorden. Vastberaden nam ik een slokje. 'Ik hou ook van jou', en kuste hem vervolgens vol op de mond. Onverwacht. Het aroma van de wijn kon hij aan mijn lippen proeven. Ik kon zien dat hij genoot van mijn kleine verrassing. Als ik het af en toe kon opbrengen voor een dergelijk intermezzo te zorgen zou een huwelijk met hem, zelfs al liep er ergens nog een vrouw rond die aanspraak op hem kon maken, nooit geruststellend saai worden.

Peter onderbrak het intieme samenzijn even: 'Hoeveel is een reeks voor jou?' en verplaatste zijn aandacht naar mijn hals door daar onverstoorbaar te beginnen sabbelen.

'Minstens vijf. En voor jou?'

'Dat is me om het even, zolang ik ze maar bij jou heb', murmelde hij in mijn haren.

'Wanneer kunnen we trouwen? Ik wil er graag zo snel mogelijk aan beginnen', giechelde ik.

'Wat denk je van deze winter nog?'

En dat deden we in de bitterkoude maand november. Mama was eerst niet van haar stuk te brengen. De eindeloze discussies bij ons thuis waren niet voor de poes.

'Deze verbintenis is een von Gert onwaardig! Het is een onwettig huwelijk en dan nog met een gewone burger. Hij is wel van goede afkomst, maar toch. Denk je eens in wat je grootmoeder hiervan zou vinden. Een Tischkevitsch getrouwd met een burger!'

Hier wist ik, door de verhalen van grootvader Nicolai, een antwoord op: 'Mama, u weet best dat oma Amalia niets ingebracht zou hebben tegen een huwelijk met een burger. Ze is zelf thuis vertrokken omdat ze van opa Nicolai hield die sociaal gezien haar mindere was.'

Dat gezegd zijnde legde mijn moeder zich met tegenzin bij de situatie neer.

Uiteindelijk had Peter Elisabeth op de hoogte gebracht van onze plannen. Zij had hem per kerende laten weten dat ze ons geluk niet in de weg zou staan en dat ze Peter en mij het allerbeste wenste voor de toekomst. We lieten de brief aan mijn ouders zien. Mama pruttelde eerst nog wat tegen maar vader suste haar. De blik die hij over mijn moeders opgestoken haren richting Peter schoot, maakte me duidelijk dat papa mijn moeders mening gedeeltelijk deelde. Mocht Peter me ooit laten zitten, dan zou papa hem de rekening wel presenteren. Ik had al zoveel tegenslag gehad en was er gerust in dat het noodlot me dit keer niet kon tarten. Zoveel ongeluk in een mensenleven zou niet eerlijk zijn. Ik geloofde onvoorwaardelijk in Peters liefde voor mij.

Er was geen geld voor een nieuwe trouwjurk, dus haalde ik een oude jurk boven, die sinds de vlucht uit Kapytnik nog niet uit mijn koffer was geraakt. Bij het zorgvuldig nakijken van de status van de jurk om die eventueel nog te verstellen, ontdekte ik een lang hard voorwerp in de zoom van het lijfje. Ik was verrast toen ik het relatief zware kleinood uit zijn schuilplaats tevoorschijn haalde. Het was een klein zilveren lepeltje waarop aan de bolle kant een bloemenmotief en in de steel twee initialen waren gegraveerd. Ik had het kostbare ding zelf in de zoom genaaid, maar had het in Minsk om de een of andere reden over het hoofd gezien. Ik ging ermee naar mijn moeder om te vragen wat ik ermee moest doen.

'Maar schat, het heeft geen zin dat zilveren lepeltje nu te verkopen. Met dat geld zou ik nauwelijks voor een paar dagen eten kunnen inslaan. Het is absoluut niet noodzakelijk het nu te gelde te maken. Hou het maar bij. Als de roebel beter staat kun jij het eventueel nog inruilen.' Verwonderd stopte ik het souvenir bij de rest van mijn uitzet.

Behalve mijn ouders wist niemand van Peters eerste huwelijk. De ceremonie werd ingezegend door een priester en we wisselden trouwringen uit, alsof we ook echt getrouwd waren. In onze harten was dat ook zo, maar we wisten beiden dat de papieren die we tekenden ongeldig waren. Deze keer was mijn huwelijk, ondanks de onstabiele situatie in Rusland en het beperkte budget, wel een groot feest. Iedereen die we kenden werd uitgenodigd voor een groot dansfeest. Sasha, Vladimir en de andere mannen die met Peter in het kamp hadden vastgezeten, Igor en de nu zwangere Nadia, de buren, werkelijk iedereen was er. Er werd tot diep in de nacht gedanst, gepraat en vooral veel gedronken. Niets kon onze pret drukken. We genoten van de dag. Ik was overgelukkig en tot in het diepst van mijn botten geroerd door Peters liefde die hij zonder gêne in het openbaar liet zien.

Mijn echtgenoot en ik betrokken samen met Franja een huis slechts drie straten ver van mijn ouders, waar we onder elkaar terugvielen op het Pools, een taal die Peter nog altijd beter onder de knie had dan het Russisch. Hij beschouwde Franja als zijn dochter en die liefde was zeker wederzijds. Ik ondervond de luxe een man te hebben die dag en nacht bij me in de buurt was. In het begin vroeg het een aanpassing van ons beiden want we hadden te lang een solitair leven geleid. Met praten bereikten we na verloop van tijd een evenwicht waar we ons alle twee in konden vinden. Een punt van discussie was de opvoeding van Franja. Peter had een moderne en open vorming voor ogen terwijl ik het meer had voor de oude school. Mijn dochter maakte schaamteloos misbruik van onze onenigheid. Menigmaal haalde Franja haar slag thuis door achter mijn rug om bij mijn echtgenoot snoepgoed en andere dingen te vragen. Omdat ze uiteindelijk mijn kind was, kreeg ik het zeggenschap over haar opvoeding. Maar meestal moest ik het onderspit delven bij een meningsverschil.

Peter opende naast ons huis een modieuze schoenwinkel met daarachter een atelier voor herstellingen en nam een knecht in dienst die de courante kleine reparaties deed. Mijn man stond het liefst in de winkel.

Kort na ons huwelijk was ik zwanger van ons eerste kind. Meerdere keren kreeg ik te horen dat ik straalde alsof het mijn eerstgeborene betrof. In tegenstelling tot mijn eerste zwangerschap volbracht ik het deze keer moeiteloos tot het einde. In vergelijking met die van Franja was het een relatief gemakkelijke bevalling, ofschoon mijn tweede dochter meer dan drie kilogram woog. Maar ik was opgelucht toen ik Stanislava, kortweg Stasia, in mijn armen hield. Peter kon zijn trots niet onder stoelen of banken steken. Hij genoot met volle teugen en ik ook. Simpelweg de ervaring mijn kind in de armen te houden en haar vader die over mijn schouder meekeek, deden de tranen in mijn ogen opwellen.

Enkele dagen later belandde ik onverwacht voor het eerst sinds lange tijd weer in een emotionele carrousel. Mijn pasgeborene stierf tijdens haar slaap. Ik kon opnieuw een dode begraven. Mijn verslagenheid over zoveel noodlot was nauwelijks te bevatten. Even voelde ik weer de neiging te vervallen in dezelfde melancholie als toen Ivan gestorven was, maar vond kracht in Peters ogen om eraan te weerstaan. Deze keer had ik een medestander, iemand die samen met mij door de tunnel van verdriet moest. Peter, evenveel uit evenwicht gebracht als ik, steunde en troostte me zoveel hij kon. Door de energie die we bij elkaar vonden kwamen we het verlies relatief snel te boven.

We mengden ons nooit in politieke debatten, wat een erg ingeburgerde sport was in de Russische samenleving, om ons ervan te verzekeren dat Peter zijn werk als schoenmaker zonder problemen kon blijven voortzetten. Want wie werkte, kreeg toegang tot voedselbonnen en rantsoenen. Om die reden achtten we het verstandig lid te worden van de Communistische Partij, hoewel noch Peter noch ik aanhangers waren van de ideologie achter het communisme. Onze motieven voor het lidmaatschap lagen elders. Naarmate een lid namelijk hoger stond op de hiërarchische ladder kreeg hij of zij meer voedsel, beter werk en een grotere woning. Op die manier probeerden we niet om te komen van de honger en hadden we het zelfs goed, in ieder geval beter dan vele van mijn landgenoten in die tijd.

In de zomer van 1919 hoorden we voor het eerst de naam Jozef Stalin vallen. De man, volgens de kranten een rijzende ster aan het communistische firmament, was in het voorjaar benoemd tot lid van het Politbureau. Ik volgde de situatie in

Moskou en Leningrad op een voorzichtige afstand maar voelde niettemin instinctief aan dat die Stalin van op de propaganda-foto's met zijn kleine kraaltjes van ogen iemand was met wie je beter rekening kon houden.

In september was ik weer zwanger. Angstig telde ik af naar de bevalling uit vrees voor een herhaling van wat een jaar eerder was gebeurd. Ik was humeurig en Peter was daar vaak het slachtoffer van. Hij probeerde zoveel mogelijk mijn onrust weg te nemen en had begrip voor mijn onzekerheden. Op 23 mei 1920 beviel ik opnieuw van een dochter, Johanna. De bevalling was heel moeilijk verlopen, omdat de paniek me meerdere keren overviel. De schrik om opnieuw een kind te verliezen zat diep in mijn ziel geworteld. Die bezorgdheid bleek overbodig want mijn jongste spruit was een gezonde boreling. Peter adoreerde Johanna. De dood van Stasia had mijn man overdreven bezorgd gemaakt ten opzichte van de nieuwe zuigeling. Als Johanna niet moest eten lag ze steevast in haar vaders armen. Ik had helaas te weinig melk om haar voldoende te kunnen voeden en koemelk was een zeer schaars en zelfs bijna onmogelijk te krijgen product geworden. Johanna's gestel vertoonde daardoor ernstige tekenen van rachitis. Een gevolg daarvan was dat ze pas kon lopen toen ze vier jaar was. De rest van haar leven zou Johanna door de gevolgen van die ziekte moeilijk kunnen gaan. Niettemin was ze een zonnetje in huis. We genoten van het eigenzinnige persoontje dat ons gezin verrijkte. Niets leek ons volmaakte geluk in de weg te staan.

Het ging ons voor de wind, vooral dankzij de invoering van de Nieuwe Economische Politiek in de zomer van 1921, waardoor kleine ondernemingen zoals Peters schoenwinkel succesvol werden. Hij nam een tweede inwonende knecht in dienst. We konden ons luxeartikelen permitteren zoals etentjes en bezoekjes aan dansgelegenheden. De knechten pasten dan vaak op Johanna, die hen rond haar kleine vingertje wond.

Ondertussen bleef Peter in nauw contact met Anja en Francis, de kinderen uit zijn eerste huwelijk. Hij kreeg regelmatig foto's en tekeningen toegestuurd die zijn dagen nog completer maakten. Ik gunde hem die kleine momenten, maar ik moest toegeven dat binnenin de jaloezie soms gemeen opstak. De correspondentie tussen mijn echtgenoot en zijn kinderen in Oostenrijk zou later de oorzaak worden van Peters plotse verdwijning.

Johanna

Opgroeien onder het communisme

Alexandrovka, augustus 1928

Door het Verdrag van Brest-Litovsk werd Polen in 1918 onafhankelijk. De bolsjewieken konden zich moeilijk neerleggen bij het compromis en bestormden in april 1919 Vilnius. In augustus van datzelfde jaar stonden de Russen al voor de poorten van Minsk. Het nieuwe Polen voelde zich bedreigd en verzamelde moed en troepen. In april 1920 vielen ze Oekraïne binnen. Het antwoord van Lenin was, ondanks de instabiele binnenlandse situatie, kort maar krachtig. Vier maanden later versloeg hij de Poolse legers bij Warschau en in oktober volgde er een wapenstilstand. Die werd bekrachtigd in het Verdrag van Riga waarin stond dat hele gebieden van Wit-Rusland en Oekraïne naar Polen gingen. Mijn geboortedorp, Alexandrovka, hoorde daar jammer genoeg niet bij. De toekomst van mijn familie had er helemaal anders uitgezien mocht dat wel het geval geweest zijn.

In de herfst van mijn geboortejaar, 1920, verdwenen de laatste getuigen van onze oude wereld uit Rusland. Via Constantinopel werd de resterende Russische aristocratie geëvacueerd door de Britse en Franse marine. Mijn familie bleef, in tegenstelling tot wat ons werd aangeraden, stilletjes achter in de hoop dat de nabije toekomst veranderingen met zich mee zou brengen en dat we alsnog zouden kunnen terugkeren naar ons oude huis. Niets was minder waar.

In het voorjaar van 1922 kreeg Lenin zijn eerste van een reeks beroertes en werd Stalin secretaris-generaal van de Communistische Partij die hij vanaf dat moment vulde met zijn getrouwen. Achter de schermen werd een bitse strijd om de macht gevoerd tussen Léon Trotski en Jozef Stalin. Op 21 januari 1924 stierf Lenin aan zijn laatste, fatale beroerte. Dat is mij als tiener allemaal verteld. Ik was op het moment van de feiten immers nog veel te jong om dat allemaal te beseffen.

Wat me wel nog is bijgebleven van mijn allereerste levensjaren is het beeld van mijn moeder, kaarsrecht gezeten op een houten stoel. Ze had haar favoriete jurk aan, een rode met fijne zwarte streepjes en de kenmerkende lage taille van de jaren twintig. Haar avondtoilet werd afgewerkt met enkele goedgekozen juwelen. Ze zouden die avond met oom Jan en oom Viktor uitgaan, maar beide twintigers lieten voorlopig op zich wachten. Dat was niet de eerste keer. Vooral oom Viktor had een broertje dood aan op tijd komen. Maar dat werd de onbezonnen jongeman gul vergeven want hij wist altijd wel een goed excuus te verzinnen. De drukte en de verantwoordelijkheden die tot de dagtaak van beide heren behoorden, was een dooddoener. Oom Jan beheerde samen met grootvader in opdracht van de overheid de gemeenschappelijke landerijen, bossen en parken van de stad. Oom Viktor was een overtuigd communist en bekleedde de functie van politiecommissaris bij de Partij. Hij werd door velen benijd maar door de meerderheid gevreesd.

Om het wachten te veraangenamen stak mijn moeder elegant een sigaret op die in een pijpje stak. Ze leek niet in het minst geagiteerd door het onrespectvolle gedrag van haar broers. Haar hele houding sprak van stijl en klasse. Geduldig boog mama zich over de wieg en keek naar Ludmilla, Loeke voor ons, mijn vier jaar jongere zusje. De wieg hing met touwen aan een haak in een grote eiken balk in het plafond.

Nog geen twee jaar daarvoor had in dezelfde wieg mijn pasgeboren broertje gelegen. Edmond was echter ziek ter wereld gekomen en had het leven na enkele maanden opgegeven. Mijn moeder had dat verlies, met de steun van mijn vader, waardig gedragen. Of ze de dood van mijn broer ook echt verwerkt had, was zeer de vraag. Voor iedereen die mama kende, leek ze een ongenaakbare vrouw. Ze was zeker niet het frêle vrouwtje dat gebroken uit de oorlog gekomen was. De voorbije tegenslagen hadden mijn moeder hard gemaakt. En in zeker opzicht klopte het beeld dat de buitenwereld van haar had met wat wij thuis ervoeren. Mama regeerde het huishouden met ijzeren discipline. Tussen haar en papa, twee sterke karakters, heb ik het meermaals weten stuiven. Maar wie in haar hart kon kijken wist dat mijn moeder sinds de oorlog een afgepeigerde, opgebrande vrouw was geworden. Alleen de schijn en haar opvoeding weerhielden haar ervan in duizend scherven uiteen te vallen. Papa scheen het als een persoonlijke taak te beschouwen om 'mama's ogen weer te laten dromen', zoals hij het vaak verwoordde. Ik heb vader gedurende mijn jeugd meermaals zijn hart horen luchten tegen tante Misha over hoe hij in hemelsnaam mama weer aan het lachen kon brengen.

Tante Misha was eigenlijk geen echte familie van ons, maar om de een of andere mysterieuze reden deden we allemaal alsof dat wel zo was. Tante Misha woonde al van kort na mijn geboorte bij mijn ouders in en fungeerde als kindermeisje en later als gouvernante, hoewel we geen thuisonderwijs kregen. Zij keek er nauwlettend op toe dat we enkel met de kinderen van bevriende families speelden. Andere speelkameraadjes waren volgens de volwassenen te min voor ons. Die mening werd echter niet publiekelijk geuit.

Van tante Misha en mama leerden we de finesses van de etiquette. Hoe we ons aan tafel moesten gedragen en met welk soort respect we de hand moesten kussen van onze grootmoeder, moeder of tantes. Er werd wel een onderscheid gemaakt tussen het vereiste gedrag binnenshuis en buitenshuis, waar met de regels voor de sociale omgang veel losser werd omgesprongen. Mijn moeder hield zich uit gewoonte strikt aan de regels van de hoffelijkheid. Ze was altijd zeer afstandelijk en knuffelde ons nooit. Enkel 's avonds kuste ze ons op het voorhoofd. Verder ging mijn moeder niet in de affectie voor haar kinderen. Al ben ik ervan overtuigd dat ze ons doodgraag zag. Vader nam het niet zo nauw met de etiquette en ging op een meer ongedwongen manier met ons om. Ik had met al die regeltjes weinig moeite maar herinner me toch een voorval waarbij ik het niet kon opbrengen ze te eerbiedigen.

Orthodox of katholiek, het geloof maakte bij ons thuis niet veel uit maar uit respect voor vader waren we katholiek. Nu was er onder het communisme weinig geloofsvrijheid en een kerkbezoek werd door de autoriteiten snuivend afgekeurd. Om hun parochies in stand te kunnen houden, gingen de meeste katholieke priesters bijna als venters van deur tot deur om het geloof te verkondigen. Dat werd door de Partij oogluikend toegelaten. Bij een bezoek aan onze woning werd me steevast opgedragen de pastoor met het nodige respect, en dus een handkus, te begroeten. Ook op die bewuste dag, ik moet ongeveer zes jaar geweest zijn, boog ik me vloeiend over zijn hand. Bruusk stopte ik mijn beweging en liet de hand weer los. Blijkbaar was de eerwaarde vóór de huisbezoeken nog bezig geweest in zijn moestuin zonder zijn handen daarna te wassen, want onder de nagels en langs de nagelriemen kleefde een dikke rand aarde. Mijn moeder, die het tafereel had gadegeslagen, keek me vragend aan. Het idee die vuile hand te moeten kussen deed me bijna kokhalzen.

'Mama, het is toch vies om met vuile handen rond te lopen? We moeten toch altijd een propere hand aanbieden voor de handkus?' klonk ik betweterig.

Moeder schudde afkeurend het hoofd heen en weer: 'Johanna, dat kan echt niet! Naar je kamer! Ik zal je straks wel komen halen als je goed hebt nagedacht over je onbehoorlijke gedrag.'

Zonder morren draaide ik me om en vertrok.

'Geen erg, Maria. Je hoeft het kind daar niet voor te straffen', hoorde ik de priester een beetje gegeneerd zeggen.

Ik lachte inwendig. Dat was voor mij wellicht de leukste straf ooit en ik verdenk er mijn moeder zelfs van dat ze wist dat ik met die tuchtmaatregel verlost werd van de opdracht de vuile hand van de pastoor te kussen. Of mama het daarna kon opbrengen die onhygiënische taak te volbrengen heb ik nooit geweten. Ik durfde er achteraf ook niet meer naar te vragen, maar ik vermoed van wel.

In 1927 en 1928 werd ons gezin vervolledigd met nog twee dochters, Hendrica en Eleonora. Naar goede gewoonte werden beide namen afgekort voor dagelijks gebruik. Henny en Noora vonden snel hun plaatsje in het kippenhok, zoals vader soms grappend naar ons huis verwees omdat hij er de enige man was. In ieder geval liep hij als een trotse haan in dat kippenhok rond. Voor ieder van de vrouwen die onder zijn dak woonden had papa een speciaal plekje in zijn hart. Franja en tante Misha werden evengoed als een deel van het gezin beschouwd als ieder ander.

In ieder geval herinner ik me niets concreets van de geboorte van Henny, waarschijnlijk omdat ik rond die periode tactvol voor enkele maanden samen met tante Misha op vakantie ging bij tante Sofie in het Russische binnenland. De geboorte van Noora kan ik me wel nog levendig voor de geest halen omdat we kort voor mijn moeder moest bevallen ongewild moesten verhuizen naar een huis in Nishni Novgoroth, aan de Wolga. Dat kwam doordat Stalin in de loop van 1928 een einde maakte aan de Nieuwe Economische Politiek en hij de grondslag legde voor zijn Planeconomie, die een jaar later zou resulteren in een eerste Vijfjarenplan.

De postbode hield me op een prachtige zomerdag aan toen ik in onze voortuin met bikkels en een springbal aan het spelen was.

'Goedemorgen juffertje, wil jij dat even aan je vader geven?'

Ik stopte mijn speelgoed snel in de zak van mijn schortje. De man overhandigde me een officieel uitziende enveloppe waarop een grote rode stempel stond.

'Ja, hoor', klonk het bereidwillig uit mijn mond.

'Ik denk dat het heel belangrijk is, dus verlies hem niet en geef hem onmiddellijk aan je vader.'

Toen vertrok hij, zijn hand opstekend, met een stevige pas naar het volgende adres. De postbode moest vandaag veel post te bezorgen hebben, want meestal bleef hij even staan om papa of mama te begroeten en als het koud was in de winter sloeg hij een glaasje wodka van tante Misha ook nooit af.

Mijn schouders ophalend draaide ik me richting de etalage van mijn vaders schoenwinkel, waar ik hem meer dan waarschijnlijk zou vinden terwijl hij een klant aan het assisteren was. Inderdaad, papa hielp een dame bij het passen van een modieus paar bruine schoenen met een klein hakje en een fijn bandje over de wreef.

'Deze flatteren u heel erg, mevrouw', hoorde ik hem zeggen. 'Probeert u anders eens enkele pasjes, dan weet u of ze goed zitten.'

De klant, de echtgenote van een aanzienlijk partijfunctionaris in de stad, liep naar een grote spiegel en bekeek haar voeten langs alle kanten. Daarvan maakte mijn vader gebruik om zijn aandacht op mij te vestigen.

'Wat is er?'

'De postbode bracht deze belangrijke brief voor u, vader.'

Ik overhandigde hem de enveloppe en keek vanuit mijn ooghoek naar de dame, die via de spiegel een blik op de officiële brief wierp. Ze kon de voorkant goed zien maar leek niet verrast. In de spiegel zag ik dat vader gedurende een seconde overdacht hoe hij dit dilemma zou oplossen. Ook hij had de stempel van de Partij op de enveloppe opgemerkt en de blik van de geïnteresseerde klant waargenomen. Papa had geen vermoeden over de inhoud van de brief. Maar het zou waarschijnlijk geen goed nieuws zijn als het in de lijn lag van de geruchten die de laatste weken door de stad circuleerden. Hij wilde niet dat de vrouw zijn reactie daarop zou zien. Vader kon natuurlijk wachten met het openen van de enveloppe tot de vrouw haar aankopen had beëindigd, maar zij zou dat kunnen interpreteren als desinteresse in de Partij en dat melden aan haar echtgenoot. Hij scheurde de enveloppe open en las de inhoud. 'Een zeer goede keuze, mevrouw. Die schoenen staan u zeer mooi', probeerde ik haar af te leiden. Het lukte. Haar ijdelheid won het van haar nieuwsgierigheid.

Met een laatste blik in de spiegel zei ze: 'Vind je, kleine meid? Ja, je hebt gelijk. Voor zo een jong meisje ben je heel slim, weet je. Ik neem ze.'

Ze liep, zonder verder aandacht voor mijn lezende vader, naar de stoel waarop ze zonet had gezeten en reikte naar haar eigen schoenen. De dame trok het nieuwe paar uit, bekeek ze nog eens en trok haar oude opnieuw aan. Papa had de aanwinst van zijn klant al in de doos gestopt tegen dat de vrouw doorhad dat ze afgeleid was en dus ook niet naar zijn reactie op het bericht had kunnen peilen. De brief was ondertussen nergens meer te bekennen.

Terwijl mijn vader de betaling afhandelde, probeerde hij met een uitgestreken gezicht het gesprek met de dame weer op gang te brengen: 'Gefeliciteerd met uw aankoop, u zult er zeker geen spijt van hebben. Tot een volgende keer?'

De vrouw wachtte een moment alvorens ze antwoordde. Ze moest er blijkbaar nog even over denken. 'Misschien', klonk het betekenisvol.

Vader keek haar verbaasd aan. Ze wist wat er in de brief stond.

Die avond aan tafel kwam ik eindelijk te weten wat het belangrijke bericht van de Partij inhield.

'Waarom kan ik de schoenwinkel nu niet openhouden? Dat ze hem staatseigendom maken tot daar aan toe. Maar waarom moet ik ergens halverwege hier en Siberië in een papierfabriek gaan werken wanneer ik veel liever hier de winkel zou openhouden?'

Papa was teleurgesteld dat hij zijn rustige leventje in de schaduw van zijn boetiek zou moeten opgeven. Maar uit zijn klaagzang bleek dat hij meer nog gedesillusioneerd was in de beslissingen die de Communistische Partij de laatste tijd nam. Mijn ouders waren beiden lid van die organisatie maar in tegenstelling tot vader was mijn moeders drijfveer eigenbelang. Lidmaatschap betekende gemakkelijkere levensomstandigheden naarmate je hoger stond op de hiërarchische ladder van de Partij. Papa was een overtuigd communist geworden door bepaalde gebeurtenissen tijdens de Grote Oorlog, waarvan ik toen nog niet op de hoogte was, hoewel mama dat liever niet geweten wilde hebben. Moeder wist dat tegen beslissingen van de bolsjewieken weinig in te brengen was en probeerde papa daarmee te verzoenen.

'Die functie van chemicus in Nishni Novgoroth ligt toch veel dichter bij wat je gestudeerd hebt? En we kunnen altijd nog terugkeren naar Alexandrovka. De brief sprak immers enkel over de winkel, het huis mogen we houden.'

Ook vader leek zich gelaten bij de situatie neer te leggen: 'Ach, we moeten pas binnen twee maanden daar zijn. Tijd genoeg om nog even in de winkel te kunnen staan en die hele verhuis geregeld te krijgen.'

Hij hief zijn schouders op en at verder.

De reis naar onze nieuwe thuis kan ik me nog levendig voor de geest halen. Vooral de lange ritten met paard en *droshjka*, waar geen eind aan leek te komen. Ik vond de verandering spannend. Vol verwachting keek ik uit naar hoe mijn nieuwe onderkomen eruit zou zien. We kregen een groot afgelegen huis toegewezen in het midden van een bos. Er was niet eens een degelijke weg naar. De bedoeling was dat het zou worden gedeeld met één of meerdere andere gezinnen, want enkel de benedenverdieping mocht door ons in gebruik genomen worden. De andere gezinnen waren nog niet komen opdagen en we hebben ze ook nooit gezien. Wat me vooral aan het huis opviel, was de enorme grote open haard in de leefruimte, waarin ik gemakkelijk rechtop had kunnen staan als er tenminste geen vuur in brandde. Er hing ook een gietijzeren ketel waarin water gekookt kon worden.

Ernaast was een stenen oven waarin mijn moeder brood bakte. Als Franja en ik dan huiswerk moesten maken, klommen we in de nis boven de oven. Tijdens de winter was dat de warmste plek in het huis.

Ons huis werd verlicht met petroleumlampen en we beschikten niet over een radio, dus hielden we ons in die eenzame winter, na het maken van ons huiswerk, bezig met dammen of borduren. Papa kon urenlang de spannendste verhalen vertellen. Tante Misha reageerde vaak afkeurend en vond die mythes niet geschikt voor het slapengaan.

'Dan krijgen ze vannacht misschien een of andere nachtmerrie', was haar argument.

Mijn vader trok zich echter weinig van haar opmerking aan en onder luid enthousiasme van zijn dochters, vervolgde hij de legende die hij begonnen was.

'... In volle wapenuitrusting kwam de onoverwinnelijke Achilles uit zijn tent tevoorschijn. Hij had een zwaard in zijn rechterhand dat minstens twee keer zo lang was als dat van de andere krijgers en...'

Wat ik me ook nog goed kan herinneren uit die tijd waren de lange ramen in het huis. Die waren zo hoog dat ik, als ik naar buiten keek, enkel de lucht kon zien. Het kwam me zo absurd voor. Ramen waardoor ik niets kon zien, alleen de witte, met sneeuw gevulde lucht. Of mijn *walentsië*, de typische vilten kinderlaarsjes waarmee ik toen urenlang in de sneeuw speelde en die mijn voeten behaaglijk warm hielden tijdens die strenge winter. Er lag toen zoveel sneeuw dat we met moeite buiten raakten. Wie niet echt buitenshuis hoefde, bleef binnen. Maar ik was niet te houden en hield van de krakende sneeuw onder mijn voeten.

Op een morgen kwamen papa en tante Misha me in alle vroegte uit mijn bed halen met belangrijk nieuws.

'Johanna... Johanna? ... Word eens wakker.'

Ik wreef de slaap uit mijn ogen en gaapte.

'De ooievaar is eindelijk gekomen, Johanna. Je hebt er een zusje bij.'

'Papa, wie spreekt er nu van een ooievaar! Iedereen weet toch dat baby'tjes uit de buik van hun mama komen.' Papa en tante Misha keken me verbaasd aan vanwege mijn accurate kennis betreffende het onderwerp. 'Ja, jullie hoeven niet zo verwonderd te zijn. Ik weet het wel, hoor. Ik heb het genoeg gezien bij de paarden en de varkens', repliceerde ik mondig.

Tante Misha schudde afkeurend het hoofd en papa glimlachte zwijgend, inwendig toch een beetje trots op zijn pientere oudste dochter. Wat werd die toch al een heuse jongedame. Ik trok me van hun verdere reacties bitter weinig aan en vluchtte op blote voeten en in nachtjapon naar de slaapkamer van mijn ouders, normaal gezien verboden terrein, waar mijn pasgeboren zusje op me wachtte.

Uiteindelijk hebben we slechte zes maanden in Nishni Novgoroth gewoond. Door weer een vreemde beslissing in Moskou keerden we in de lente van 1929 terug naar ons oude huis in Alexandrovka. De schoenwinkel kreeg mijn vader echter niet terug en evenmin werd hem een andere betrekking aangeboden, waardoor hij zijn tijd verbeuzelde met spelen met de kleintjes of mijn moeder in de weg lopen. Ze werd er knettergek van en in die periode hoorde ik regelmatig geschreeuw als ik van school terugkwam. Dat hield echter onmiddellijk op wanneer Franja en ik het huis betraden. Papa begon toen last te krijgen van een maagzweer waarvan hij later nooit echt genezen raakte en waarvoor hij zware medicatie moest innemen. Hij sloot zich ook steeds meer en meer af van het gezin en schreef dan lange brieven aan zijn kinderen in Oostenrijk. Ik zag op dergelijke momenten foto's van Anja en Francis liggen op zijn schrijftafel. Men had me nooit van hun bestaan op de hoogte gebracht maar ik was er zelf achter gekomen. Hoe beide kinderen in Oostenrijk waren terechtgekomen wist ik niet.

'Anja zal binnenkort wel gaan trouwen nu ze die jongeman heeft leren kennen en Francis gaat straks naar het leger. Wat zijn ze al volwassen geworden.'

'Hmm hmm', was mijn moeders afwezige antwoord. Ze deed de afwas.

'Ik zou hen weleens willen gaan bezoeken', had vader op een dag geopperd.

Mama, die met haar rug naar haar echtgenoot een bord stond af te drogen, stopte daar beangstigend snel mee en had zich een seconde later met een ruk omgedraaid. In haar ogen zag ik de vrees van jaren schitteren en voelde de bui al hangen.

'Dan kom je niet meer terug en blijf ik hier achter met de kinderen.'

'Maar nee, echt niet, waarom zou ik dat doen?'

'Omdat het daar veel beter is dan hier. Zeker nu.'

Ik had mijn moeder nog nooit op zo een toon horen spreken. Ik kreeg het er koud van.

'Daar wil niemand dat ik blijf. Tenminste niet voor langer dan een tijdje. En hier... Jullie hebben mij hier waarschijnlijk niet echt nodig omdat ik niet nuttig ben. Omdat ik geen werk meer heb', probeerde papa haar te sussen. 'Maar hier ben ik gewenst. Want wie gaat dat kippenhok hier anders in goede banen leiden?' besloot hij schertsend.

Dat was nu mijn vader ten voeten uit. Altijd werd hij grappig, bijna sarcastisch als het onderwerp van gesprek te gevoelig werd en hij de conversatie wilde afronden.

'Het kan me niet schelen welke uitleg jij verzint om naar Wenen te willen gaan. Vergeet het maar, jij blijft hier. Tien jaar geleden heb je de kans gekregen om terug te keren, die heb je toen niet genomen. Nu moet je de consequentie daarvan maar dragen.'

Om haar woorden kracht bij te zetten had mijn moeder dat laatste in het Duits gezegd. Ze probeerde vader op zijn eigen terrein te verslaan en het lukte.

Papa was geschrokken van de reactie van zijn vrouw en bond in. Ik zag aan mijn vaders houding dat het hem kwetste en ik voelde met hem mee. Na die dag is een trip naar Oostenrijk bij mijn weten nooit meer ter sprake gekomen.

Door de toenemende drukkende sfeer thuis speelde ik steeds meer op het binnenhof van mijn grootvaders huis, dat zich om de hoek bevond. Daar haalde ik steevast kattenkwaad uit in een halfslachtige poging mijn ouders' aandacht te trekken. Papa had immers nog steeds moeite met zichzelf en mama moest zich volledig wijden aan de verzorging van Henny en Noora, niet eens twee en één jaar oud. Franja, nu een echte puber, sloot zich veel liever op in haar kamer dan met mij te spelen. Ik voelde me eenzaam en in mijn drang naar belangstelling haalde ik kwajongensachtige streken uit.

Zo was opa Alexander op een dag vaten aan het schoonschrobben waarin later groenten bewaard zouden worden voor de winter. Ik had er al een hele tijd op staan kijken. De penetrante geur van de sterke zeep waarmee hij het karwei klaarde, hing in mijn neus.

'*Dedoushka*, mag ik dan straks mee naar de groenteboer als je de vaten gaat leveren?'

'Zou jij niet beter naar huis gaan en je moeder helpen in het huishouden of je huiswerk gaan maken? Je bent sinds schooltijd al hier. Mama zal zich wel weer afvragen waar je zit.'

'Toe, *dedoushka!*'

'Nee! En spreek me niet tegen! Naar huis nu of er zwaait wat!' Grootvader wees in de richting waarin hij verwachtte dat ik zou vertrekken.

Beteuterd draaide ik me om en slenterde naar de houten poort die toegang gaf tot de straat. Daar zag ik dat opa Alexander alle nu brandschone vaten, per twee naast elkaar, op de *droshjka* tilde. Hij lette al niet meer op mij en veronderstelde dat ik zijn goede raad had opgevolgd. In gedachten verzonken ruimde hij de schuurborstels en het waswater op. Daarna liep hij naar de stal om het paard te halen dat de opgeladen vracht tot bij zijn kameraad moest brengen. Ik zag mijn kans schoon en liep gehurkt terug naar de kar, klom erop en liet me in een van de vaten zakken. Net op tijd. Ik hoorde hoe mijn grootvader terugkwam met het paard aan de leidsels. Even later voelde ik de *droshjka* lichtjes voor- en achteruitbewegen. Het paard werd voor de kar gespannen. Daarna wegstervende voetstappen op het grindpad richting de achterdeur. Opa zou waarschijnlijk oma laten weten dat hij vertrok.

'Wees voorzichtig!' hoorde ik haar in de verte zeggen.

'Tot straks.'

De kar zette zich in beweging. Het was gelukt. Maar de rit in de ton bleek hoogst oncomfortabel te zijn. Door het oneffen wegdek werd ik overal tegen geworpen. Toen moet een wiel van de kar in zo een diepe put gereden zijn dat het vat waarin ik zat, begon om te slaan. Ik verloor mijn evenwicht en versterkte daardoor het kanteleffect. De ton viel uit de *droshjka* en op de weg. Jammerend kroop ik uit het vat. Ik had niets gebroken, maar morgen zou ik onder de blauwe plekken staan.

Grootvader hield halt, sprong van de kar en ontdekte zijn spookrijder.

'Wel verdorie! Wat deed jij in dat vat?'

Een retorische vraag.

'Had ik jou niet opgedragen naar je moeder te gaan? Je had wel een been kunnen breken!'

'Maar *dedoushka,* ik wilde toch liever bij u zijn.'

'Je hebt niets te willen. Vooruit, maak dat je op de kar zit en ik wil geen woord meer van je horen tot we thuis zijn. Er zal wat zwaaien!'

Ik had mijn grootvader nog nooit zo kwaad gezien en eenmaal thuis heb ik er van mama flink van langs gekregen. Maar dat hield me niet tegen om met de regelmaat van de klok nog meer van dat soort ongehoorzaamheden uit te halen.

Nog geen week later moest ik met Noora van mama en papa alleen thuisblijven terwijl zij met Franja, Loeke en Henny ergens heen gingen. Het zou goed kunnen dat die oppasopdracht een deel van mijn straf was voor het voorval met de vaten van opa, maar zeker weet ik het niet meer.

Mijn moeder stond in de keuken haar zomerjas dicht te knopen en gaf me de laatste instructies met betrekking tot de verzorging van mijn kleinste zusje.

'Vergeet niet Noora rond zes uur wakker te maken om haar flesje te geven, Johanna, anders slaapt ze deze nacht waarschijnlijk weer niet door.'

'Ja mama, ik zal het niet vergeten.'

Het gezelschap vertrok en ik nestelde me met een goed boek in papa's grote comfortabele leunstoel in de hoek van de keuken. Uren later werd ik langzaam wakker door een aanzwellend geroezemoes. Ik onderscheidde vaag vaders stem en toen die van Franja.

Ze zijn al terug! En ik ben de pap van Noora vergeten!

Na mijn escapade van een paar dagen eerder kon ik me geen misstap meer veroorloven. In een blinde paniek vloog ik op het aanrecht af waar Noora's fles onaangeroerd stond. Omdat ik mijn ouders al aan zag komen, was er geen tijd meer om mijn babyzusje nu nog haar pap te geven, dus dronk ik hem snel zelf op. Ondertussen een blik op de klok. Het was al na achten.

Noora heeft die nacht heel wat afgehuild, maar kreeg toch gelukkig nog een flesje. Ik voelde me eigenlijk wel schuldig, maar niemand is er ooit achter gekomen dat ik de pap van mijn zusje had opgedronken.

Vanaf 1929 verdwenen regelmatig hele Russische gezinnen in de zogenaamde goelags. Je zag ze nooit meer terug. Vijf jaar later sprak men binnenskamers al over een grote zuivering die Stalin onder zijn getrouwen, inclusief de legerleiding, doorvoerde. Iedereen, welke laag van de bevolking ook, waartegen maar de minste verdachtmaking werd geuit moest eraan geloven. Onderlinge vetes werden op die manier oneerlijk beslecht. Wie bestempeld werd als contrarevolutionair of van sympathieën voor het westen werd verdacht, verdween op een dag. Niemand wist waarheen. Vermoedelijk de grote Siberische vergeetput.

Een van de vele keren toen ik rondzwierf op het binnenhof van mijn grootvader werd ik een toevallige getuige van een unieke familieraad. Ik zag mijn ooms en tantes in de loop van de dag binnensijpelen in het huis van opa Alexander. Tante

Sofie, helemaal uit het Russische binnenland, was de eerste en groette me hartelijk.

'Johanna! Wat ben jij al groot geworden. Hoe gaat het, meisje?'

'Goed hoor, tante Sofie. En met u?'

Ik had haar al meer dan een jaar niet meer gezien. Oom Jan en Tante Nadia, met haar jongste spruit op de arm, arriveerden samen in de vroege namiddag. Ze woonden beiden om de hoek, niet zo ver van ons vandaan. Kort daarna kwam mijn moeder in een drafje aangelopen. Oom Viktor was de laatste. Hij knikte kort naar me en met enige tegenzin slenterde hij naar binnen. Geen van hen had zijn of haar wederhelft meegebracht. Ik vroeg me af wat er aan de hand was. Nieuwsgierig ging ik naar binnen. Vanuit een hoek in de eetkamer, waar ik me onopvallend probeerde bezig te houden met een bol wol en een haakpen van mijn grootmoeder, sloeg ik de welkomstgroet van mijn familie gade. Allemaal gingen ze rond de grote tafel in de woonkamer zitten en wisselden de laatste nieuwtjes uit. Ik voelde door iedere porie in mijn huid dat dat niet de reden was van hun komst. Iedereen wachtte tot opa het woord nam, wat hij na enkele minuten ook deed. Grootvader schraapte zijn stem. Het werd stil in de kamer.

'Ik heb jullie hier allemaal samengeroepen omdat we gezien het huidige... politieke klimaat, zullen we maar zeggen, met zijn allen enkele beslissingen moeten nemen.'

Toen wende mijn grootvader zich verrassend genoeg tot mijn jongste oom: 'Viktor, ik zou het begrijpen als je je nu terugtrok uit het gesprek. Maar als je blijft, mag ik dan hopen dat je wat volgt binnenskamers houdt?'

Als politiecommissaris van de Partij was hij de meest overtuigde communist van de familie.

Oom Viktor, die het begrip van zijn vader voor zijn situatie apprecieerde, knikte oprecht. 'Daar kunt u op rekenen, vader.'

'Wel, om dan meteen ter zake te komen... Het gaat om de papieren.'

Iedereen leek te weten om welke papieren het ging.

'Hebt u die dan nog?' vroeg Sofie verbaasd.

'Ja.'

Mijn grootvader knikte mijn grootmoeder bevestigend toe waarop zij zich naar een aangrenzende kamer begaf.

'Natuurlijk heeft papa ze nog!' Nadia leek het vanzelfsprekend te vinden.

'Die zijn toch niets meer waard?' was Viktors nuchtere antwoord.

Opa Alexander kwam tussenbeide: 'Natuurlijk zijn die niets meer waard, maar ik heb ze heel die periode bijgehouden in de hoop dat de tijden zouden veranderen. Nu wordt het veel te gevaarlijk de papieren nog langer bij te houden.'

Oma kwam terug binnen met een stapeltje vergeelde documenten. Sommige waren geplooid of gekreukt, andere netjes opgerold in een metalen koker.

Grootvader vervolgde zijn uiteenzetting: 'Ik zou bij meerderheid willen stemmen of we ze bijhouden of daar in het vuur gooien. Het gaat hier namelijk ook over jullie toekomst.'

Hij knikte naar de vlammen in de open haard.

'Wat zit er dan nog allemaal tussen?' wilde mijn moeder weten.

'De geboorteakten met jullie originele familienaam, de adeloorkonde van de von Gerten, de heraldiek en de eigendomspapieren van het kasteel in Kapytnik. O, ja. En ook nog wat stukken van de familie Bartachevitsch.'

Iedereen stond op en boog zich over de stapel documenten om ze nog beter te kunnen bekijken.

'Dat is nog heel wat meer dan ik had gedacht', zei mama.

Ik wurmde me tot bij de tafel, vastbesloten mijn nieuwsgierigheid vandaag volledig te bevredigen. Mama en tante Sofie hadden me opgemerkt, maar leken mijn aanwezigheid geen probleem te vinden. Ik werd in ieder geval niet weggestuurd. De tafel werd een grote wanorde, links en rechts werden papieren opengevouwen en dan weer op tafel gelegd. Opa nam de metalen koker met schroefdop en haalde er een document uit waarna hij het ontrolde. Onder zijn arm door kon ik de inhoud ervan goed bekijken. Het wapenschild op het perkament had een lichtgebogen bovenkant en felgekleurde randjes. De oppervlakte van het schild was in vier stukken verdeeld en in een ervan herinner ik me heel goed de getekende silhouetten van drie vliegende vogels.

Onder de indruk van het verfijnde werk van de kunstenaar keek iedereen in stilte.

'Toch mooi, hé?' hoorde ik tante Nadia zeggen.

'Ja, maar gevaarlijk', zei oom Jan.

'Kom, laten we weer gaan zitten en stemmen', klonk grootvader sussend.

Iedereen nam weer plaats en ik zocht de schoot van mijn moeder op.

'Wie wil ze verbranden?'

Opa wees naar de documenten maar niemand leek geneigd als eerste te willen antwoorden.

'Van mij mogen ze behouden worden.'

Iedereen keek verrast naar oom Viktor.

'Als ze goed verborgen worden natuurlijk', vervolgde hij.

Vanuit zijn overtuiging was dat op het eerste gezicht een vreemde beslissing. Ik vermoed dat oom Viktor de toenmalige situatie probeerde te verzoenen met zijn verleden.

'Van mij ook.'

Dat was tante Nadia's overtuigende stem.

'Ik moet Nadia en Viktor bijtreden.' Tante Sofies stem brak toen ze de woorden uitsprak.

'Hoewel ik later hoofd van de familie word als u er niet meer bent, vader, ben ik ervoor dat ze verbrand worden.'

'Als een verantwoordelijk persoon gesproken, Jan. Je denkt in de eerste plaats aan de veiligheid van de hele familie in plaats van je eigenbelang. Een waardiger opvolger kan ik me niet indenken, mijn zoon. Ik deel dan ook je mening.'

'Ik sluit me bij vader en Jan aan', zei moeder beslist.

'Dat zijn drie voor en drie tegen het bewaren van de papieren. Wat nu?' concludeerde oom Jan.

'Wacht even. Jullie moeder heeft hier ook haar zeg in.'
Grootvader richtte zijn aandacht naar haar.

Oma was rechtop blijven staan en had gedurende heel de samenkomst nog niets gezegd. Het was daarom gemakkelijk geweest om haar over het hoofd te zien. De hele familie wachtte in spanning op haar antwoord.

Mijn grootmoeder worstelde duidelijk met het dilemma dat voor haar lag. De druk lag op haar schouders. Ze keek in de ogen van haar echtgenoot en zei: 'Ik denk... dat het beter is de documenten te verbranden.'

'Moeder! Waarom?' reageerde tante Nadia diep teleurgesteld. Dat had ze duidelijk niet verwacht.

'Nadia, die papieren zijn niets meer waard. Ze kunnen zelfs onze dood betekenen', suste grootmoeder haar geëmotioneerde jongste dochter. 'Dat stuk papier maakt van jou of mij geen beter mens. Nobel ben je diep vanbinnen.'

Troostend legde ze een arm rond een bijna huilende tante Nadia. 'Denk maar aan de hartverscheurende keuze die opa Nicolai en oma Amalia hebben moeten maken. We kunnen de bewijzen verbranden, maar de geschiedenis leeft verder in ons hart. Als we ooit weer kunnen uitkomen voor wie we echt zijn, vertel het dan aan je kinderen en aan hun kinderen.'

Mijn grootvader stond op en raapte de stapel wanordelijke documenten bij elkaar. In enkele tellen stond hij bij de open haard en smeet alles er in één keer in. Het duurde even voor de vlammen gretig aan het papier begonnen te likken. Daarna was er geen houden meer aan. Het was stil in de eetkamer. Iedereen keek zwijgend in het vuur tot alle documenten tot as herleid werden. Ik verwonderde me over het serene verloop van de vergadering. Mijn familie bestond uit sterke karakters met een uitgesproken mening. Het verbaasde me dat het geen oplopende discussie werd.

Onderweg naar huis, het begon al koud en donker te worden, stopte mijn moeder even om mijn jas en sjaal wat te herschikken, hoewel die al netjes op hun plaats zaten. Al frunnikend sprak ze voor het eerst sinds we bij opa vertrokken waren: 'Johanna, wat je daarnet gezien hebt... Vergeet dat het ooit gebeurd is. In orde?'

Ik keek haar veelbetekenend aan, als om haar te laten weten dat ik het belang van de zaak begreep: 'Ja, mama.'

Ik ben er nooit in geslaagd die avond uit mijn geheugen te schrappen. Het is wel de eerste keer dat ik er met iemand over gesproken heb.

'Goed. Laten we ons haasten want het gaat vannacht vriezen.'

Verdwenen

Alexandrovka, juli 1931

Ik mocht dan wel opgroeien tot een tiener, mijn streken verleerde ik niet. Mijn droom was onderwijzeres worden. 'Klasje spelen' was dan ook het favoriete spelletje bij de dochters van het gezin Brede. De meeste attributen vonden we bij opa en oma, dus daar, op het binnenhof, kon je ons het vaakst zien. Op een warme zomerdag lagen de aardappelzakken te drogen in de zon op het gras. De jutezakken waren net uitgespoeld en klaar om opnieuw gevuld te worden. Mijn ouders en grootouders en zelfs tante Misha waren op de velden gaan helpen met de aardappeloogst. Voor een stel ondeugende kinderen tussen elf en drie jaar een uitgelezen kans om kattenkwaad uit te halen. Ik verknipte voor elk speelkameraadje een zak met drie gaten. Eén in het midden van de bodem en twee in de hoeken zodat ieder van hen die over zijn hoofd kon trekken. Dan speelden we dat we aardappelen waren en gingen dicht bij elkaar in een rij in de zon liggen.

'Jullie zijn nu allemaal mijn patatjes. En mijn patatjes moeten naar school. Kom, allemaal op een rij gaan staan. We gaan naar de klas', riep ik als een echte juf.

Ik was nog niet uitgesproken of ik hoorde een bulderende lach achter me. Daar stond mijn vader met zijn handen in de zakken van zijn werkplunje. Hij had het schouwspel blijkbaar al een tijdje in de gaten gehouden. Ook mijn moeder liep nu het grasveld op. Zij kon minder van het tafereel genieten en begon zelfs boos te worden op papa omdat hij niet had ingegrepen. 'Kinderen! Hou onmiddellijk op!' En toen ze de zakken van naderbij zag: 'Jullie mogen hopen dat *dedoushka* niet kwaad zal worden als hij zijn kapotgeknipte aardappelzakken ziet.' Mama wendde zich tot mijn grinnikende vader. 'Dat kattenkwaad hebben ze van jou geërfd!' Mama had ergens wel gelijk. Voor een plagerij was papa altijd te vinden. Omdat we thuis altijd Pools praatten had mijn vader het Russisch nooit echt goed onder de knie gekregen. Wanneer papa die taal sprak, was het met een zwaar accent waardoor iedereen wist dat hij een buitenlander was. Dat gebruikte hij meermaals als excuus om grapjes uit te halen. Zo herinner ik me een voorval in de slagerij bij ons in de straat. Ik vergezelde mijn vader die dag naar de winkel om twee pond worsten in te slaan. Toen het onze beurt was om te bestellen, vroeg mijn vader met een schelmse blik aan het nieuwe winkelmeisje dat ons bediende:

'Hoeveel kosten uw borsten?'

Het meisje kreeg eerst een kleur, maar probeerde zo snel mogelijk haar gezicht te redden: 'U zult worsten bedoelen? Hoeveel pond had u gewenst?'

Ik kende mijn vader. Dat was zijn manier om het winkelmeisje te testen. Zij wist vanaf nu welk 'vlees' ze in de kuip zou hebben als papa nog eens de winkel zou binnenstappen.

Een jaar later, ik was toen net twaalf, kreeg vader eindelijk een arbeidsplaats toegewezen. Dit keer in Bobrujsk, een stad op de weg van Alexandrovka naar Minsk. Ze hadden daar in een houtverwerkingsbedrijf een afdelingshoofd nodig voor de onderhoudsploeg van de elektrisch aangedreven turbines. Papa en ik vertrokken als eerste met enkele van onze meest noodzakelijke bezittingen om een onderkomen in de combine te zoeken waar we samen met de andere werknemers van het bedrijf zouden wonen. We moesten de komst van de andere leden van het gezin voorbereiden en voor mij ook al een middelbare school zoeken. Moeder sloot ondertussen samen met Franja het huis af in Alexandrovka en kwam achter met de kleintjes. In de zomer zouden we het gebruiken als buitenhuis. We hadden afscheid genomen van grootvader. Mijn grootmoeder was enkele maanden ervoor gestorven tijdens een aanval van galkolieken. De oorzaak daarvan was onbekend. Tante Misha is in die periode haar eigen weg gegaan en ik heb haar nooit meer teruggezien. Het ons toegewezen huis was een ware vooruitgang. Het had elektriciteit, dus konden we onze petroleumlampen opbergen en als afdelingshoofd had mijn vader recht op een radio. Lang heb ik er niet gewoond want enkele weken later ging ik op internaat in het centrum van de stad en kwam ik enkel in het weekend naar huis. Aan de Werkmansschool, voor de daar schoolgaande jeugd beter bekend als Rapvak, kon ik mijn middelbare studie afwerken in het Pools. Meermaals werd ik er geconfronteerd met de inefficiëntie van het Russische onderwijssysteem. Wanneer er een tekort was aan bijvoorbeeld boekhouders, dan werden grote hoeveelheden studenten door hun leerkrachten ontactvol 'aangespoord' om die studierichting aan te vatten, los van het feit of ze daarvoor wel geschikt waren. Of werden er plots massaal veel laatstejaars geslaagd bevonden. Dat in opdracht van Moskou, natuurlijk. Mijn droom was nog steeds om onderwijzeres te worden. Ik wilde proberen dat onderwijssysteem te verbeteren. Ik zorgde er daarom voor dat ik uitblonk in vakken als psychologie, filosofie en sociologie en minder presteerde op andere domeinen zodat mijn toegangsticket voor de studierichting pedagogie, de deur naar het onderwijzersdiploma, verzekerd was.

De goede cijfers op school werden overschaduwd door het noodlot thuis. De zevenjarige Noora was tijdens het spelen met haar knie domweg, en in eerste instantie zonder veel ernstige verwondingen, op een steen gevallen. Omdat haar kousen en jurk stuk waren, wilde ze het voorval voor moeder verborgen houden uit angst voor een uitbrander. Noora heeft een hele tijd met die wond rondgelopen zonder dat die voldoende werd gereinigd.

Op een zaterdagmorgen zaten we aan de ontbijttafel. Noora kwam als laatste strompelend naar beneden. Ze kon nauwelijks lopen.

'Wat heb je, liefje? Waarom mank je zo?' vroeg vader bezorgd.

'Niets ernstig, papa, ik ben gewoon gevallen', was Noora's luchtige antwoord.

'Ik zal er straks eens naar kijken', zei moeder kort.

We werkten het ontbijt rustig af. Daarna verdween mijn moeder om wat verband en dergelijke te zoeken terwijl Loeke en ik de tafel afruimden. Vader was afgepeigerd van het fysiek zware werk in de fabriek. Hij klaagde voortdurend dat hij het werk niet graag deed. In het weekend sprak papa bijna geen woord meer. Ook nu las hij in zijn leunstoel in een hoek van de keuken stil zijn krant en luisterde naar het nieuws op de enige zender die we konden ontvangen. Mama had wat water in een kom gedaan en boog zich over Noora's been dat over haar schoot lag. Toen Noora haar rok optilde om de wond op haar knie te laten zien, trok mijn moeder wit weg.

'Peter, kom eens even kijken.'

Mama's toon was van dien aard dat ik net als papa, met zijn krant nog in de hand, tot bij het tafereel liep. Papa zoog een beetje lucht door zijn tanden naar binnen toen hij het letsel zag. Hij hoefde zelfs niet te bukken om te zien dat de wond, die deels was dichtgegroeid, er zeer slecht uitzag. Onder het dunne doorzichtige blinkende nieuwe velletje zaten nog resten modder en waar de wond nog open was, had het vlees een rare rode kleur.

Ik bukte me en rook: 'Die knie is volledig ontstoken. Haal daar maar een dokter bij.'

'Noora, wanneer heb je dat opgelopen?' Mama was zowaar in paniek.

'De dag dat ik zo vroeg naar bed wilde', bekende ze.

'Maar dat is drie weken geleden!' riep moeder uit.

Ze schudde haar hoofd. 'Je had er onmiddellijk mee tot bij mij moeten komen.'

Zo goed en zo kwaad als het ging, probeerde mama de knie uit te wassen. Henny werd erop uitgestuurd om de dokter te vinden. Een dik uur later kwam ze met de man in kwestie terug. De arts onderzocht de blessure en maakte zelfs een deel van de wond opnieuw open. Noora schreeuwde het uit van de pijn. Alles werd nog een keer ontsmet. Hij controleerde ook haar temperatuur. Noora had een lichte verhoging.

'Bloedvergiftiging', murmelde hij.

Vader bleef bij zijn jongste terwijl mijn moeder en ik de dokter uitlieten. Aan de deur draaide hij zich om en richtte zich tot mijn moeder: 'Mevrouw, de knie van uw dochter is volledig ontstoken. Daardoor heeft ze een bloedvergiftiging gekregen. Ik sluit niet uit dat ze ook gangreen heeft opgelopen. Ik vrees dat ik nog weinig kan doen.'

'En een amputatie?' Mijn moeder bleef praktisch denken en zoeken naar een oplossing terwijl ik zowat op mijn vingers beet bij het verwerken van de boodschap van deze onheilsprofeet.

'Te laat, mevrouw, veel te laat... Het spijt me.'

Het medeleven klonk licht door in zijn stem. De man verdween door het deurgat naar buiten, de straat op.

Noora kreeg kort daarna felle koortsaanvallen. De weken die volgden waren uitputtend voor mijn moeder. Dag en nacht zat ze naast het bed van haar kleine meisje. Met koude kompressen probeerde ze de temperatuur te laten zakken. Iedere vrijdag, als ik thuiskwam, zag ik Noora zienderogen achteruitgaan. Ze heeft nog fel tegen de dood gevochten, mijn kleine zusje, maar het mocht niet baten. Bij het aanbreken van de winter is Noora gestorven.

Alsof dat slechts een voorbode was van de ellende die ons nog te wachten stond, werd de winter dat jaar nog strenger dan gewoonlijk. Franja liep een kwalijke hoest op en werd van haar werk in de stedelijke bibliotheek terug naar huis gestuurd omdat ze volgens de bibliothecaris de lezers stoorde met haar gehoest. Geen enkel middeltje scheen te helpen en begin februari 1936 wist diezelfde dokter ons te vertellen dat mijn grote zus een zware longontsteking had. De lente kwam voor haar iets te laat, want begin maart, nog geen vier maanden na Noora, stierf ook zij. Mama was na die winter nog slechts een schim van wat ze ooit geweest moet zijn. Haar ogen waren hard geworden. Iedere vorm van leven, van emotie was eruitgezogen. Mijn moeder leek in niets meer op de trotse vrouw uit mijn kinderjaren. Het beeld van de klassedame in haar rode jurk, trekkend aan het sigarettenpijpje was niet meer dan een vage herinnering. De zomer daarop kreeg ze ernstige rugklachten en verbleef ze het grootste deel van de tijd in een sanatorium. Mijn moeder was een gebroken vrouw. Vader sprak nauwelijks meer dan een paar woorden per dag. Het strikt noodzakelijke. Ieder individu in het gezin trok zich in zichzelf terug en verwerkte het verdriet alleen. Ik vluchtte het huis uit zoveel ik kon en doolde dan langs beken en door weiden op strooptocht naar de zin van dit alles. Soms welden de tranen uit het niets op, soms ook niet. Waarom overkwam ons dat? Van één broer en vijf zussen had ik nu slechts twee zussen over. Moest ik hieruit iets leren? Iets dat me in de toekomst van nut kon zijn? Ik besefte tijdens die wandelingen door de Russische steppe hoe vergankelijk het leven was, hoe vaak een mens aan het toeval overgeleverd was. Wat was het recept, de geheime formule om het lot te ontlopen?

Ik was zestien toen ik het internaat van het Rapvak wisselde voor dat van het Pedagogisch Technisch Instituut in de buitenwijken van Minsk. Dat lag veel te ver van huis om ieder weekend terug te keren en ik beperkte me tot de vakanties om het contact te onderhouden met de weinige familie die ik nog overhad. Tijdens het schooljaar was de postbode mijn enige connectie met thuis. Vooral naar papa schreef ik graag en veel lange brieven. Hij leek in zijn antwoorden ook wat energie te vinden en begon me over vroeger, toen hij zelf nog op school had gezeten, te schrijven.

Het Pedagogisch Instituut waar ik mijn diploma van onderwijzeres hoopte te bemachtigen, was gehuisvest in een oud kasteeltje en was de eerste gemengde school waar ik naartoe ging. Ik beleefde er mijn eerste onbeantwoorde verliefdheid. Geen enkele jongen hield zich natuurlijk op met een mankend mollig juffertje als ik. Dacht ik. Dus hield ik mijn nu banaal lijkende gevoelens maar voor mezelf. De jongen uit mijn klas die ik op het oog had, heette Igor. Hij was lang en smal en had iets gedisciplineerds over zich. Hij blonk uit in wiskunde, terwijl Russische letterkunde hem helemaal niets zei.

Ik was succesvoller in het klaslokaal dan ernaast want ik schopte het in mijn eerste jaar al meteen tot klasverantwoordelijke, maar moest die functie al bijna onmiddellijk weer opgeven. De oorzaak daarvan was een discussie met een stagiair wiskunde. De man kon het niet verstaan dat logaritmes er bij mij niet in gingen en had naar mijn gevoel al vanaf de eerste les een hekel aan mij. Dat was wederzijds. Het was een bruut. Iedere leerling die zijn passie niet deelde, had het regelmatig met hem aan de stok.

'Wat heeft dat te betekenen?'

Iedereen zat stilletjes in zijn bank. Ik was de enige die overeind stond terwijl de leerkracht rond mij cirkelde en een tirade tegen mij afstak.

'Als klasverantwoordelijke moet jij het goede voorbeeld geven! Waarom is je huiswerk dan niet af, juffrouw Brede?'

'Omdat de elektriciteit op het internaat gisterenavond is uitgevallen.'

'En waarom kunnen de andere leerlingen dat dan wel? Nog nooit van een kaars en lucifers gehoord, juffrouw?'

Ik had geen kaars en lucifers bij me gehad omdat mijn geld op was, maar ik kon de stagiair de waarheid niet vertellen. Dat zou gezichtsverlies ten opzichte van mijn medeleerlingen betekenen en dat had ik er niet voor over.

De leerkracht wiskunde kon geen begrip opbrengen voor mijn excuus. Hij strafte me voor mijn ongehoorzaamheid: 'U bent vanaf nu geen verantwoordelijke meer van uw klas en zal uw plaats aan het hoofd van de tafel in de eetzaal aan Igor afstaan.' Vanuit mijn ooghoek gluurde ik naar Igor die met een zelfvoldane grijns het cadeau in ontvangst nam. Dat was een zware straf voor mij want in mijn school was het immers de leerling aan het hoofd van iedere eettafel die de borden vulde voor zijn of haar tafelgenoten. Ik ben de rest van het schooljaar vaak met een knorrende maag in mijn bed gekropen. Mijn verliefdheid voor Igor smolt als sneeuw voor de zon.

Eén docent in het bijzonder is me zeer goed bijgebleven. Dat was mijn geschiedenisleerkracht, mijnheer Kotov. Hij kon zo gepassioneerd vertellen dat hij de zeldzame gave bezat om het verleden tot leven te brengen. Tegen het einde van mijn eerste jaar, toen van mij verwacht werd om een specialiteit te kiezen, hoefde ik niet lang na te denken. Geschiedenis.

Om de verplaatsingen naar huis te kunnen bekostigen, deed ik verschillende studentenjobs. Tijdens de week verdiende ik bij in de bibliotheek van onze school. Daar hielp ik mijn medestudenten bij het zoeken naar het juiste boek of zette ik teruggebrachte exemplaren opnieuw op de correcte plaats. Ik vond het werk afstompend en haalde er weinig plezier uit. Nee, dan keek ik meer uit naar donderdag of vrijdag want dan was ik vestiaireverantwoordelijke in het theater. Hoe graag ik ook boeken las, niets kon tippen aan mijn voorliefde voor het theater. De jassen van de laatkomers liet ik vaak aan een van mijn collega's over want ik wilde het begin van het stuk dat die avond gespeeld werd, zeker niet missen. Of het nu om een première ging of de laatste voorstelling, ik verloor me even erg in het verhaal.

De zomer van 1937 bracht ik de vakantie door bij mijn ouders. Henny en Loeke kreeg ik niet te zien. Zij waren met vakantie bij tante Sofie aan de Wolga. Mijn moeder sloot zich volledig van me af en hield zich stilzwijgend en plichtsbewust bezig met het huishouden. Door de afwezigheid van mijn zussen en mama's teruggetrokkenheid bleef alleen papa over om mee te praten. En praten deden we.

We maakten lange wandelingen over de Russische vlakten terwijl mijn vader vertelde over de hoge bergen in Galicië waar hij als jongeman overheen was geklommen.

'De glooiende bergweiden hebben daar de frisgroene kleur van jonge appelen. Hele namiddagen lag ik op mijn rug te genieten in de zon terwijl de grassprietjes prikten in mijn oor. Als ik heel stil door de bossen wandelde, zag ik soms gemzen of herten met prachtige geweien.'

'Speelde je dan nooit spelletjes met je broers of zussen?'

'Die had ik niet, ik was enig kind.'

'Dat lijkt me behoorlijk eenzaam.'

'Nee, hoor, ik kon goed opschieten met mijn moeder.'

'Wat voor iemand was ze? Was ze even streng als mama?'

Papa lachte.

'Je grootmoeder Catharina was een passionele vrouw. Wat wil je? Ze was van Italiaanse afkomst. Zo kon ze behoorlijk hevig uit de hoek komen als je grootvader weer eens te veel aan de toog van de plaatselijke café-uitbaatster was blijven plakken. Ja, opa Paul dronk graag zijn schnaps.'

Ik probeerde me voor te stellen hoe het zou zijn als enig kind in dat verre bijna exotisch klinkende land. En ik dacht aan Anja en Francis, mijn broer en zus die daar leefden. *Zou ik er vader naar durven te vragen?* De sfeer tussen ons was zo ontspannen en ik wilde die niet verliezen. Maar misschien was het nu net wel het juiste moment om het toch te doen? Ik trok mijn stoute schoenen aan.

'Papa? Waarom wonen Anja en Francis in Oostenrijk en niet bij ons?'

Mijn vader keek verbaasd omdat ik op de hoogte was van hun bestaan.

'Je bent een bijdehante jongedame. Niemand kan jou iets wijsmaken.'

Hij dacht na en vervolgde: 'Omdat ze beter bij hun moeder wonen dan bij mij.'

'Zijn Anja en Francis dan niet mama's kinderen?'

'Nee, het zijn mijn twee kinderen uit mijn eerste huwelijk. Het is een beetje zoals bij Franja. Voor de oorlog was ik ook al getrouwd maar we gingen uit elkaar.'

Ik nam even de tijd om het vreemde verhaal over mijn half-broer en halfzus te verwerken.

'Johanna, ik zou liever hebben dat je mama niet vertelt dat we hierover gesproken hebben.'

'Waarom?'

'Omdat je moeder niet graag wordt herinnerd aan het bestaan van Anja en Francis.'

'Goed, papa, ik zal het niet zeggen. Het blijft ons geheimpje.'

'Ja, ons kleine geheimpje.'

Uit alles wat mijn vader me die zomer vertelde, voelde ik zijn heimwee. Niet zozeer heimwee naar zijn kinderen, maar naar zijn thuis, zijn *Heimat*. Papa vertelde uitgebreid over de Grote Oorlog, over wat die bij hem had teweeggebracht. Hoe de oorlog nog lang nadat die was afgelopen in hem verder woedde. Hij leerde me met open vizier naar mijn medemens te kijken en begrip op te brengen voor diens standpunten.

Luisterend werd mijn voorliefde voor geschiedenis nog meer gevoed. Ik wilde altijd maar meer weten, weer een ander relaas. Ik dronk vaders verhalen als vloeibare nectar. En maar goed ook...

Russen leven door hun isolement veel meer op het ritme van de natuur dan West-Europeanen. De komst van een nieuw seizoen werd traditioneel op gepaste wijze gevierd, dus met grote hoe-veelheden alcohol. Maar eigenlijk heeft een doorgewinterde Rus geen reden nodig om grote hoeveelheden wodka tot zich te nemen. Mijn vader was dan wel geen Rus, hij moest voor geen van hen onderdoen. Ook niet op het herfstfeest van 1937 dat in de stedelijke feestzaal werd gehouden.

Ik was thuis voor de herfstvakantie en wilde het evenement niet missen. Uitzonderlijk hadden we mijn moeder zover gekregen dat ze meeging, maar al na een uur had ze opgezien tegen verder vertier voor die avond. Papa amuseerde zich kostelijk en was al behoorlijk in de wind. Samen met enkele collega's van de fabriek had hij een tafel in de hoek van de ruimte bezet. Ze begonnen te kaarten. Ik besloot hem van zijn avond te laten genieten en bracht mama naar huis. Pas tegen de morgen is mijn vader thuisgekomen. Dronken en zonder jas. Het kledingstuk was redelijk versleten, dus diefstal kwam niet in me op. Hij was hem waarschijnlijk vergeten. De dag erop, toen zijn kater verdwenen was, kwam mijn vader tot de vaststelling dat zijn identiteitspapieren en partijlidkaart, die in de binnenzak van zijn jas zaten, natuurlijk ook verdwenen waren. Nu waren partijlidkaarten in het midden van de jaren dertig gewilde kleinoden die voor grof geld over, of beter onder, de toonbank gingen. Een snel bezoek aan de verlaten feestzaal deed me vermoeden dat het misschien toch om diefstal ging. Met een klein hartje ging mijn vader naar het politiebureau om het verlies van zijn papieren aan te geven. Hij kon niet anders. Een agent noteerde getrouw alle informatie en gaf verder geen krimp. Als een plichtsbewuste studente vertrok ik terug naar Minsk. Twee weken later kreeg ik een onheilspellend bericht van mijn moeder:

Johanna,

Er is iets verschrikkelijks gebeurd. Gisterennacht zijn politiemannen het huis binnengestormd en hebben je vader opgepakt naar aanleiding van het verlies van zijn papieren. Loeke en Henny waren in alle staten, zo bruut ging het er hier aan toe. Ik wilde nog afscheid nemen, maar kreeg de kans niet.

Men verdenkt hem ervan dat hij zijn partijkaart heeft verkocht. Ook beschuldigt men hem ervan dat hij westerse sympathieën heeft omdat ze hebben gehoord dat papa zijn

werk in de fabriek niet graag deed en erachter zijn gekomen
dat hij regelmatig brieven stuurt naar familie in Oostenrijk.
Deze morgen ben ik naar het commissariaat geweest met
zijn maagtabletten, maar die mocht ik zelfs niet meer af-
geven. Daar wisten ze me ook te zeggen dat hij meer dan
waarschijnlijk veroordeeld en op een trein gezet zal worden.
Johanna, je hoeft niet naar huis te komen, want als jij
deze brief gekregen zult hebben, is je vader allang naar Sibe-
rië vertrokken. Ik wilde je wel zo snel mogelijk op de
hoogte brengen want wees op je hoede. Misschien komen
ze ons ook halen.
Verbrand deze brief zo snel mogelijk!

Liefs en sterkte,
Je moeder

Na de dood van mijn zussen was ik nu ook mijn enige overgebleven steun kwijt. Ik kon er gewoon niet bij dat ik hem nooit
meer zou zien. Paniek overviel me. In eerste instantie wilde ik
de trein naar huis nemen, of beter de trein naar het oosten.
Mijn vader zoeken en hem terug naar hier halen. Maar nee, dan
zou de aandacht op mij gericht worden en was ik misschien de
volgende die verdween. In mijn hart was ik strijdlustig. Mijn
verstand vertelde me dat ik me beter gedeisd kon houden. In de
winter die daarop volgde heb ik nauwelijks geslapen. Aangezien ik in het verleden gezien had hoe hele gezinnen in de goelags verdwenen omdat één lid verdacht werd, leefde ik onder
permanente dreiging van arrestatie. Dat alles gewoon omdat
papa zijn partijlidkaart verloren was.

Ik, noch mijn moeder of zussen hebben nooit meer enig teken
van mijn vader vernomen. Mama ging ervan uit dat hij meer
dan waarschijnlijk nooit levend in Siberië aangekomen was
omdat hij zijn medicatie niet bij zich had. Net als zovele anderen is hij het slachtoffer geworden van Stalins dictatuur.

We vierden dat jaar geen kerst bij ons thuis. Moeder ging veel liever met Loeke en Henny naar opa Alexander. Ik zou de dag voor kerstavond met de trein rechtstreeks vanuit Minsk naar Alexandrovka reizen. Daar zou mijn grootvader me aan het station oppikken. Net op tijd voor het kerstfeest. Dat was tenminste het plan.

Het was bitter koud. Om sneller in het treinstation van Minsk te raken besloot ik de tram te nemen. Na een kwartiertje wachten zag ik hem in de verte komen aanglijden. Dichterbij zag ik dat die overvol zat en mij er onmogelijk nog bij kon nemen. Dat was niet abnormaal voor dit tijdstip van de dag. De chauffeur verontschuldigde zich met een kort gebaar. Ik gaf een teken dat ik het niet erg vond en besloot dan maar te lopen.

Als ik me haast, kan ik de trein nog net halen.

Hoe hard ik ook gelopen had, ik haalde de laatste trein niet en overnachtte noodgedwongen in het station van Minsk. Men verwachtte die nacht immers grote hoeveelheden verse sneeuw. Het voetpad zou morgenvroeg onbegaanbaar en de tramsporen zouden onbruikbaar zijn. Ik wilde het risico niet lopen om nog een trein te missen. Nee, de eerste trein naar Alexandrovka moest de mijne worden. Zo goed en zo kwaad als het ging installeerde ik me op een harde houten bank in de grote lokettenzaal. Mijn winterjas gebruikte ik als deken. Het was zeker niet comfortabel maar ik slaagde er toch in enkele uurtjes in te dommelen.

Als duizenden sterren glinsterde de bevroren sneeuw in het late ochtendgloren toen ik het treinstation van Alexandrovka verliet. Opa Alexander stond er natuurlijk niet meer. Die was gisteren na een hele poos tevergeefs wachten waarschijnlijk morrend terug naar huis vertrokken. Hij was immers voor niets tot hier gereden. Verlangend naar een goed glas wodka en het haardvuur om hem weer op te warmen.

Brrr, wat had ik het koud! Ik had niet gerekend op een tocht door de sneeuw en was natuurlijk veel te dun gekleed voor een lange winterse ochtendwandeling. Na een aanzienlijke afstand kreeg ik het zo koud dat ik nauwelijks kon bewegen. Er zat niets anders op dan langs de kant van de weg te gaan zitten. Mijn situatie zou er hopeloos uitzien als ik niet snel een manier vond om droog tot bij opa's boerderij te raken. Doordat het die dag kerst was, was er helaas bijna geen verkeer op de baan. Anders had ik gemakkelijk kunnen liften.

'Zeg meisje, wil jij doodvriezen?'

Ik schrok wakker. Moest waarschijnlijk even ingedommeld zijn. De boer op zijn *droshjka* had gelijk. De temperatuur, mijn onvoldoende warme kledij en het dutje waren een gevaarlijke cocktail waaraan op het koudste punt van de winter meerdere Russen stierven. En ik was al behoorlijk op weg geweest om zo te eindigen. Mijn handen en benen weigerden dienst terwijl ik probeerde op te staan. Het leek meer op strompelen. Ik voelde me duizelig en al mijn ledematen deden pijn. De toppen van mijn vingers zagen diepblauw. Terwijl ik bekwam van de ontzetting nam ik de tijd om de man hoog boven mij op de bank, met de leidsels in de hand, te bekijken. Hoewel hij zat, kon men overduidelijk vaststellen dat hij lang van gestalte was. Hij had een baard om zijn gezicht tegen de koude te beschermen. Ik schatte hem rond de vijftig jaar.

Net als ik had de vreemde man de tijd genomen om me even te monsteren.

'Ben jij niet de dochter van Peter en Maria Brede?'

'Ja, dat klopt. Ik heet Johanna.' Ik wilde graag weten wie hij was, maar mijn opvoeding verbood me naar zijn identiteit te vragen.

'Goh, ik heb je nog geboren weten worden. Weet je, je hebt net dezelfde fijne gelaatstrekken als je moeder. Zeer zeldzaam voor een Russin.'

De boer was niet van zinnens mijn onuitgesproken nieuwsgierigheid te bevredigen. Hij vervolgde: 'Kom, ik zal je naar mijn vrouw brengen, ze zal je eerst helpen opwarmen voor ik je naar huis breng.'

De man richtte zich een beetje op en stak zijn rechterhand uit om me op de bank van de *droshjka* te helpen. De leidsels bleven losjes in zijn andere hand verzameld. Ik nestelde me zo comfortabel mogelijk naast de onbekende maar ik kreeg het nog steeds niet warmer. Hij zag mijn ongemak, grabbelde even achter zich in de laadbak en haalde als bij toverslag een wollen deken van tussen de wanorde.

'Hier, dat zal je toch een beetje beschermen tegen de kou.'

Ik nam de deken aan en drapeerde hem over mijn schouders. Hmm, hij was lekker warm. Mijn vingers begonnen te tintelen, een teken dat die terug tot leven kwamen. We vertrokken.

'Hoe gaat het met je vader? Weet je, ik heb na de oorlog nog met hem in een kamp gezeten. Dat moet ondertussen al ongeveer twintig jaar geleden zijn.'

Ik herinnerde me papa's verhaal over het krijgsgevangenkamp waar hij lang had vastgezeten maar geen enkele van de namen van medegevangenen kwam in me op. De gedachte aan mijn vader maakte me verdrietig. Ik moet de hulpvaardige onbekende bedrukt aangekeken hebben.

'Alles is toch goed met hem?'

Even twijfelde ik of het wel verstandig was om de man de volledige waarheid te vertellen. Was hij wel betrouwbaar? Misschien was hij een communist? Na wat wikken en wegen gaf ik hem het voordeel van de twijfel. Hij had me immers gered van de bevriezingsdood.

'Ik weet niet waar mijn vader is, mijnheer. Enkele maanden geleden hebben ze hem opgepakt. We hebben hem sindsdien niet meer gezien of gehoord.'

'Peter, opgepakt! Waarom?'

'Zijn partijkaart was gestolen maar de politie verdacht hem ervan zijn kaart verkocht te hebben.'

'Ah, zo...'

Dat het onderwerp van gesprek voor beide partijen voor ongemak zorgde, was duidelijk voelbaar. Hij wist verder niets meer op mijn mededeling te antwoorden en probeerde luchtig van onderwerp te veranderen.

'En hoe gaat het met je zus, Franja? Die moet nu toch al getrouwd zijn, niet?'

Ik begon mij nu toch ook onwennig te voelen en schudde woordeloos mijn hoofd, het negatieve antwoord verduidelijkend.

'Die is vorige winter overleden aan een longontsteking.'

Na een geladen stilte: 'Het spijt me.'

De dialoog was in een impasse geraakt, dus zwegen we de rest van de rit.

'We zijn bijna bij Sasha. Daar, dat witte huis, dat is het onze.'

Zijn woorden waren nog niet uitgesproken of een vrouw van midden de veertig kwam de voordeur van het aangewezen huis uitgelopen.

'Waar bleef je, Vladimir?'

Dat was dus zijn naam.

We reden het erf op.

'Ik vond dit meisje bijna doodgevroren langs de kant van de weg. Het is Johanna, de dochter van Peter en Maria.'

'Och kind, kom maar snel binnen. Ik zal vlug wat water opzetten, dan kun je je warmen in een heet bad.'

De daad bij het woord voegend haastte ze zich naar binnen. De *droshjka* stond nu stil. Vladimir was al afgestapt en haastte zich naar mijn kant van de kar om me te helpen afstappen. Hij leidde me naar binnen en wees me de keuken aan waar Sasha al druk in de weer was met het vullen van een zinken bad dat vlak voor de brandende kachel neergezet was. De vorderingen van haar werk deden me vermoeden dat Sasha het bad en het water al had klaargezet voor haar echtgenoot. Vladimir had niet het minste probleem om die luxe aan mij af te staan. Bibberend stond ik naar het tafereel te kijken. De man schonk twee koppen koffie in en liep naar een hoge kast aan de andere kant van de keuken. Een flinke scheut wodka vervolledigde de drankjes waarna hij naar me toe kwam en een van de twee gevulde mokken aan mij presenteerde.

Zijn vrouw had het gezien: 'Zou je dat wel doen, Vladimir? Wodka! Johanna is nog een kind.'

'Kind of geen kind! Denk je niet dat ze het verdiend heeft na zo een avontuur?' verdedigde hij zijn standpunt.

Ik nam de beker aan en nipte onmiddellijk van de gloeiend hete drank waarmee ik de discussie tussen beide echtelieden beëindigde. Het was de eerste keer dat ik alcohol dronk. Het brandde in mijn keel en ik voelde de neiging om te hoesten maar wilde daar niet aan toegeven om geen gezichtsverlies te lijden.

'Ik ben bijna achttien', zei ik totaal overbodig.

'Kom hier bij het vuur zitten, kind, dan warm je wat op.'

Ik luisterde gedwee naar wat me gezegd werd maar mijn kleren waren doornat van de sneeuw. Dus zette ik me op de rand van de comfortabel uitziende leunstoel, zo dicht mogelijk bij de kachel. De deken had ik nog steeds om mijn schouders gedrapeerd.

'Wat deed je daar eigenlijk in de sneeuw?' vroeg Vladimir.

'Ik moest gisterenavond de laatste trein vanuit Minsk naar hier nemen om samen met mijn moeder en zusjes kerst te vieren bij opa Alexander. Maar ik heb die trein gemist en heb deze morgen dan maar de eerste genomen die beschikbaar was. *Dedoushka* zou me normaal gisterenavond komen ophalen aan het station, maar vandaag was hij er natuurlijk niet meer.'

Sasha onderbrak mijn verhaal: 'En aangezien er niemand was om je hier aan het station op te pikken, heb je dan maar beslist om te voet te gaan?'

Ik knikte.

'Kind. In deze temperaturen? Wat een idee!'

Ze goot de laatste emmer kokend water in het bad om haar woorden kracht bij te zetten.

Vladimir ging de keuken uit en gaf Sasha een teken hem te volgen. Het was niet zijn bedoeling geweest maar ik had het gezien. Net buiten de keuken bleven ze staan. Ik hoorde hen fluisteren en moest niet veel moeite doen om hen te verstaan.

'Peter is opgepakt en waarschijnlijk gedeporteerd en Franja is vorige winter ook overleden. Vraag maar beter niet verder naar de rest van de familie.'

'Och, mijn god, wat een ellende.' Het medeleven klonk door in Sasha's stem.

'Help haar in bad. Als ze zich wat beter voelt, breng ik haar naar haar grootvader. Kom, ga nu maar.'

Vladimir trok zich discreet terug. Sasha kwam terug in de keuken. Ze zag aan mijn gezichtsuitdrukking dat ik hun gesprek gehoord had.

'We hebben het contact met je ouders de laatste tien jaar niet echt onderhouden. Dan was het wellicht anders gelopen. Weet je, je ouders' overtuiging was toen veel euh... roder dan de onze, als je begrijpt wat ik bedoel. Maar dat zal nu wel anders zijn', probeerde ze zich te rechtvaardigen terwijl ze controleerde of het badwater niet te warm was.

Ik vermoedde waarover Sasha het had: 'U hoeft u niet te verontschuldigen, mevrouw.'

Mijn verzorgster was gerustgesteld door mijn antwoord.

'Kom, kleed je nu maar uit.'

Ze hielp me met baden. Mijn jas, jurk en corselet werden vakkundig over een draad gehangen, die van de ene kant van de keuken naar de andere kant was gespannen. Ik werd loom van het warme water.

Voor de tweede maal die dag moet ik ingedut zijn. Sasha stond gebogen over het bad en schudde aan mijn schouder.

'Kom kind, tijd om je aan te kleden en naar je familie te gaan. Vladimir staat al klaar.'

In een minimum van tijd had ik mijn nog halfnatte plunje aangetrokken. Zo lang had ik dus niet geslapen. Mijn ledematen waren wel ontdooid, dus dat was een verbetering. Het warme water had zijn effect niet gemist. Buiten had Vladimir paard en kar al terug in gereedheid gebracht voor de korte tocht naar mijn grootvaders huis. Met een stapje op de as van het wiel belandde ik terug op de bok.

We reden al toen ik achterom keek en Sasha toeriep: 'Bedankt voor uw goede zorgen, mevrouw!'

'Geen dank, Johanna!'

Ze stak haar hand op en ik beantwoordde haar gebaar.

Gedurende de korte rit naar *dedoushka's* huis werden er weinig tot geen woorden uitgewisseld. Vladimir wist zich overduidelijk nog steeds geen houding te geven in mijn nabijheid. Hoe kon het ook anders. Gelijk welk familielid naar wie hij vroeg bleek of gestorven, of verdwenen te zijn.

Na een poosje arriveerden we bij het huis van mijn grootvader. Vladimir leidde het paard tot op het binnenhof. Bijna onmiddellijk vloog de buitendeur naar de keuken open en rende mijn moeder op de nog uitbollende *droshjka* toe. Met een bijna buitenaardse kracht tilde ze me half sleurend half omhelzend van de hoge bank. In mijn ooghoek zag ik *dedoushka* ook naar buiten komen, gevolgd door mijn zusjes.

'Is alles in orde? Waar heb je gezeten?'

Vladimir antwoordde in mijn plaats: 'Ja, hoor. Ze mankeert niets. Ik vond haar totaal verkleumd langs de kant van de weg. Ze heeft gisteren haar trein gemist en is pas deze morgen vanuit Minsk aangekomen. Niets om je ongerust over te maken. Ze heeft van Sasha al een warm bad gekregen.'

Vladimir draaide zijn paard op het erf en ik bedankte hem door mijn hand op te steken.

Mama herstelde zich en werd weer haar afstandelijke zelf. Zo kende ik haar. Mijn moeder was niet in staat enige vorm van emotie te tonen behalve als ze het risico liep iemand uit haar dichte omgeving te verliezen. Doorgaans trok ze zich terug achter een sociaal masker van stalen discipline. Haar harde ogen gefocust op overleven. Die verdediging werd enkel afgelegd wanneer het gezin iets dreigde te overkomen. Dan verviel mijn moeder in een bijna overdreven tegenreactie van hysterie of zelfmedelijden. Vanuit haar standpunt kon ik haar gedrag wel begrijpen. Vier van haar zeven kinderen waren op tragische manier gestorven, haar eerste echtgenoot was gesneuveld en haar tweede spoorloos verdwenen. Mama kon geen van beide begraven, wat het verwerkingsproces eens zo zwaar maakte.

Voor mij, haar oudste nog levende dochter, was haar houding ten opzichte van ons zwaar om dragen. Het was laf van me, maar ik trok me steeds meer terug op mijn kamers in het centrum van Minsk. De zorg voor mijn moeder en Henny liet ik over aan Loeke. Tijdens de vakanties nam ik het ene baantje na het andere aan, zodat ik nog nauwelijks thuis hoefde te komen. 's Avonds zag je me vaak op fuiven bij medestudenten. Mijn manke loopstijl weerhield me er niet van het feestnummer uit te hangen, hoewel de meeste jongens daardoor wel afgeschrikt werden. Het overlevingsinstinct dat ik de laatste jaren had ontwikkeld, deed me iedere kans grijpen om van het leven te genieten. De frustraties over mijn uiterlijk had ik overboord gegooid en ik probeerde mijn troeven te accentueren. Wie moeite deed om voorbij mijn kromme benen te kijken kreeg een levenslustige en idealistische studente zonder complexen te zien. Wie het aandurfde een gesprek met me te beginnen mocht zich aan een diepzinnige dialoog verwachten over onze nationale geschiedenis of een discussie over de filosofische standpunten van Aristoteles of Descartes. In mijn meningsuitingen flirtte ik vaak met de grens van het gevaarlijke. Sommige van mijn opinies hield ik voor me, uit schrik voor vervolging. Wat me vooral populair maakte bij mijn studiegenoten was mijn schrijfkunst. Veel meisjes kwamen mij gedichten vragen om hun liefdesbrieven mee op te smukken. Ik voelde me vaak een buitenstaander maar niet vanwege mijn handicap. Diep in mij had zich een gevoel gevestigd dat ik hier niet hoorde, dat ik door een speling van het lot misplaatst was en op mijn eentje de weg naar huis moest zien te vinden. Nu was er geen Vladimir om me tijdens mijn zoektocht naar mijn oorsprong te begeleiden.

In de lente van 1938 maakte ik kennis met Alex Orlov, een ingenieur aan de Militaire Academie. Samen met Anouchka Dossmann, mijn beste vriendin, zat ik op een kleedje op het gras in het stadspark te genieten van de voorjaarszon. In de kiosk speelde een orkest waar we met een half oor naar luisterden. We hadden heel de dag gestudeerd en vonden dat we die kleine ontspanning verdiend hadden. Luidruchtig pratend over de druk van het examenrooster bemerkte ik niet dat een groepje in uniform geklede mannen het park was ingewandeld en naast de kiosk halt had gehouden. Anouchka maakte me attent op hun komst.

'Kijk daar eens', wees ze.

De zes militairen overzagen het grasperk, of beter ze evalueerden hun jachtgebied, namelijk de vrouwelijke studenten die er alleen of in groep genoten van de muziek. Eén jongeman viel me meteen op door zijn blonde krullende haren. Hij stond kaarsrecht, een militair in hart en nieren, en was minstens een half hoofd groter dan de anderen. De snit van het uniform verraadde zijn smalle postuur, vooral op de heupen.

'Je hebt geen woord gehoord van wat ik net zei!'

'Heu... wat?'

Ik richtte mijn aandacht weer op Anouchka.

'Johanna, je was naar die man aan het staren!'

'Ah, nee. Hoe kom je erbij?'

Dat leugentje om bestwil had niet gehoeven, want ik voelde het schaamrood, dat de waarheid aangaf, naar mijn wangen stijgen. Een korte blik in de richting van het groepje leerde me dat de aandacht van het individu in kwestie nu ook op mij gericht was. De andere jongemannen hadden in die enkele minuten eveneens hun keuze gemaakt. De lange militair richtte zijn aandacht op het ijskraam naast de kiosk en kocht twee ijsjes. Zelfverzekerd stapte hij onze richting uit en presenteerde mij er een van.

'Wil je een ijsje?'

Ik vond zijn aanpak rechttoe rechtaan en nogal arrogant.

'Heb ik een keuze?' zei ik zittend van op de deken.

'Tja, ik heb er al één en kan ze moeilijk alle twee tegelijk opeten, niet?'

Ik nam het dan maar aan maar likte er nog niet van. Zo gaf ik de jongeman de indruk dat zijn 'buit' nog niet binnen was.

'Ik ben Alex Orlov, maar mijn vrienden noemen me Arlov.'

Ik knikte afgebeten. In werkelijkheid voelde ik me plots weer enorm onzeker over mijn uiterlijk. Van dichtbij waren zijn gelaatstrekken uitzonderlijk knap. Arlov had met zijn azuurblauwe ogen en lange dikke wimpers veel weg van een Griekse god. Doordat ik zat, had hij nog niet kunnen zien dat ik mankte en wanneer dat het geval was zou hij me zeker met het ijsje laten zitten. Ik deed dus geen moeite om het gesprek gaande te houden. De militair hield zijn kans voor bekeken en vertrok weer naar zijn maten.

Teleurgesteld en kwaad op mezelf gooide ik het dessert weg en vroeg Anouchka: 'Willen we weggaan? Ik moet echt nog wat studeren.'

We stonden op en vouwden het kleed op. Arlov had het hele tafereel gezien en liep terug op ons af.

'Wil je morgen met me uitgaan?'

Gegeneerd kon ik niet meer weigeren. We spraken af elkaar te ontmoeten in een taverne in het centrum van Minsk en namen afscheid. Anouchka en ik liepen terug naar ons appartement.

'Waarom wilde je eerst niet met hem uit? Zo een knappe man!' vroeg mijn vriendin onbegrijpend.

'Inderdaad, hij is knap. Zeker in dat uniform. Daar kan ik nooit tegenop! Hoe moet ik tegen morgen ooit indruk maken, zoals ik eruitzie?'

Anouchka nam me bij mijn schouders vast.

'Ik help je wel. Je kunt mijn pakje lenen. Dat heeft ook zijn beste tijd gehad maar we moeten roeien met de riemen die we hebben.'

Omdat ik niet ondankbaar wilde zijn nam ik haar aanbod aan.

De volgende namiddag spendeerde ik grotendeels in de badkamer. Anouchka hielp me bij het onduleren van mijn haar en stak het gedeeltelijk op. Ik haalde mijn beste ondergoed uit de kast, een corselet met onderbroekje en bijpassende onderjurk in zijde. Het driedelige pakje vervaardigd uit bruine jersey bestond uit een recht rokje, een beige blouse met poffende mouwen en een jasje. Aan mijn voeten staken pumps uit slangenleer. Mijn lippen stiftte ik bloedrood. In de spiegel zag ik er niet onaardig uit, maar toch voelde ik me nog steeds sjofel door het ontbreken van accessoires. Met een klein hartje begaf ik me naar de afgesproken plaats. Al vanaf de straat zag ik Arlov binnen aan een tafeltje zitten. Hij bestelde wat om te drinken. Mijn afspraakje zag er betoverend uit. Andere vrouwen in het etablissement wierpen nieuwsgierige blikken naar die knappe militair. De moed zonk me in de schoenen.

Wat wil je nu doen? Wil je nu echt binnengaan en bij hem aan tafel gaan zitten? Wil een dergelijke man gezien worden met een armzalig klein wicht als jij? Huilend rende ik weg, terug naar het appartement. Tegen Anouchka vertelde ik dat Arlov niet was komen opdagen.

Drie weken later waren de examens voorbij. Ik was afgestudeerd en had cum laude mijn diploma van onderwijzeres behaald aan het Pedagogisch Technisch Instituut. Dat besloot ik te vieren en ik trakteerde mezelf op een bioscoopbezoek. De rij aan de kassa was al redelijk gevorderd toen er plots op mijn schouder werd getikt. Ik draaide me om. Het was Arlov.

'Geef me gewoon een eerlijk antwoord. Waarom ben je niet komen opdagen?'

Ik was verstomd. Er zat niets anders op dan hem de waarheid te vertellen.

'Dat heb ik gedaan... maar ik voelde me niet goed genoeg. Ik... euh... Ik heb geen mooie kleren om aan te trekken.'

Beschaamd wees ik op het jurkje dat ik droeg: 'Dat is zo een beetje het beste dat ik heb.'

Eerst glimlachte hij alleen maar. Daarna schaterde Arlov het uit.

'Maar meisje toch! Een jurk is toch maar een omhulsel. Het is het innerlijke dat telt. Als ik straks geen militair ben, draag ik toch ook maar een gewoon kostuum?'

'Ja, dat zal dan wel.' Ik keek nog steeds beteuterd.

'Hoe heet je eigenlijk?'

'Johanna.'

'Wel, ik kan je verzekeren dat het prettig is kennis met je te maken, Johanna. Ga je mee iets drinken?'

Ik knikte en Arlov leidde me weg van de rij aan de kassa. Dat was het begin van onze relatie en mijn eerste grote verliefdheid.

Ik wilde dolgraag verder studeren maar daar was thuis geen geld voor. Daarom besloot ik om vanaf september overdag te werken als onderwijzeres in een basisschool in Minsk terwijl ik me 's avonds zou storten op mijn studie geschiedenis en aardrijkskunde. Alleen de zomerperiode moest ik nu nog zien te overbruggen. Aangezien bij mijn moeder wonen voor mij geen optie was, gaf ik mezelf op als vrijwilliger om in sterk agrarische gebieden de ongeletterdheid te elimineren. Er werd mij een afgelegen dorpje net ten noorden van de Pripjat toegewezen waarvan de naam me ontglipt. Tweemaal per jaar was dat gehucht voor de buitenwereld afgesloten omdat het waterpeil uit de omliggende moerassen steeg. De meeste van mijn leerlingen sleten hun dagen op het veld. Lezen en schrijven was geen prioriteit. Ik moest al mijn overredingskracht aan de dag leggen om hen zo ver te krijgen dat ze naar de les kwamen. Ik onderwees een zeer gemengd publiek. Kinderen van nauwelijks vier jaar vulden de eerste rijen van mijn lokaaltje terwijl hun ouders de achterste banken bevolkten. Het schoolgebouw, nauwelijks die naam waardig, deed in de eerste plaats dienst als kerk. Ik had geen schoolbord of lessenaars. De geïsoleerde primitieve levensomstandigheden van deze mensen hadden me in eerste instantie geschokt. Naarmate de zomer verstreek, merkte ik dat de bewoners van dit dorpje tot de gelukkigste in heel de Sovjet-Unie behoorden. Ver van Moskou en Leningrad, ver van alle intriges hadden zij een evenwicht gevonden met de schepping rondom hen. Ikzelf leefde die zomer net zo onbezorgd als mijn tijdelijke studenten. Hier was geen elektriciteit, maar ook geen krant met slecht nieuws. Daardoor had ik geen enkel vermoeden van wat me boven het hoofd hing.

Evacuatie

Minsk, 22 juni 1941

Duitsland kwam zwaar vernederd uit de Eerste Wereldoorlog. Hyperinflatie en een totaal ontwrichte economie tekenden de bevolking. Ze vestigden hun hoop op een man die over een fenomenale redenaarskunst beschikte, maar ook over een niet te stillen honger naar macht. Adolf Hitler bracht de nationaalsocialistische democratische arbeiderspartij, kortweg NSDAP, in 1932 naar een klinkende overwinning. In januari 1933 werd hij Rijkskanselier en begon de man bijna onmiddellijk met de herbewapening van de Reichswehr. De kleine Oostenrijker interesseerde zich vooral in gebiedsuitbreidingen in Oost-Europa. Door middel van een hele reeks annexaties wist Hitler aan het eind van de jaren dertig de Duitse successen aan elkaar te rijgen zonder één veldslag te hoeven uitvechten. Maar hij wilde meer en op 1 september 1939 viel het Duitse leger Polen binnen, in wat ze Operatie Fall Weiss noemden. Ik zat op dat moment met enkele collega's voor twee weken in Baranovitschy, een stad tegen Polen, om in opdracht van de Communistische Partij Poolse leerkrachten te laten kennismaken met de Russische onderwijsmethodes. In allerijl werden we per trein geëvacueerd en terug naar Minsk gebracht.

Frankrijk en Engeland hadden tot op dat moment een gereserveerde houding aangenomen in de hoop een Tweede Wereldoorlog te vermijden. Maar door Hitlers brutale optreden waren beide landen gedwongen Duitsland de oorlog te verklaren. Ook de Sovjet-Unie reageerde en viel Polen op 17 september eveneens binnen. De bevolking voelde zich geprangd tussen beide grootmachten en capituleerde.

Dat genuanceerde overzicht dat ik pas na de oorlog te horen kreeg, was natuurlijk niet het nieuws wat wij, doorsnee-Russen, via de staatsomroep te horen kregen. Als we onze nieuwslezers moesten geloven stevende de Sovjet-Unie af op de totale overwinning en stonden onze troepen praktisch al voor de poorten van Berlijn. De tegenstanders werden afgeschilderd als barbaren die doelbewust de bezette gebieden doodhongerden en de Joden centraliseerden in getto's om ze daarna uit te moorden.

Midden 1941 verdeelde ik mijn tijd nog steeds tussen mijn werk als onderwijzeres en mijn studie. Ik woonde sinds enkele jaren alleen op kamers in het centrum van Minsk. In tegenstelling tot veel andere militairen was Arlov nog niet ingezet in de oorlog tegen Duitsland of de winteroorlog tegen Finland om de Karelische landengte. Ik zat in een luxepositie want veel van mijn collega's en studiegenoten waren voor nieuws van hun minnaars, verloofden of echtgenoten al langere tijd aangewezen op de slechtwerkende postbezorging. Ik zag Arlov zoveel mogelijk, vaak meermaals per week. De laatste drie jaar was hij mijn constante geworden en ik kon me een leven zonder hem niet meer voorstellen. Ik had zijn familie leren kennen en hij de mijne. Samenwonen of occasioneel samen slapen was uit den boze. Veel verder dan een zedige kus op de wang en elkaars hand vasthouden wilde ik niet gaan. Arlov noemde me altijd zijn 'gloeiende ijsberg' omdat hij me een passionele vrouw vond die toch niet smolt voor zijn charmes. Natuurlijk was ik volledig voor zijn innemendheid gevallen, maar een alarmbelletje in mijn hoofd waarschuwde me om vooral geen onnodige risico's te nemen. Niemand wist wat de uitkomst van de oorlog zou zijn en ik wilde niet eindigen zoals mijn moeder vijfentwintig jaar voor mij. Het voelde goed en we dachten eraan om te trouwen. De datum werd geprikt op 11 juli 1941.

Ik rustte op mijn rug in het gras met mijn hoofd op Arlovs schoot, mijn ogen gesloten. Genietend van de laatste zonnestralen van die zondag. We lagen daar zo al bijna heel de middag en zwegen. Mijn verloofde leunde tegen een boom. Uitzonderlijk droeg hij geen uniform maar een gemakkelijk zittend tweed kostuum.

'Nog minder dan twintig dagen en we zijn getrouwd', doorbrak Arlov de vredige stilte.

'Hmm, hmm.'

Ik wist wat er ging komen en hield mijn ogen gesloten.

'Ik heb straks geen zin om helemaal tot bij mijn ouders te lopen', klonk het loom.

'Hmm, hmm.'

'En ik denk niet dat ze mij vandaag nog thuis verwachten.'

Dat excuus was nieuw.

'Vind je het erg als ik vannacht bij jou blijf slapen?' probeerde hij met een zeemzoet stemmetje.

Ik opende mijn ogen: 'Vergeet het. Goed geprobeerd, maar vergeet het.'

'Bah, wat maken die twintig dagen nu uit? Niets toch?'

'Als ze je niets uitmaken, zul je het ook niet erg vinden om nog twintig dagen te wachten. Minder zelfs.'

'Jij blijft een gloeiende ijsberg, jij!'

'Ja', klonk het beslist. 'En ik ontdooi maar pas op 11 juli. 's Avonds.'

Hij trok een pruillip. Ik knipoogde en sloot mijn ogen opnieuw. Wetende dat hij opnieuw bot ving, veranderde Arlov van onderwerp.

'Willen we straks naar de nieuwsuitzending in het filmtheater gaan kijken?'

'Hmm. Dat is goed.'

Ik kon al vermoeden waarom. Op de radio hadden we deze morgen geprobeerd een Duitse zender te ontvangen in de hoop meer informatie in te winnen over een op handen zijnd offensief tegen de Sovjet-Unie. Dat was gedeeltelijk gelukt. Door de ruis heen hadden we een deel van Hitlers oproep aan zijn troepen gehoord om klaar te staan. Ze moesten Europa en het Derde Rijk beschermen en verdedigen tegen de Sovjet-Unie. Arlov wilde die inlichtingen controleren met het journaal dat we iedere avond vóór de film in de bioscoop te zien kregen.

Twee uur later stonden we aan te schuiven aan de kassa. Arlov kreeg van een jongen het programmablaadje voor die avond in zijn handen gestopt. De film heette *Tanker Der Bent*. Een oorlogsfilm. Zoals zijn gewoonte was, haalde mijn verloofde een pen uit zijn binnenzak en schreef de datum van vandaag in de rechterbovenhoek van de infofolder: 22 juni 1941. Daarop gaf hij het blaadje aan mij. Ik stak het in mijn handtas met de bedoeling het later op de avond terug aan Arlov te geven zodat hij het kon bewaren. We betaalden en gingen de zaal binnen.

Zoals verwacht kregen de bezoekers eerst een korte nieuwsuitzending te zien. Bijna drie miljoen Duitse soldaten waren die morgen ons land binnengevallen. In drie golven probeerden ze achtereenvolgens Leningrad, Moskou en de energierijke gebieden rond de Kaspische zee te bereiken. Volgens het bulletin hadden de Sovjettroepen de Duitsers nu al tot staan gebracht. De Russische bevolking werd aangeraden iedere roebel aan een staatslening te spenderen om zo de troepen aan het front te steunen. Niet veel later begon de film die net als het journaal vol propaganda stak. Na tien minuten hielden Arlov en ik het voor bekeken en vluchtten de bioscoop uit.

Nauwelijks buitengekomen liepen we een kameraad van Arlov tegen het lijf.

'Zeg, wat doe jij hier nog?' riep Youri verontwaardigd.

'Hoe bedoel je?' Arlov en ik konden niet volgen.

'Heb je deze middag geen telegram gekregen?'

'Nee, ik ben heel de dag niet thuis geweest.'

Youri keek veelbetekenend mijn richting uit. Hij wist perfect waar Arlov dan wel gezeten had.

'Alle verloven zijn ingetrokken. Iedereen van het regiment moet ten laatste binnen drie kwartier in de kazerne zijn.'

'Dat geeft me niet veel tijd meer.'

'Inderdaad, zeg je liefje maar gedag. Ik vermoed dat we morgen zullen vertrekken.'

Youri verdween. Arlov keek me met een grimas aan. Ik kneep mijn lippen tot een streep want ik wist wat er ging volgen. Ik was teleurgesteld.

'Ga maar. Als je je haast, ben je nog op tijd in de kazerne', legde ik me bij de situatie neer.

'Ben je zeker? Moet ik je niet eerst naar huis brengen?'

'Nee, ik raak er wel alleen.'

'Wanneer zie ik je nog?' Arlov besefte plots dat we elkaar voor lange tijd niet meer zouden zien. Dat er afscheid genomen moest worden. Zijn ogen weerspiegelden mijn verdriet en omgekeerd. Arlov omvatte mijn gezicht met beide handen. Hij overbrugde de aanzienlijke afstand tussen onze hoofden en kuste me vol op de mond. Zijn ogen stijf dichtgeknepen. Niet gretig maar toch passioneel. Na een paar seconden loste hij al.

'Sorry, het was niet de bedoeling. Ben je geschrokken?' Arlovs handen bleven mijn hoofd vasthouden.

'Nee. Het is goed.'

Ik legde mijn hand op zijn wang. 'Morgen zal ik in het station staan. Ga nu of je komt te laat.'

Het was nog donker toen ik in alle vroegte in mijn beste jurk naar het station wandelde. De lokettenzaal was tot de nok gevuld met Sovjetsoldaten. Her en der lagen stapels legerbagage. Het duurde even voor ik Arlov gevonden had tussen al die in velduniform gehulde mannen. Uiteindelijk lokaliseerde ik hem aan de voet van het marmeren standbeeld van Lenin dat in het midden van de ruimte stond. Mijn verloofde omhelsde zijn zus uitgebreid terwijl zijn ouders stonden toe te kijken. Arlovs vader zag me en maakte zijn zoon erop attent dat ik in aantocht was. Ik was blij dat ik het afscheid nog één dag had uitgesteld, dat ik de stralende glimlach om zijn sensuele lippen nog één dag langer had gezien. Discreet liet mijn toekomstige schoonfamilie ons alleen.

We keken elkaar nietszeggend aan. Diep in zijn ogen zag ik het verdriet.

'Wat had ik jou graag meegenomen in mijn knapzak.'

'Als vlieg of als mug?'

Ik probeerde de toon van ons gesprek nog even luchtig te houden. Vruchteloos.

'Als vlinder.'

Plots herinnerde Arlov zich nog iets en hij haalde een papiertje uit de binnenzak van zijn vest.

'Hier, dat is het adres van Boris. Als er wat is, moet je hem contacteren. Boris is betrouwbaarder dan die lamlendige postbedeling.'

Ik nam het briefje aan.

'Er komt geen huwelijk, hé?'

Arlov bevestigde weemoedig: 'Voorlopig niet, nee.'

De smart stond op zijn gezicht te lezen. Het vertrek viel hem zwaar. Aan de lange wimpers van zijn linkeroog kleefde een traan. Net als de avond ervoor legde mijn minnaar beide handen rond mijn gezicht als was het een delicate bloem die hij koesterde en warmde mijn lippen met de zijne. Onze monden werden een kanaal waardoor ik zo veel mogelijk van mijn levenskracht aan hem wilde schenken zodat hij de komende tijd zeker de moed niet zou verliezen. Net op het moment dat we de kus afbraken, schenen de eerste zonnestralen door de hoge ramen naar binnen. Het licht verwarmde Arlovs wang in een bepaalde hoek. Daardoor rolde de verborgen traan van daarnet solitair als een glinsterende diamant over zijn gelaat.

'Ik hou van je.'

'Ik hou ook van jou.'

Alles wat gezegd moest worden was gezegd. Een laatste moment verloor ik me in Arlovs ogen. Ik draaide me om en verliet het stationsgebouw. In mijn rechterhand hield ik nog steeds het papiertje met het adres van Boris. Al lopend stopte ik het in mijn handtas. Ik moest me haasten om nog op tijd op mijn werk te raken.

Daar trof ik de grootst mogelijke chaos aan. Kinderen namen in paniek afscheid. Ouders huilden terwijl ze hun kroost omhelsden. Een vrachtwagen met open laadbak stond voor de poort van het schoolgebouw. Het schoolhoofd, een vrouw van middelbare leeftijd, wist niet waar ze eerst moest kijken en gaf in het wilde weg orders. Dat was niet het dagelijkse afscheidsritueel dat ik in het verleden meermaals had meegemaakt. Op zoek naar een zeldzame vrijwilliger die me meer uitleg kon geven, liep ik tegen Anouchka aan. Mijn trouwe studievriendin was enkele jaren geleden samen met mij in deze school als onderwijzeres begonnen. Nu liep ze met een stapel dekens in haar armen onhandig over de speelplaats. Ik nam een deel van haar over en vroeg om opheldering.

'Wat gebeurt hier?'

'We evacueren de kinderen vandaag. Tenminste diegene die zijn komen opdagen.'

'Waar moeten deze?' doelde ik op de dekens.

'In de vrachtwagen.' Anouchka holde richting het voertuig en ik volgde haar.

'Hoe bedoel je? Evacueren? Wie is er niet komen opdagen?'

'Blijkbaar zijn de Duitsers Minsk veel dichter genaderd dan de overheid ons wil doen geloven. Sommige ouders die in alle vroegte hun kinderen kwamen afzetten, vertelden dat de Duitsers al tot in Baranovitschy geraakt zijn. Ze hebben gesmeekt de leerlingen in veiligheid te brengen. De meeste ouders hebben blijkbaar zelf stappen ondernomen, want meer dan de helft van de kinderen is afwezig.'

We bereikten de vrachtwagen. Anouchka gooide haar stapel in de laadbak en ik volgde haar voorbeeld.

'Zo, nu zullen ze wat zachter zitten.'

Met opengesperde ogen keek ik mijn vriendin aan: 'Bedoel je dat we hen hiermee gaan vervoeren?'

'Ik vrees van wel. Alle bussen zijn opgevorderd door de Partij om de troepen te vervoeren. De directrice vond op zo een korte tijd niets anders.'

We liepen naar het schoolhoofd om een volgende opdracht te ontvangen.

'Alle beschikbare dekens liggen in de vrachtwagen, mevrouw. Is er nog iets dat we kunnen doen?'

'Ja, Anouchka. Ik zoek twee stressbestendige leerkrachten die met me mee willen om de kinderen te begeleiden. Jij en Johanna zijn de enige die geen gezin hebben, dus ik dacht aan jullie.'

De toon waarop ze het zei maakte me duidelijk dat ik weinig keus had. Niet dat ik veel problemen had om als vrijwilliger mee te gaan en ik betwijfelde of Anouchka er veel graten in zag. Een groot verantwoordelijkheidsgevoel overspoelde me. Ik vond het vanzelfsprekend om op het voorstel in te gaan. Dus antwoordden we gedwee in koor: 'Ja, mevrouw.'

'Goed, verzamel alle kinderen en breng ze naar de vrachtwagen. We vertrekken binnen een kwartier.'

Uiteindelijk werd het een halfuur, maar vertrekken deden we. Het afscheid tussen ouders en kinderen was dramatisch. Niemand wist immers of en wanneer ze elkaar zouden weerzien. Ik maakte mentaal een nota dat ik niet mocht vergeten mijn moeder te bellen in de loop van de dag. Ze zou zich anders nodeloos zorgen maken om mijn veiligheid. Vanuit het verleden wist ik wat dat bij haar kon teweegbrengen en net dat wilde ik vermijden. Zelf geloofde ik rotsvast in een goede afloop van deze oorlog. Mijn opvatting was dat iedere strijd overlevenden kende, dus waarom ik niet. Alsof de oorlog iedereen rondom mij overkwam maar geen gevolgen had voor mij persoonlijk. Ik onderging hem gelaten en net daarom bleef ik tot aan de bevrijding rustig, zelfs op de meest beangstigende momenten.

Anouchka zette zich samen met de leerlingen, allen tussen zeven en dertien jaar oud, in de laadbak. Het schoolhoofd en ik zaten bij de chauffeur in zijn cabine.

'Zo, waar wilt u dat ik de kinderen heenbreng, dametje?' mompelde de bestuurder met een sigaret tussen zijn lippen. Met zijn dikke buik bezette hij bijna de helft van de bank. Hij droeg een vuil wit mouwloos hemd en een verschoten broek.

De vrachtwagen had zich net in beweging gezet. Achter me hoorde ik nog enkele van onze pupillen snikken.

'Rijdt u maar richting Moskou', antwoordde de directrice autoritair.

'Dan toch niet via Borisov en Orsja, want die wegen zullen potdicht zitten. We zijn de enige niet die naar het binnenland vluchten, hé!' opperde de man.

Mijn overste liet zich niet van haar stuk brengen: 'En als we de weg naar Mogilev nemen en zo via Smolensk naar Moskou rijden?'

'Dat kunnen we proberen', zuchtte de chauffeur.

We hebben heel de dag zwijgend verder gereden. Enkel voor de maaltijden stopten we. Doordat de weg veel haarspeldbochten had en slecht berijdbaar was, raakten we tegen de avond nauwelijks honderd kilometer ver. Al had het vele verkeer er ook iets mee te maken. We beslisten om in een dorp net voor Mogilev een slaapplaats te zoeken omdat het veel te gevaarlijk was om in het donker verder te rijden. Ons gezelschap vond een onderkomen in een verlaten schoolgebouw aan de rand van de weg. Aan de staat van het pand kon ik opmaken dat ook hier de leerlingen alles in een haast hadden achtergelaten. Geen van de poorten en deuren was op slot en enkele schriften lagen verspreid over de speelplaats. In de klaslokalen waren de gordijnen half gesloten en stonden de houten lessenaars niet meer netjes in hun rijen. Sommige deksels van bureautjes was men in zijn haast vergeten te sluiten.

We ontruimden een van de lokalen op de eerste verdieping in het hoofdgebouw en maakten matrassen van het stro dat we in de stallen vonden en de lege aardappelzakken uit de keuken. Tijdens dat werkje hoorde ik door het geroezemoes van de spelende kinderen rondom ons in de verte het onmiskenbare ploffen van afweergeschut. Anouchka had het ook gehoord. Onze blikken kruisten elkaar veelbetekenend. We bleven kalm en deden of er niets aan de hand was om geen paniek te zaaien onder de kinderen. Mijn vriendin liet haar net afgewerkte matras voor wat die was, draaide zich zonder een woord tegen mij te zeggen om en verliet de kamer. Waarschijnlijk om plichtsbewust ons schoolhoofd op de hoogte te brengen, dacht ik. Enkele minuten later bereikte het geluid van een startende motor me.

Oscar, een van de oudere kinderen, keek door het raam en zei: 'Juffrouw Brede, waarom vertrekken mevrouw de directrice en juffrouw Dossmann met de vrachtwagen?'

Ik was onmiddellijk gealarmeerd. De directrice had iedereen uitdrukkelijk verboden het complex te verlaten tot het buiten opnieuw licht zou worden. We hadden genoeg voorraad om de nacht door te komen. *Dus waarom vertrokken ze dan met de vrachtwagen zonder te zeggen waar ze heengingen?* Ik liep naar het raam om te kijken of wat de jongen had gezegd waar was. Het zou de eerste keer niet zijn dat hij een grapje met me probeerde uit te halen. Maar wat ik zag bevestigde zijn verhaal. Anouchka had net de deur van de cabine geopend en klom in de vrachtwagen. Ik leunde naar buiten.

'Anouchka, waarom?' was het enige dat ik kon uitbrengen terwijl het voertuig zich in beweging zette.

Op dat moment kwam de chauffeur uit de deur onder mijn raam gelopen en vloekte als een ketter. Met zijn armen in de lucht liep hij nog even achter zijn eigendom aan. Maar zijn postuur en conditie beperkten hem in zijn mogelijkheden. De vrachtwagen verdween in de nacht. Zonder mogelijkheid om te vluchten werden we daar achtergelaten. De Duitsers waren in de buurt en ik had een dertigtal kinderen onder mijn hoede.

Anouchka had geen antwoord gegeven op mijn vraag. Dat hoefde eigenlijk ook niet. Ik kon al vermoeden waar de oorzaak van hun vlucht lag. Zowel mijn overste als mijn beste vriendin waren Joden. Zij hadden meer dan wie ook reden om de komst van de Duitsers te vrezen. Daar had ik begrip voor. Maar ik vond het laf en egoïstisch van hen om een klas vol kinderen aan hun lot over te laten en was verontwaardigd omdat uitgerekend mijn beste vriendin in de eerste plaats aan zichzelf dacht.

Teleurgesteld wendde ik me tot de kinderen en probeerde hen gerust te stellen: 'Ze zijn vast nog iets gaan halen voor de nacht. Kom, laten we alvast gaan slapen.'

Ik stopte de kleinsten onder en deed het licht uit alvorens zelf op een matras te gaan liggen. De dekens uit de vrachtwagen hielden ons die nacht behaaglijk warm. Maar ik heb de hele nacht geen oog dichtgedaan. Niet alleen moest ik huilende kinderen troosten maar ook de beschietingen kwamen met het uur dichterbij. Tegen middernacht zag ik de flitsen van geweerschoten op het plafond van het leslokaal oplichten. Er werd vlak voor het hoofdgebouw van de ene kant van de weg naar de andere kant geschoten en ik wist niet eens wie welke partij vertegenwoordigde. De chauffeur en ik zagen ons verplicht de kinderen een voor een gebukt tot in een van de ruimtes in het achterliggende bijgebouw te brengen om hun veiligheid nog enigszins te kunnen waarborgen. Verrassend genoeg kon ik daarbij op de hulp van Oscar rekenen. Hij bleef bij de achterblijvers om ze te kalmeren. Ik was zo zenuwachtig en bezorgd om het welzijn van de kinderen dat ik mijn hart voelde kloppen tot in mijn hielen. Tegen de morgen werd het stil in en rond het complex. Iedereen viel in slaap.

Plots werd ik wakker door schuifelende voetstappen op de gang. Het kleintje dat in mijn armen in slaap was gevallen werd ook wakker en gaapte. Door het hoge raam in de muur tussen de gang en het leslokaal zag ik een muts met doodshoofd op. Een tel later opende de ss'er aan wie de muts behoorde de deur van onze slaapruimte. Hij werd gevolgd door een vijftal van zijn collega's. Allen in volledige veldtenue met de wapens in de aanslag.

'Wat is hier aan de hand?'

Iedereen schrok wakker. Ik verstond perfect wat de man had gezegd, aangezien ik behalve Pools en Russisch ook Duits kende. Dus stond ik op en antwoordde op de vraag.

'Mijn schoolhoofd had de opdracht gekregen deze leerlingen van onze school te evacueren. Maar gisterenavond is ze met ons enige vervoermiddel gevlucht en zijn we hier gestrand.'

'Ach, eindelijk iemand in dit achterlijk land die Duits verstaat!' blafte de aanvoerder van de bende minachtend. Nieuwsgierig liep hij door de ruimte en zocht bij ieder kind individueel oogcontact.

'En wie mag hij dan wel zijn?' Zijn vinger priemde in de richting van de chauffeur.

'De vrachtwagen was van hem. Hij heeft ons vanuit Minsk tot hier gebracht', repliceerde ik.

'Hij blijft hier. Jij gaat mee naar de kommandantur.'

De bevelhebber had beslist en ik durfde er niet tegen in te gaan. De compagnie splitste zich. Er werd van mij verwacht dat ik richting de deur zou lopen, dus deed ik dat. Daarvoor moest ik voorbij de kapitein lopen. Op het moment dat we elkaar kruisten, draaide hij zich bruusk om en sloeg suggestief op mijn achterste. De andere mannen brulden van het lachen. Ik liep door maar begon intussen luid te huilen. Ik voelde me goedkoop. De angst om verkracht te worden overviel me. Met die klap zakten al mijn dromen als een kaartenhuis in elkaar. Ik stapte schreiend in de wachtende jeep voor een korte rit naar het centrum.

Het gemeentehuis van het gehucht waar we die nacht verzeild geraakt waren, deed dienst als kommandantur. Ik werd onmiddellijk tot bij het bureau van een secretaresse gebracht. Daar werd me verteld even te wachten tot de majoor tijd had om me te ontvangen. Enkele minuten later was dat het geval. Ondanks de kleine wachtperiode was ik niet in staat geweest mezelf te kalmeren. Ik bleef snikken. De secretaresse keek me boos aan, wat me nog angstiger maakte voor de man achter de dubbele deur. Ze duwde snel een zakdoek in mijn handen alvorens ze me in het kantoor van de majoor leidde. De ruimte was niet zo groot maar had wel al het nodige bureaumateriaal.

'Fräulein, komt u verder', zei de man achter het mahoniehouten bureau.

Behoedzaam, klaar om te vluchten mocht het nodig zijn, liep ik tot in het midden van de kamer. Vlak voor het bureau van de blonde man.

'Hoe heet u?' De majoor bestudeerde enkele plannen en had me tot op heden nog niet aangekeken.

'Johanna Brede, Herr Major', snifte ik in mijn beste Duits.

Het had indruk gemaakt. De geüniformeerde man keek op. Een paar grote grijsgroene ogen keken me vriendelijk aan. Ik schatte hem rond de veertig.

'Klopt het, Fräulein, dat u momenteel de zorg draagt voor dertig kinderen en dat u zonder vervoer vastzit in de dorpsschool?'

'Ja, Herr Major.'

Hij plantte zijn ellebogen op de tafel en vouwde zijn handen in een perfecte driehoek tegen zijn mond. De imposante figuur keek bedenkelijk.

'Ik kan momenteel geen auto's vrijmaken om u en uw gezelschap terug naar Minsk te laten brengen.'

De kapitein had zijn overste kennelijk volledig ingelicht. Ik hoefde alleen maar te bevestigen. De majoor vervolgde:

'Ik zal mijn best doen om u zo snel mogelijk terug thuis te krijgen. In tussentijd blijft u met uw protegés waar u bent en kunt u het nodige eten en drinken inslaan met deze bonnen.'

Hij nam een stapel grijsblauwe bonnen van zijn bureau, stond op, liep rond de tafel en overhandigde ze me. Waarna hij zijn handen achter zich legde.

'Dank u, Herr Major', snikte ik bijna van pure opluchting.

De lange man bekeek me een moment aandachtig.

'Gaat het een beetje? Is de kapitein niet vriendelijk tegen je geweest op de weg naar hier?' De zachte stem van de majoor klonk begripvol. Ik reageerde niet onmiddellijk waardoor mijn gesprekspartner tot de verkeerde conclusie kwam. 'Verkrachtingen zijn helaas meer regelmaat dan uitzondering de laatste tijd. Ik zal mijn manschappen tot de orde roepen.'

'O, nee, Herr Major, dat hoeft niet. Er is niets gebeurd.'

'Goed dan. Mocht u nog wat nodig hebben, kan u me altijd contacteren. Schmitt is de naam.' En hij stak zijn hand uit ter begroeting. Ik nam ze aan en verliet zijn kantoor. Ik vond dat ik mijn mening over de Duitsers dringend moest herzien, nu ik de fatsoenlijke majoor had ontmoet. Hij leek in niets op de barbaren waarover op de radio sprake was. De secretaresse duwde me bij het naar buiten gaan nog een grote doos thee in mijn handen en ik gaf haar haar zakdoek terug.

Met de voedselbonnen die ik had gekregen kocht ik brood en fruit in het dorp en wandelde terug naar de school. Al mijn pupillen zaten ongeduldig te wachten op nieuws. Bij aankomst nam de chauffeur de zware tassen met voedsel van me over. Ik vertelde hun het relaas terwijl we het eten verdeelden. Ze hadden honger, maar er was genoeg voor iedereen. Ik schatte dat de bonnen me nog twee dagen verder konden helpen. In een pannetje kookte ik meerdere keren na elkaar water zodat iedereen een kop thee kreeg om de emoties weg te spoelen. Bij het verorberen van een droge boterham overdacht ik mijn bezoek aan de kommandantur. De Duitsers leken me veel beter georganiseerd dan mijn landgenoten. Hun systeem zat beter in elkaar. Ze zouden moeilijk te verslaan zijn.

De twee dagen daarop verliepen min of meer in hetzelfde patroon. Ik stond op en samen met de drie oudste meisjes ging ik inkopen doen in het dorp. Georg, de chauffeur op wie ik die laatste dagen erg was gaan rekenen, bleef achter met de kleintjes. Bij terugkomst zette ik thee en kreeg iedereen ontbijt. De oudsten kregen wat les om hun gedachten te verzetten. De kleintjes liet ik zoveel mogelijk spelen.

Gedurende die tijd hoorde ik niets van de majoor. De derde dag waren mijn bonnen op, dus liet ik Oscar een brief bezorgen op de kommandantur ter attentie van majoor Schmitt. Nog steeds uit schrik voor een aanranding waagde ik het niet daar zelf naartoe te gaan. Twee uur later kwam Oscar terug met een nieuwe stapel voedselbonnen en een heel andere kijk op de tegenstanders.

'Ze zijn helemaal niet zo nors als de kapitein die hier was, juffrouw Brede. De majoor was zelfs vriendelijk en gaf me een stuk chocolade.'

Ik knikte bevestigend noch ontkennend en vertrok met de meisjes om inkopen te doen. Het was een zonnige dag en de temperaturen waren meer dan aangenaam. Er was geen wolkje aan de lucht. Wandelend over het pad richting het centrum genoten we van de natuurpracht rondom ons. In de verte hoorde ik zachtjes het ronken van de propellers van een vliegtuig. Pas toen er vanuit de lucht op ons geschoten werd, besefte ik dat er gevaar dreigde. Het was om het even of het nu Duitsers of Russen waren. De meisjes waren al de berm in gevlucht. Ik volgde hen zo snel ik met mijn kreupele lijf kon, maar... te laat. Een droge plof en een scherpe pijn in mijn rechterschouder vertelden me dat ik was geraakt. Alle geluid rondom me vervaagde. Plots voelde ik een warme steen tegen mijn wang. Het werd zwart voor mijn ogen.

Ik werd wakker in het vochtige gras van de berm. Hoe lang ik buiten bewustzijn was geweest wist ik niet. Iemand had me tot hier gedragen. Ik hoorde in de verte geluiden, maar was nog niet in staat mijn ogen te openen. De geluiden kwamen dichterbij. Het waren stemmen. De Russische meisjesstemmen klonken paniekerig. Twee Duitse mannenstemmen maanden aan tot kalmte. Een ervan herkende ik. Het was die van majoor Schmitt. Het gefrunnik aan mijn schouder en het scheuren van stof was het laatste wat ik gewaarwerd voordat ik weer wegzonk in het donkere zwarte gat.

Ik kwam pas volledig bij bewustzijn toen ik in een bed in het veldhospitaal lag. Mijn rechterschouder zat in een dik verband gewikkeld.

'De arts heeft me verzekerd dat alles goed met u komt', zei een Duitse vrouwenstem zacht. Ik herkende de secretaresse van majoor Schmitt. 'Het was slechts een schampschot. De wond zal zonder verdere problemen genezen. U kunt straks of morgenvroeg al terug naar uw protegés.'

'Dank u', stamelde ik.

'Geen dank. De majoor heeft me gevraagd u te melden dat u morgen terug naar Minsk kunt rijden. Er is vervoer gevonden voor u en de kinderen.'

Ik voelde me nog zwak maar ging een uurtje later terug naar het schoolgebouw. Ik wilde bij mijn leerlingen zijn.

De volgende morgen stonden inderdaad drie *droshjka's* klaar om ons terug naar huis te voeren. De kinderen waren uitzinnig van vreugde. Voor hen werd de terugtocht een waar avontuur. Ze hadden immers nog nooit in hun leven een dergelijk vervoermiddel gezien. De typische kar was het laatste decennium in onbruik geraakt. Het deed me aan mijn jeugd denken. Aan *dedoushka*. Hoe zou het nu met hem zijn? De man was negentig jaar oud en moest voor de tweede keer in zijn leven een oorlog meemaken. Het deed me ook aan thuis denken. Als ik terug in Minsk was, zou ik onmiddellijk naar huis gaan. Zien hoe het met mama ging.

Met behulp van een tussenstapje op de as van het voorste wiel liet ik me op de bok van de eerste kar zakken. Georg zette zich in de laatste kar zodat we een goed uitzicht hadden over alle kinderen. We deden drie dagen over die helse rit naar Minsk. Hels omdat de grachten langs de wegen bezaaid lagen met lijken. Russische lijken. Sommige met ontbloot bovenlijf. Soldaten en burgers, mannen, vrouwen en hier en daar een kind. De geur van ontbonden lijken heeft me die terugtocht vergezeld als een ronddolende geest en heeft nog jaren in mijn neus gezeten. Hoe dichter we Minsk naderden, des te groter was de ravage aan de gebouwen langs de weg. Hier was hevig strijd geleverd. Van de uitgelaten vakantiesfeer onder de kinderen bleef weinig over. Hoe dichter we bij Minsk kwamen, hoe stiller ze werden.

Eenmaal terug op de plaats waar we een week geleden onze tocht hadden aangevangen, bracht ik de kinderen onder in onze school. Daarop verwittigde ik de achtergebleven leerkrachten van onze thuiskomst. De ouders werden op de hoogte gebracht en konden hun kinderen ophalen. Sommigen deden dat, anderen niet omdat ze zelf naar het binnenland gevlucht waren of overleden waren tijdens de Duitse invasie. In een deel van het gebouw werd voor die leerlingen een tijdelijk weeshuis opgericht waar ze de rest van de oorlog verbleven. Het schoolhoofd en Anouchka heb ik nooit meer teruggezien.

Ik liet de zorg van mijn beschermelingen aan mijn collega's over omdat ik me door de schotwond nog steeds zwak voelde. Ik wilde alleen nog maar naar huis, me wassen, want ik liep al een hele week in dezelfde stinkende jurk rond, en slapen. Maar ook dat werd me niet gegund. Aangekomen bij mijn appartement kwam ik tot de vaststelling dat het gebombardeerd en beroofd was van alles wat niet te zwaar was of te vast zat. Kledij, foto's, alles was weg. Ik had niets meer. Grote verslagenheid overviel me maar ik herstelde me snel. Dat kan er ook nog wel bij, dacht ik terwijl ik alles verzamelde wat me nog nuttig of bruikbaar leek.

Waar moest ik nu naartoe? Opeens dacht ik aan het briefje dat Arlov me gegeven had. Waar had ik dat gelaten? Mijn handtas! Na een minuutje zoekwerk diepte ik het uit de bewuste tas op en bekeek het adres. Dat was niet zo ver hiervandaan. Ik nam de weinige bagage die me restte, draaide me om en vertrok zonder de deur dicht te doen. Daar viel nu toch niets meer te stelen.

Een kwartier later belde ik aan bij Arlovs vriend. Bijna onmiddellijk werd de witgeschilderde voordeur geopend door een jongeman met bruin recht haar en een klein brilletje met ronde montuurglazen dat hij in de hand hield.

'Hallo. Bent u Boris?'

'Ja', antwoordde de jongeman beduusd.

Ik verklaarde mijn komst. 'Ik ben Johanna Brede, de verloofde van Arlov.' Ik hoopte dat dat bij hem een belletje zou doen rinkelen.

Een zweem van herkenning verlichtte zijn gezicht: 'Aha, Johanna, juist ja. Kom binnen.'

Boris trok me aan mijn rechterarm zijn huis in terwijl hij buiten vlug links en rechts de straat in keek. Ik schreeuwde het uit van de pijn.

'O, pardon, heb ik u pijn gedaan?'

'Ja, een beetje. Ik zit met een schotwond aan mijn schouder.'

Hij hielp me uit mijn jas.

'Hoe hebt u die opgelopen?'

Ik vertelde hem het verhaal. Van de evacuatie meer dan een week geleden, de vlucht van mijn twee Joodse gezellen, de bonnen van majoor Schmitt, de beschieting, de terugtocht naar Minsk en mijn leeggeroofde appartement. Ondertussen bereidde Boris een simpel avondmaal. Voor mij was het een luxediner want het was de eerste warme maaltijd in dagen. Arlovs vriend vroeg me uit over wat ik in de kommandantur allemaal had gezien en hoe zwaar de schade was langs de weg.

'En nu zoek je natuurlijk onderdak?'

'Ja, maar een bad en propere kledij zouden ook al welkom zijn. Ik loop namelijk al de hele tijd in deze spullen rond.'

'Hmm.' De bedenkelijke trek rond zijn lippen verraadde dat hij dat al geroken had. 'Momentje.' En hij verliet de keuken. Na vijf minuten kwam Boris terug met een stapeltje vrouwenkleren.

'Hier, dat kan alvast dienen. Misschien iets te groot, maar het is een voorlopige oplossing. Als je klaar bent met eten, kun je de badkamer langs daar vinden.' Hij wees in welke richting ik moest zoeken. 'Ik ga ondertussen zien of ik een slaapplaats voor je kan vinden.' Boris zette het brilletje op zijn neus en verdween in de vestibule. Enkele seconden later sloeg de voordeur dicht.

Ik genoot van het bad en schrobde mijn lichaam schoon waarbij mijn verbonden schouder me nog licht hinderde. Ik waste mijn haren, spoelde ze uit en coiffeerde ze zo goed ik kon. De vermoeidheid sloeg genadeloos toe en ik viel aangekleed op de sofa in slaap.

'Johanna... Johanna.'

Een hand porde aan mijn enkel en ik ontwaakte.

Het vriendelijke gezicht van Boris keek op me neer: 'Ik heb onderdak voor je gevonden. Mijn ouders hebben een groot huis net buiten het centrum en veel vrije kamers. Daar kun je terecht. Momenteel hebben ze al een meisje in huis, maar je kunt er nog zonder problemen bij.'

'Dat is geweldig! Dank je, Boris.'

Ik was opgelucht.

'Is er nog iets dat ik voor je kan doen?'

Ik bedacht dat ik dringend contact moest opnemen met mijn moeder.

'Ja, zou ik hier ergens kunnen telefoneren? Ik moet mijn familie laten weten dat alles in orde is met me.'

Boris schudde zijn hoofd. 'De telefoons zijn gesaboteerd. Maar als je wilt, kan ik er wel voor zorgen dat je brief snel en veilig toekomt.'

'Kan ik er ook één aan Arlov sturen?'

'Ja, hoor. Ik haal meteen papier en inkt.'

Ik schreef twee korte brieven. In geen van beide vermeldde ik mijn avonturen van de laatste week om hen niet ongerust te maken. Ik beloofde mama om zo snel mogelijk naar Bobrujsk te komen. Boris nam de poststukken in ontvangst en hielp me galant in mijn zomerjas, mijn schouder ontziend. Met de tram bereikten we mijn nieuwe thuis. Hij begeleidde me door de voortuin tot in het portaal en zette mijn koffer daar op de grond.

'Zo, hier scheiden onze wegen.'

Boris stak zijn hand uit.

'Dank je wel, voor alles. Als ik ooit iets voor je terug kan doen...'

De deur ging open, zonder bellen of kloppen. Ze hadden ons opgewacht.

'Dat heb je al gedaan.'

Hij verdween in de duisternis. Ik keek hem nog na. De evacuatie gaf me, hoewel mislukt, een vreemde onoverwinnelijke gewaarwording. Ik voelde me onaantastbaar. Wat er ook zou gebeuren in de toekomst. Ik zou deze beproeving met glans overleven. Dat was mijn diepste overtuiging.

Bezetting

Minsk, juli 1941

'Waar gaat die als een dief in de nacht heen?' vroeg ik me onbewust hardop af.

Het grijze dametje antwoordde: 'De avondklok gaat zo dadelijk in, liefje. Hij moet zich haasten om nog thuis te raken. Kom. Kom vlug binnen.'

Die zomer had ik het goed in de woning van Boris' ouders. In ruil voor een beetje hulp in het huishouden kregen Sarah, het meisje dat er al woonde, en ik eten en onderdak. Mijn jonge huisgenote was schuw en kwam nooit het huis uit. In het begin verliep het contact wat stroef, maar na een paar weken wist ik de verdedigingsmuur rondom haar af te breken door haar vertrouwelijke zaken over mezelf te vertellen. Ik had relatief snel door dat ze een Joodse was, maar heb haar dat nooit verteld om haar niet nog angstiger te maken.

Boris heb ik dat jaar slechts twee keer gezien. In september en in december. Iedere keer bracht hij een meisje met zich mee dat onderdak zocht. Het eerste meisje heette Natasha. Van het tweede meisje heb ik nooit de naam geweten. Ze sloot zich op in haar kamer en kwam er alleen uit om met ons te eten. Dat deed ze in stilte. Een enkele keer probeerde ik een gesprek met haar aan te knopen maar ze ging niet op mijn uitnodiging in. Ik vond haar daarom niet erg sympathiek. Kort na haar aankomst ben ik door omstandigheden verhuisd.

In de zes maanden die ik bij Boris' ouders woonde, werd het steeds moeilijker om aan de meest elementaire consumptiegoederen te raken. Ik begon een dagboek bij te houden om de wanhoop niet te verliezen en de honger te vergeten. Maar vooral om te kunnen begrijpen wat een oorlog met een mens kon doen. Wat voor een impact het kon hebben op de beslissingen die door mijn omgeving werden gemaakt. Waarom die gek in Berlijn per se heel Europa wilde bezitten, terwijl hij al de helft had. Mijn kritiek aan Hitler schreef ik onomwonden neer. Nadien voelde ik me opgelucht.

We hadden echt moeite om te overleven. Om niet om te komen werden we zeer inventief. Zo was er net buiten het centrum een snoepfabriek. 's Avonds en 's nachts stond half Minsk in rijen aan de grote houten tonnen aan te schuiven waarin de stroop werd bewaard. Met een oude korst brood was dat suikerhoudende goedje een belangrijke bron van energie. Een beker van de stroop kon je op de zwarte markt gemakkelijk inruilen tegen drie kledingstukken. Om je beker te kunnen vullen moest je een laddertje opklimmen en boven aan de ton in een van de twee gaten leunen. Zo kon je de stroop er uitscheppen. Op een bepaalde avond in augustus stond ik aan te schuiven tot het mijn beurt was om mijn pot te vullen. Er waren nog een achttal gegadigden voor me toen een klein meisje op de ladder klom. Door haar gestalte moest ze extra vooroverbuigen om tot bij de stroop te kunnen. Nog geen seconde later was ze verdwenen in de ton. Een moment hield ik mijn adem in. Een schreeuw weergalmde en toen niets meer. De man die achter haar aanschoof besteeg de ladder. Die zal haar er wel uit kunnen helpen, dacht ik. Meer dan één persoon kon er immers niet op de trapjes staan. Groot was mijn ontzetting toen ik de onbekende zijn beker zag vullen en terug naar beneden zag komen. Ook de vrouwen voor mij deden geen enkele moeite het meisje uit de metershoge ton te redden. Minuten tikten voorbij eer het mijn beurt was. Ik stapte op de ladder en twijfelde of ik het voorbeeld van mijn voorgangers moest volgen. De vrouw achter me duwde me vooruit.

'Komaan, doe verder! Of mag ik eerst?'

Ik keek in de ton maar zag niets meer. Het meisje was bijna zeker gestikt. Ik vulde mijn pot en daalde de trapjes een voor een weer af. Nog steeds voel ik me schuldig over mijn gelatenheid van die avond. Wij, mensen waren zo egoïstisch geworden dat in onze hoop om te overleven we bereid waren het leven van een ander gewetenloos op te offeren.

De zomer van 1941 had me tijd gegeven het evacuatieavontuur te verwerken. De wond aan mijn rechterschouder genas zonder problemen. Ik schreef veel brieven aan Arlov en mijn moeder. De post liet ik dan via Boris bezorgen zodat ik altijd snel een antwoord kreeg. Mama's reacties waren kort en gaven een droog overzicht van wat er thuis allemaal gebeurde. Ook van Arlov kreeg ik regelmatig nieuws. Hij vertelde me over het leven aan het front. De wind, de kou, natte voeten die schimmelden in zijn laarzen. Ik vertelde op mijn beurt heel eerlijk wat er thuis allemaal gebeurde.

Begin september vond ik dat het eindelijk tijd werd om mijn moeder en zussen nog eens te bezoeken. Ik had hen in meer dan een jaar niet meer gezien. Het had moeite gekost om iemand te vinden die me tot Bobrujsk een lift kon geven want trams en treinen reden nauwelijks of zeer onregelmatig. Je wist wanneer je vertrok maar nooit wanneer je aankwam.

Het deed uitermate deugd mijn ouderlijk huis nog eens te zien. Ik herinnerde me de tijd dat mijn vader hier nog rondgelopen had. Er was sindsdien zoveel gebeurd. Het leek een eeuwigheid geleden. Loeke en Henny kwamen naar buiten om me te begroeten. Ze zagen eruit als twee typisch lange smalle onhandige pubers.

'Johanna!' Ze liepen luid roepend op me toe.

'Je bent er eindelijk! O, wat ben ik blij dat je ongedeerd bent.' Loeke nam het voortouw.

'Het wordt echt een leuke reünie, want *dedoushka* komt morgen ook', volgde Henny.

'Ik blijf wel niet lang. Volgende week moet ik terug naar Minsk', hielp ik hen uit hun dagdromen.

Henny ging me voor het huis in. Mijn moeder zat in de leunstoel van mijn vader in stilte te breien en keek even op toen ik haar op de wang kuste. Ze zei niets. Ik wendde me tot Loeke. Mijn blik vroeg woordeloos om opheldering. Mijn zusje hief haar schouders berustend op.

'Zo is ze tegenwoordig altijd.'

'Wie doet hier dan het huishouden?'

'Het lukt me aardig. En Henny is een grotere hulp dan je zou denken.'

'Als je wat nodig hebt, moet je het me laten weten.'

De rest van de avond ging op aan bijkletsen zoals alleen zussen dat kunnen. In alle vroegte arriveerde mijn grootvader. Maar het werd niet de hereniging die mijn zusjes hadden gehoopt. We hadden de ontbijttafel net afgeruimd toen er op de deur werd geklopt. Mama deed open.

'Papa! Wat is er gebeurd? Je ziet zo bleek.' Dat was de eerste en enige blijk van emotie die mijn moeder sinds mijn terugkomst toonde.

Ongerust kwam ik naar de voordeur om te zien wat er scheelde. Loeke en Henny volgden. Opa Alexander zag er oud en afgemat uit. Zwaar leunend op een stok strompelde hij het huis binnen.

'Maria... Ik kom bij jou sterven.'

Ik zoog een ogenblik mijn adem in en hield hem vast om de woorden van mijn grootvader tot me door te laten dringen. Hoe profetisch ze waren. Een dag later stierf hij in zijn slaap. Ik waste hem en baarde hem op zodat de weinige kennissen die we hadden hem nog een laatste groet konden brengen. Tijdens die ondankbare taak overdacht ik zijn leven. Hij had, net als mijn moeder meerdere oorlogen meegemaakt, maar hij had een goed leven gehad. Niet iedereen werd negentig in relatief goede gezondheid. *Dedoushka* had vooral in de tweede helft van zijn leven hard moeten werken maar had daarbij onvoorwaardelijk op de steun van mijn grootmoeder kunnen rekenen. De liefde en het wederzijdse respect tussen mijn grootouders was altijd mijn voorbeeld geweest van hoe ik later zelf gehuwd wilde zijn. Mijn moeder bleef bijna onbewogen bij de dood van haar vader. Het drong niet echt meer tot haar door. Drie dagen later begroeven we mijn grootvader. Met uitzondering van tante Sofie, die veel te ver woonde, waren alle andere nog resterende familieleden aanwezig. Bedroefd maar berustend om het heengaan van *dedoushka* vertrok ik terug naar Minsk.

Tegen midden oktober kwam ik tot de ontnuchterende vaststelling dat de Duitsers van plan waren om ons uit te hongeren. Bijna alles stond op de bon. We kregen te weinig om te kunnen overleven maar nog te veel om te kunnen sterven. Wie aan het langste eind wilde trekken moest op de zwarte markt aan woekerprijzen extra voedsel inslaan. Daarvoor had je werk nodig en dat was er nauwelijks, tenzij je bij de Duitsers erom ging smeken. Toen Boris eind september met Natasha kwam aandraven trok ik mijn stoute schoenen aan.

'Kun jij soms ergens werk voor me vinden?'

'Ik zal zien wat ik kan doen. Ik laat je wel iets weten.'

Weg was hij. Dat was nu typisch Boris. Hij maakte er niet veel woorden aan vuil. Alleen het hoogstnodige. Hij beschikte over een hele hoop interessante contacten want meestal kreeg Boris alles voor elkaar. Iedereen in het huis was sterk afhankelijk van deze weldoener. Extra voedselbonnen als de nood hoog was, onderduikadressen, een stipte postbedeling en werk. Ik begon te vermoeden dat de oudere mensen bij wie we bij woonden eigenlijk niet echt zijn ouders waren en dat Boris zelfs niet zijn echte naam was. Hij was een partizaan die zich vooral bezighield met het uitbreiden van een ondergronds inlichtingennetwerk en minder met het plannen van aanslagen tegen de bezetters.

Enkele weken later kreeg ik een kort berichtje van Boris:

J.
Meld je morgenvroeg aan bij het lazaret.
Luitenant Tanner verwacht je om 7 uur stipt.
B.

Plichtsgetrouw vroeg ik de dag erop om iets over zevenen naar luitenant Tanner. Groot was mijn verbazing toen bleek dat de bewuste luitenant een vrouw was in een smetteloos wit verpleegstersuniform.

Na de verplichte Hitlergroet die bij haar overtuigender geuit werd dan bij mij vroeg ze: 'Fräulein Johanna Brede?'

Ik knikte bevestigend.

'En je spreekt zowel Duits als Russisch?'

'Jawel, Fräulein. En ook nog Pools.'

'Interessant. Wat deed je hiervoor van werk?'

'Ik was leerkracht, Fräulein.'

Met die paar zinnen nam ze snel en efficiënt het sollicitatiegesprek af.

'Wel, als je bereid bent om in het vervolg op tijd te komen en een spoedcursus verpleegkunde te volgen, kun je meehelpen de patiënten te verzorgen.'

'Dank u, Fräulein.'

'Goed. Dan bezorgen we je een uniform.' Ze draaide zich om en gebaarde me haar te volgen. 'En je spreekt me aan met luitenant.'

Luitenant Tanner was een kordate vrouw die geen chaos in haar kwartier duldde. Maar ze was niet onmenselijk en ik kon de vrouw goed verdragen, zelfs al vertegenwoordigde ze de bezetter.

In een minimum van tijd kreeg ik eenzelfde smetteloos wit uniform aangereikt en kon ik inspringen in de lessen wondverzorging. Ik verwonderde me voor de tweede maal dat jaar over de efficiëntie waarmee de Duitsers deze oorlog voerden. De hele dag luisterde ik aandachtig naar de uitleg van de verpleegkundige. Haarfijn werd ons de kunst van het ontsmetten en verbinden aangeleerd. Praten met mijn collega's leerling-verpleegkundigen werd ten stelligste afgeraden. We werkten in stilte. Tegen de avond verzorgden we al enkele oppervlakkige wonden. Ik was moe en wilde me klaarmaken om naar huis te gaan toen plots een vrachtwagen met zeil over de laadbak het terrein opreed. Van onder het canvas stak een levenloos been uit en erbovenop lag een bord met een tekst op die ik van op die afstand niet kon lezen. De rustige sfeer in het veldhospitaal sloeg om. Er hing spanning in de lucht. Iedereen keek de vrachtwagen na die rechtstreeks naar een weide achter het lazaret reed.

'Wat gebeurt er daar?' vroeg ik nieuwsgierig aan de vrouw die net als ik haar schort afdeed.

'Dat zijn de drie partizanen die vandaag opgehangen zijn. Ze worden daar begraven, net als alle Russische slachtoffers die tot op heden overleden zijn.'

'Een massagraf?'

'Ja. De Duitse doden worden per trein naar huis gestuurd, de Russische dumpen ze hier.'

'Je meent het?' Ik geloofde haar eerst niet.

'Natuurlijk meen ik het. En als ik jou was zou ik er maar niet naartoe gaan. Het stinkt er verschrikkelijk.'

Ik werd misselijk en was blij dat ik naar huis kon.

Na een week was de intensieve opleiding achter de rug en konden we onder begeleiding van een ervaren frontverpleegkundige onze theorie op de Russische krijgsgevangenen uitproberen. Het veldhospitaal lag er vol van. De beelden die ik daar te zien kreeg, grensden aan het ongelooflijke. Het leek bijna op een film. Geen realiteit. Overal lagen mensen. Op bedden. Op de grond. Waar er maar plaats was. De stank van rottende wonden door bloedvergiftiging of koudvuur bleef me achtervolgen. De dagen waren lang en hard. Ik dacht toen vaak aan mijn verloofde. Wat was ik blij dat alles goed met hem ging. Dat idee hield me overeind.

Op een koude decemberdag hielp ik een zwaargewonde met eten. Ik trok een snee donkerbruin brood in stukjes en voerde hem. Op een gegeven moment viel een heel klein beetje brood tussen mijn handen op de witte lakens van het bed. Ik had het eerst niet gezien. Met een onmenselijke krachtinspanning hief de man zijn arm op, nam verontwaardigd over mijn verspilzucht de paar kruimels van zijn beddengoed en stak ze in zijn mond. De overlevingsdrang in de waterige ogen van mijn patiënt is me altijd bijgebleven. Het voelde aan als een slag in mijn gezicht. Dat wilde ik nooit meer meemaken. Na twee maanden werken als frontverpleegkundige bedankte ik voor de betrekking en nam ontslag. Voor mij was dat, ondanks wat me nadien nog overkomen is, de zwaarste periode uit mijn leven. In een kort briefje excuseerde ik me bij Boris en maakte me in afwachting van nieuw werk verdienstelijk als opvoedster in het weeshuis van mijn oude basisschool.

Kort nadat het vierde meisje in ons huis werd ondergebracht, werd er op een dag na de avondklok geklopt. Geruisloos opende ik de voordeur. Voor me stond een man in overall.

'Goedenavond. Zou ik hier onderdak kunnen krijgen?'

Ik twijfelde even. Normaal gebeurde alles via Boris, maar de avondklok was al gepasseerd en ik kon de man moeilijk met dit koude weer buiten laten staan. Boris' ouders debatteerden even en lieten hem toen binnen. De houding van de man deed bij mij een belletje rinkelen. Ik had genoeg officieren in mijn leven ontmoet om te weten dat deze man er, ondanks zijn plunje, onmiskenbaar één was. Mijn huisgenoten schenen niet door zijn vermomming heen te zien. Ik overwoog wat ik moest doen. Zwijgen en de man bij ons laten intrekken zou gevaarlijk zijn voor Sarah. Hem vragen te vertrekken vond ik onbarmhartig van mezelf. Na veertien dagen twijfelen klopte ik met mijn dilemma aan bij de man zelf.

'Goedemorgen, mijnheer. Mag ik u iets vragen?' Ik wist nog steeds zijn naam niet.

'Natuurlijk. Komt u binnen', nodigde hij me uit.

Ik sloot de deur van zijn kamertje.

'Waarmee kan ik u helpen?'

'Wel, ik weet dat u een Russische officier bent', begon ik. 'En vroeg of laat zal u de aandacht van de SS op u vestigen.'

De onbekende zweeg en liet me mijn uiteenzetting afwerken.

'Dan bestaat de kans dat heel dit huis wordt uitgekamd. U weet best dat u niet de enige bent die hier onderduikt. Ik vraag het niet voor mezelf, maar voor enkele anderen. Zij kunnen weleens gevaar lopen door uw aanwezigheid. Begrijpt u?'

'Ik begrijp het. Door mij lopen de jongedames gevaar.' Hij dacht even na. 'Hoe heb je het geraden?'

'Uw houding. Mijn vader, mijn grootvader en veel van mijn familieleden waren officieren. Mijn verloofde is er ook één. Ik ben er als het ware mee opgegroeid.'

'Dank u. Ik zal er gepast op reageren nu ik dat weet.'

Ik verliet zijn kamer, opgelucht dat het van me af was. Nog dezelfde nacht is de man spoorloos verdwenen. Een dag later kwam Boris op bezoek en vroeg me even met hem mee naar boven te gaan. Ik volgde hem tot in mijn slaapkamer, niet-begrijpend waaraan ik dat te danken had. Van zodra ik de deur sloot kreeg ik een verklaring voor Boris' verzoek.

'Dus jij vermoedde dat hij een officier was?' fluisterde hij. 'Ik wist dat je veel ziet, maar dat je zulke scherpe ogen had...'

'Waarom fluister je?'

'Omdat de muren misschien oren hebben. Ik werk voor de ondergrondse.'

'Dat dacht ik al. Boris is niet je echte naam en die oudjes beneden zijn ook niet je ouders.'

Boris knikte.

'Waarom zeg je me dat nu?'

'Wat zou je ervan denken om mee te strijden met de partizanen? Ik kan je scherpe ogen goed gebruiken.'

Ik dacht aan het lot dat veel verzetsstrijders deelden. Het beeld van de drie lijken op weg naar een anoniem graf stond me nog helder voor de geest.

'Het is niet zonder risico. Als ik gepakt word, sta ik er alleen voor.'

'Dat is waar. Maar je hebt er de juiste attitude voor. Jij bent nergens bang voor, Johanna. En laat me eerlijk zijn te zeggen dat je voorkomen, je manke loopstijl de ideale dekmantel is voor wat ik in gedachten heb', mompelde hij verder.

'Wat zou ik dan moeten doen?'

'Wel, we willen een nieuw informatiekanaal opzetten tussen Warschau en Minsk. Dat zou moeten lopen via een stadje op vijfentwintig kilometer van hier, Astrasytski Haradok. Maar daar hebben we niemand betrouwbaar voor handen om de inlichtingen aan te nemen en dan tot in Minsk te brengen. Daarom had ik aan jou gedacht.'

'Maar als ik daar plots zomaar ga wonen, valt dat toch op?'

'Daarom zorgen we voor een dekmantel. Van opleiding ben je leerkracht, dus is het niet abnormaal dat je gaat lesgeven in het weeshuis daar. Wees gerust, je aanstelling wordt in het grootste geheim geregeld. Niemand, zelfs je oversten niet, zullen weten waarom je daar echt bent.'

'Wat moet ik daar dan precies doen?' fluisterde ik.

Boris wilde eerst zekerheid betreffende mijn engagement.

'Dus je doet het?'

'Ja.'

De rest van de avond legde Boris me uit wat er van me verwacht werd. Ik stelde het me voor als een spannend avontuur. Het zou me de rest van deze oorlog wat te doen geven, en vechten tegen de verveling en eventuele piekerbuien stond hoog op mijn verlanglijstje. Ik leek een kind dat voor het eerst naar een verjaardagspartijtje mocht en zag de gevaren van mijn opdracht nauwelijks in. Boris zag het en maande me aan voorzichtig te zijn.

In het midden van januari pakte ik mijn spullen en vertrok uit Minsk. Van Boris had ik het adres gekregen van een arts die samen met zijn vrouw en dochter een huis in Astrasytski Haradok betrok. De man zelf was in het leger ingelijfd en was dus afwezig. De vrouw en haar dochter konden het gezelschap goed gebruiken nu ik als leerkracht in het weeshuis tewerkgesteld werd. Dat was de officiële uitleg.

In werkelijkheid zou ik nauwelijks thuis zijn. Het was de bedoeling dat ik me als tolk Duits-Russisch in de kommandantur binnenwerkte en daar onopgemerkt zoveel mogelijk informatie verzamelde. Ik mocht geen risico's lopen, zei Boris. Het was belangrijker onzichtbaar te blijven, dan net dat beetje informatie extra te verzamelen en gesnapt te worden want daar had Boris niets aan. Die inlichtingen zou ik dan, samen met de gegevens die ik van een gids uit Warschau zou ontvangen, op onregelmatige momenten tot bij Boris brengen onder het mom van een bezoekje aan mijn moeder. Het lukte. Als bij wonder kostte het me geen moeite aan de slag te gaan als tolk. Twee dagen na mijn komst in Astrasytski ging ik met knikkende knieën naar het Duitse hoofd-kwartier om mijn kandidatuur te stellen. Ik nam mijn opdracht serieus, dus had ik de grootste moeite gedaan om met beperkte middelen mijn uiterlijk te fatsoeneren, wetende dat Duitsers daar gevoelig voor waren. Van een vooroorlogs bruin herenkostuum had ik een mantelpakje weten te fabriceren met een rechte rok tot onder mijn knieën. Een beige blouse met schoudervullingen en geplooide inzet aan de manchetten vervolledigde mijn kleding. Omdat ik geen kousen meer had waar geen gaten in zaten, had ik van mijn hiel tot aan mijn dijbeen een naad getekend om de illusie compleet te maken. Mijn korte haren waren gekruld waar-bij ik het voorste deel naar achter had vastgestoken.

'Kan ik de commandant spreken? Het is in verband met de openstaande functie van tolk', vroeg ik aan de receptie.

'Dat zou tijd worden, we schijnen maar geen geschikte kandi-daat te kunnen vinden. Wie mag ik aanmelden, Fräulein?'

'Johanna Brede.'

Een keurige in uniform gestoken jongeman van rond de twin-tig belde even om te vragen of de majoor beschikbaar was. Dat was inderdaad het geval. Hij leidde me zonder verdere vragen tot vlak voor de deur van het kantoor. Ondertussen gaf ik mijn ogen goed de kost. De receptionist klopte voor me op de deur.

Een mannenstem riep kordaat: 'Binnen.'

Die stem herkende ik.

De soldaat opende de deur voor me, liet me passeren en sloot hem weer achter me. De man achter het kraaknette bureau was niemand minder dan majoor Schmitt. Ik wist niet of hij me herkende, dus liet ik het niet meteen merken.

'Goedemorgen, Fräulein Brede.'

Het gesprek verliep natuurlijk in het Duits.

'Goedemorgen, Herr Major.'

Mijn geweten had de grootste moeite met het volbrengen van de Hitlergroet. Uiterlijk was daar niets van te merken. Het doel heiligt de middelen, dacht ik.

'Laat dat maar, daarvoor zijn we veel te ver van Berlijn. Ik heb niet veel tijd. Waarvoor komt u, Fräulein?'

'Ik had graag de openstaande vacature als tolk ingevuld, Herr Major', kwam ik meteen ter zake.

'Juist, uw Duits lijkt me zeer goed. Waar hebt u het geleerd, Fräulein?'

'Thuis, Herr Major. Mijn vader is… was Oostenrijker.'

De officier keek verrast: 'En welke talen spreekt u nog zoal?'

'Naast Duits en Russisch ook nog Pools, Herr Major.'

'Hmm.' Majoor Schmitt overdacht even zijn beslissing terwijl hij me aandachtig van top tot teen in zich opnam.

'Ik ken u ergens van', murmelde hij.

Niet wetende of dat retorisch was of niet, nam ik het zekere voor het onzekere en beantwoordde zijn vraag.

'Ik ben tijdens het beleg van Mogilev met enkele schoolkinderen gestrand in een dorpsschooltje toen ik hen probeerde te evacueren. U hebt ons toen terug naar Minsk laten brengen, Herr Major.'

'Ah, nu herinner ik het me weer. Het idealistische leraresje.' De officier gaf me de indruk dat hij me maar een achterlijk wicht vond. Hij keek me nog even aan en hakte toen de knoop door: 'U lijkt me betrouwbaar, Fräulein Brede, dus ik neem u aan als tolk. Maar laat ik u niettemin waarschuwen. Ik heb de neiging meedogenloos te zijn als mijn vertrouwen in de medemens geschonden wordt. Begrepen, Fräulein?'

'Jawel, Herr Major.'

'U wordt betaald per opdracht en ik laat u roepen wanneer we u nodig hebben. U kunt gaan.'

Na de geijkte plichtplegingen draaide ik me om en verliet het kantoor van majoor Schmitt. Ik kreeg de indruk dat hij door de toegenomen druk bruter en bitser in de omgang geworden was dan een halfjaar geleden. Ik voelde me een beetje schuldig ten opzichte van de man die mij en de kinderen zo had geholpen. Maar tegenover de mogendheid die hij vertegenwoordigde, had ik minder moeite. Ik was vastbesloten mijn geheime opdracht naar behoren te volbrengen. Boris zou trots op me zijn.

Die winter liep het Duitse offensief tegen de Sovjet-Unie vast. Hitler had met Operatie Barbarossa een kilometerslang front gecreeerd van Leningrad over Moskou tot Rostov zonder voorgenoemde steden te kunnen bezetten. Hij had de reus Gulliver wakker gemaakt maar was vergeten hem vast te ketenen. Moskou was een belangrijke verkeersader en maakte het de Russische troepen mogelijk zich te bevoorraden. Wat niet gezegd kon worden van de Duitse strijdkrachten. Zij zaten mijlenver van hun bronnen en waren daarbij slecht voorbereid op de winter. Het zou de Duitse legertop in totaal achthonderddertigduizend doden en gewonden kosten. Ook aan onze kant vielen slachtoffers. Door Stalins grote zuiveringsacties tijdens de jaren dertig, ook onder de legertop, blonk de Russische krijgsmacht uit in inefficiëntie en incompetentie. Een op de tien landgenoten vond de dood, vooral in de bezette gebieden waar uithongering een oorlogstactiek van de asmogendheden was. Begin december voerde Japan een verrassingsaanval uit op de Amerikaanse oorlogsvloot in Pearl Harbor en trok zo de Verenigde Staten mee in wat tegen dan bekend stond als de Tweede Wereldoorlog. De meeste van die informatie kreeg ik van de immer betrouwbare Boris want de staatsomroep declameerde nog altijd dezelfde onzin als in het begin van de oorlog.

Gedurende een jaar ging alles goed. Dacht ik. Van maandag tot en met vrijdag gaf ik les in het weeshuis. Onderweg naar huis zorgde ik, zoals afgesproken, ervoor dat mijn veel te grote rieten handtas openstond zodat de Poolse gids zijn brieven dan eenvoudig in mijn tas kon laten glijden. Tijdens een dergelijke overdracht spraken we nooit tegen elkaar. Dat waren we de eerste avond dat ik in Astrasytski Haradok logeerde en hem in de tuin van het huis had ontmoet, overeengekomen. We wisselden mondeling enkel het hoogstnodige uit. Ik wist zelfs niet hoe hij heette. Boris had me alleen verteld hoe hij eruitzag en wat ons codewoord voor die eerste ontmoeting was. Hij zou me in het Russisch aanspreken met: 'Het zijn eenden.' En ik moest antwoorden: 'En ze kwaken.' De Pool had kortgeknipt zwart fijn haar dat strak tegen zijn schedel gekamd was. Geen baard of snor. Hij zag er wat geblokt uit maar was niet veel groter dan ik. Wat me opviel aan hem was dat hij altijd dezelfde kledij droeg: een wit hemd dat dringend aan een wasbeurt toe was en een zwarte broek die veel te kort was en met bretellen werd opgehouden.

's Avonds of in het weekend voerde ik geregeld vertaalopdrachten uit op de kommandantur. Dat kon een uit Berlijn getelegrafeerde verordening tegen Joden zijn die ik in het Russisch en Pools moest uittikken. Niet dat er nog veel Joden vrij rondliepen want de meesten woonden in een getto in een van de grootsteden. Soms moest ik mee als tolk bij ondervragingen van vermoedelijke partizanen, wat psychologisch behoorlijk zwaar was. Het kostte me bijna al mijn krachten om op die momenten onbewogen te vertalen wat er werd gezegd. Ik hield mezelf voor dat ik enkel als doorgeefluik van woorden diende, niets meer. Ik was daar niet echt aanwezig. Vooral omdat de bezetters er niet voor terugdeinsden hun slachtoffers te folteren om de vereiste informatie los te krijgen. Ik moest doorgaan om mijn dekmantel niet kwijt te raken. Mijn aanwezigheid was ook nuttig. Verzetsstrijders die door de knieën gingen alvorens ze geëxecuteerd werden, vertelden hun belangrijke informatie niet alleen aan de

Duitsers, maar via mij ook aan de ondergrondse. Aangezien ik van het netwerk enkel Boris en de Poolse gids kende, wist ik niet of de Duitsers veel schade aan onze organisatie toebrachten. Daarom kon ik tijdens zo een ondervraging zelfs niet in bedekte termen duidelijk maken dat ook ik een partizaan was. Een keer heb ik me echt in het nauw gedreven gevoeld toen een man me tijdens zijn verhoor rechtstreeks aansprak.

'Jij gore kleine judas! Wat voor een Russin ben je als je met die smeerlappen meedoet!'

Door mijn fijne gelaatstrekken kon ik gemakkelijk doorgaan voor een Duitse maar ik droeg geen uniform en mijn Russisch had een klein accent waardoor het slachtoffer feilloos wist dat ik uit Minsk kwam. Ik had de grootste moeite om niet te beginnen huilen en weg te lopen uit het lokaal of hem te vertellen wie ik werkelijk was en wat ik daar deed.

De man, al behoorlijk toegetakeld, ging door met zijn verwijten aan mijn adres: 'Wacht maar tot de partizanen van je verraad op de hoogte zijn! Dan leef je...'

Kapitein Lutz, de expert die de ondervraging leidde, verstond niet wat de Rus zei maar omdat ik niet vertaalde en er duidelijk gekwetst uitzag kon de Duitser al raden waar de uitlatingen van zijn prooi over gingen. Dus gaf hij hem met de rug van zijn hand een flinke klap tegen zijn slaap. Met de krop in de keel heb ik dat verhoor afgewerkt. De dag daarop werd de man opgehangen.

Het jaar dat ik bij de vrouw van de legerarts en haar dochter woonde, hield ik getrouw mijn dagboek bij. Ik pende er nog steeds mijn bedenkingen over de oorlog in, zonder gewag te maken over mijn activiteiten voor de ondergrondse. En maar goed ook.

In het begin van 1943 bevond de Tweede Wereldoorlog zich op een keerpunt. De inval en de bezetting van Stalingrad waren op niets uitgedraaid en de Duitse krijgsmacht had straat na straat moeten prijsgeven op de Sovjettroepen.

Begin februari kreeg ik een eerste van twee zeer vreemde dromen. In die nachtmerrie bevond ik me in een groot gebouw dat op instorten stond. Het zag eruit als een verlaten fabriekspand waarvan een deel van het dak en een hoek door een inslag verwoest waren. De rest van het dak helde zwaar naar binnen. In het midden van de ruimte stond Hitler. Onbewogen. Zijn rechterarm spaarzaam opgeheven in de Hitlergroet, zoals alleen de Führer dat deed. Het opmerkelijke aan zijn uiterlijk was dat hij een blauwwitte overall droeg. Ik wilde vluchten uit het gebouw, maar stootte op mijn weg steeds op een rij galgen. Om het even welke richting ik koos, steeds weer die galgen.

Ik besteedde niet veel aandacht aan die droom, maar omdat hij zo opmerkelijk was ben ik hem altijd blijven herinneren. Ik deed mijn werk gewoon zoals het van me verwacht werd, zowel het officiële als het officieuze gedeelte. Op een avond, kort nadat ik mijn dagboek terzijde had gelegd en het licht wilde doven voor de nacht, hoorde ik kort tikken op mijn vensterraam.

Tik, tik, tik.

Eerst dacht ik dat het misschien een tak van een boom was die tegen het glas aan tikte, maar toen overwoog ik dat dat niet kon, want er stonden geen bomen in de tuin van de arts.

Toen weer.

Tik, tik, tik.

Misschien een bericht van Boris? De avondklok was al gepasseerd. Ik schoof de overgordijnen opzij en opende het raam. Het zwarte hoofd van de Pool kwam tevoorschijn.

'Morgen breng ik weer post', zei hij bits.

'Waarom kom je me dat speciaal zeggen? Ik ben er toch altijd op voorbereid?'

'Omdat je het niet meteen naar je contactpersoon hoeft te brengen. Je mag wachten tot de volgende lading vooraleer je naar Minsk reist.'

Vreemd. Boris had me op het hart gedrukt alle boodschappen zo snel mogelijk door te spelen. Hoe sneller de carrousel draaide, hoe moeilijker het voor de bezetters was om te achterhalen hoe informatie van de ene naar de andere werd doorgespeeld. En nu zei mijn gids me dat niet te doen.

'Je had het dan toch meteen vanavond kunnen meebrengen?'

'Gaat niet. Ik heb het zelf nog niet ontvangen.'

De Pool was uit zijn humeur. Waarschijnlijk omdat hij nog zo laat uit huis had gemoeten. Ik probeerde dan maar om het nuttige aan het aangename te koppelen en nodigde hem uit.

'Nu je hier toch bent, waarom kom je niet even binnen voor een kop thee?'

Verbaasd, fronsend keek hij me even aan alsof hij me niet goed had verstaan. Dus herhaalde ik wat ik zonet had gezegd.

'Kom even binnen, dan zet ik wat thee.'

Even plots als de man opgedaagd was, verdween hij weer. Ik kon het niet vatten. Mijn schouders ophalend sloot ik het raam. Toen viel me iets te binnen. Om hem gunstig te stemmen had ik hem *in het Pools* uitgenodigd om iets te drinken en hij had me niet begrepen. Die Poolse gids kende zijn eigen taal helemaal niet! Alleen vlekkeloos Russisch. Daar zou ik het toch eens met Boris over hebben.

Die nacht kreeg ik een tweede visioen. Ik droomde dat ik het hele huis van de arts poetste. Alle meubels waren weg. Toen ik klaar was met mijn werk sloot ik de woning af en vertrok. Dat was het einde.

De dag daarop verliep zoals gewoonlijk. Ik liep na de lessen te voet van het weeshuis naar mijn logement, mijn rieten tas hing zoals altijd geopend in mijn rechterelleboog. Mijn pad liep door de winkelstraat. In tegenovergestelde richting zag ik mijn nachtelijke bezoeker aankomen. Ik deed alsof ik in een van de etalages keek en slenterde met opzet zijn richting uit waardoor we bijna verplicht waren tegen elkaar op te botsen.

'O, pardon.'

'Nee, het is mijn schuld. Het spijt me. Ik lette even niet op.'

Doordat we tegen elkaar aanliepen was een deel van de inhoud van mijn handtas op de grond gevallen. We bukten ons om alles snel terug in mijn tas te stoppen. Van de verwarring maakte de gids gebruik om er een briefje bij te steken. De overdracht was een feit. Zelfs twee toevallig passerende SS'ers die naar het tafereel keken, hadden niets abnormaals gemerkt. Ik stond weer overeind, verontschuldigde me nogmaals bij de onbekende voor mijn onhandigheid en vervolgde mijn weg. Nu moest ik maken dat ik thuiskwam met de gevaarlijke vracht in mijn handtas. Nietsvermoedend draaide ik de straat in waar ik woonde. In de verte zag ik weer twee geüniformeerde Duitsers die in tegenovergestelde richting wandelden. Ik herkende ze van op de kommandantur. Wel veel SS'ers op straat vandaag, dacht ik bij mezelf in de seconde voor ik doorhad dat de mannen op mij toeliepen. Ik kon niet meer ontsnappen. Als ik nu nog een andere richting zou nemen, liepen ze me zeker achterna. Te laat.

'Stop hier maar eens eventjes.' Dat was geen vraag.

Een vrachtwagen hield op dat moment halt naast ons en nog twee SS'ers stapten uit. Ik was omsingeld. Mijn hele lichaam daverde van de zenuwen. Mijn hart klopte tot in mijn tenen. Ik had me nog nooit zo angstig gevoeld maar deed mijn best daar niets van te laten merken.

Ik probeerde nietsvermoedend en luchtig over te komen: 'Wat kan ik voor u doen?'

'Die zak openmaken.' Dat was geen verzoek.

'Maar...'

'Openmaken! Nu!' Dat was een bevel.

Er zat niets anders op dan aan hun wens te voldoen. Met tegenzin bood ik hem de wijd opengesperde mond van mijn schoudertas aan.

De man die de leiding had, stak zijn hand in de tas en pikte als een kraai met duim en wijsvinger tussen alle rommel die doorgaans in zo een zak hoort te zitten, feilloos het briefje eruit. Vragend keek hij me van onder zijn kepie aan. Hij verwachtte nog geen antwoord.

'Meekomen!'

Hardhandig werd ik in de overdekte laadbak van de vrachtwagen geduwd. De twee SS'ers gingen links en rechts van mij op de harde houten bank zitten. Onderweg naar de kommandantur overdacht ik mijn situatie. Ze hadden vooraf geweten naar wat en bij wie ze op zoek moesten gaan. Iemand had hen getipt.

Op de bestemming aangekomen werd ik rechtstreeks naar het bureau van majoor Schmitt geleid. Die was, zoals hij beloofd had, meedogenloos. Als een van zijn medewerkers had ik zijn vertrouwen beschaamd en dat knaagde aan de man. Van het beeld van de vriendelijke militair die dertig kinderen terug bij hun ouders had gebracht, bleef niets meer over.

'Johanna Brede! Bedankt men zo zijn werkgever? ... Door als boodschapper van het verzet te fungeren! ... En dan nog een halve Oostenrijkse! ... Ik wist dat er een informant in het dorp was. Een poetsvrouw, een klerk, het kon eender wie zijn, maar jij! Zetten die partizanen nu ook al achterlijke kreupele kinderen in! ... Ongelofelijk!'

Majoor Schmitt bleef maar doorgaan met zijn tirade. Hij was woedend omdat hij op zijn zwakke plek geraakt was. In het begin probeerde ik er nog onderuit te komen met een schuchtere 'Ik weet niet waarover u het heeft, Herr Major'.

Met een harde klap van de rug van zijn hand legde de assisterende kapitein me het zwijgen op. Ik bloedde aan mijn rechterwenkbrauw maar het deed niet zoveel pijn als ik had gedacht. Mijn ervaring met verhoren vertelde me dat ik beter mijn mond hield of een interessante bekentenis, waar of niet, aflegde en het meeste over me heen liet gaan als ik niet nog meer fysiek geweld te verduren wilde krijgen. Kapitein Lutz wist namelijk perfect hoe hard en hoe lang hij op zijn slachtoffers kon inbeuken.

In het midden van zijn monoloog hoorde ik plots een vraag die wel een antwoord vereiste: 'Wie is je opdrachtgever in Minsk? Vertel op!'

'Ik weet echt niet...'

Op het teken van Schmitt gaf de kapitein me een klap in de nek. Ik zag sterretjes en heel even werd het zwart voor mijn ogen waardoor ik mijn evenwicht verloor en op de grond viel. Lutz nam een stoel uit de hoek van het vertrek en zette die in het midden van de kamer. Ik werd erop neergepoot. Toen klopte er iemand op de deur. De ondervraging werd onderbroken.

'Binnen!' blafte de majoor.

Het donkere gezicht van de zogenaamde Poolse gids keek om de deur. In plaats van een vuil wit hemd en veel te korte broek droeg hij een perfect zittend SS-uniform. Onze blikken kruisten elkaar. Herkenning. De majoor zag mijn verbijstering en besefte dat er gehandeld moest worden. Op een knikje van Schmitt gingen hij en de kapitein naar buiten met hun agent. Mij alleen achterlatend.

Ik had het moeten weten. Ik, Boris, de hele ondergrondse waren erin geluisd. Wat was ik kwaad op mezelf dat ik niet voorzichtiger was geweest. Gisteren, toen ik ontdekt had dat mijn correspondent geen Pools en Russisch zonder accent sprak, had ik naar Boris moeten gaan. Met mijn mouw depte ik even de wond aan mijn oog. Het moment alleen in het kantoor gaf me de mogelijkheid na te denken over een ontsnappingsroute maar dat idee borg ik meteen weer op. Er waren geen ramen of andere deuren in de kamer. Anders hadden ze me natuurlijk niet alleen gelaten. Zelfs informatie zoeken zou nu niet kunnen want in het geordende kantoor was nergens een rondslingerend blad papier te vinden. De werktafel van de commandant was leeg, op een lamp en wat pennen in een pot na. En een donkerblauw schriftje. Mijn dagboek!? Ik dankte mezelf inwendig dat ik daar nooit iets aan had toevertrouwd over mijn werk als partizaan.

Schmitt en Lutz kwamen terug binnen.

'Laatste keer. Wie was je opdrachtgever in Minsk?'

Ik antwoordde niet. Op een teken van Schmitt, die natuurlijk zelf zijn handen niet wilde vuilmaken aan het werkje, plantte Lutz zijn vuist tegen mijn neus. Ik donderde van de stoel op het tapijt. Mijn neus bloedde. Het veroorzaakte vlekken op de vloerbedekking. De majoor zag het en maakte daarom een einde aan de ondervraging.

'Stop maar. Een nachtje in de kelder zal haar wel doen inzien dat ze beter kan praten.'

Iedere dag werd ik door Lutz even uit mijn cel gehaald.

'Aan wie moest je de brieven overhandigen? Wie was je opdrachtgever?'

Ik loste niets, dus kreeg ik een paar klappen. De kapitein mikte altijd op mijn hoofd en ik kon voelen dat hij niet echt doorsloeg. Een lijk vertelde natuurlijk niet veel meer of misschien dachten ze dat ik zelf ook niets meer wist te vertellen en alleen maar als boodschapper diende. Van mijn spionage op de kommandantur had niemand weet. Alleen Boris.

Ik zweefde tussen bekennen of koppig volhouden. Na een week had ik er schoon genoeg van. Een gescheurde lip, twee pijnlijke ogen, barstende hoofdpijn en een opgezwollen verstopte neus van de bloedingen. Ik wist niet meer hoe ik moest zitten of liggen zonder pijn te hebben. Daarbovenop gaf ik bijna voordurend over, hoewel ik niets te eten kreeg. Lutz kwam mijn cel binnen. Zijn vuisten klaar om toe te slaan.

'Wacht! Nee! Ik zal vertellen wat ik weet. Breng me bij Major Schmitt.'

De kapitein sleurde me aan de kraag van mijn blouse mee naar het bureau van de commandant. Tot op dat moment had ik er geen idee van hoe ik eruitzag. De blikken van afgrijzen en sommige van medelijden die me aankeken, vertelden me genoeg. Het was vermoedelijk geen prettig gezicht.

Enkele momenten later stond ik opnieuw in het midden van het overbekende kantoor.

'Goed, Fräulein. Ik luister', zei hij overdreven vriendelijk.

De majoor zat met de handen gevouwen voor zijn buik naar me te kijken. Geduldig.

'Herr Major, ik weet echt niets. Nee, niet slaan!'

De kapitein stond alweer klaar om een rake klap uit te delen.

'Geef haar even respijt, Lutz, wil je.'

Ik herkende een deel van de oude Schmitt.

De kapitein trok zich terug.

'Ik kan u niet helpen. Ik weet alleen dat ik die berichten naar een vervallen pand in het centrum van Minsk moest brengen en daar in een lege doos moest leggen. Dat is alles. Ik weet van geen netwerk, contactpersoon of wat dan ook.'

'Waar was dat vervallen pand?'

Ik noemde een straat in Minsk waarvan ik niet eens zeker was of die bestond. Om mezelf tijd te kopen en hieruit te geraken.

'Goed. Ik geloof je. Vooral omdat je in je dagboek ook geen verdere melding van je taken hebt gemaakt.'

Hij wees op het schrift dat nog steeds op zijn tafelblad lag. Mijn list had gewerkt. Na een week nadenken in mijn cel vermoedde ik dat de commandant me nog altijd als een simpele boodschapper zag die niet echt intelligent was. Mijn dekmantel als mankende invalide onderwijzeres had het juiste mistgordijn opgehangen. Ze hadden mijn aandeel onderschat, net zoals Boris had voorzien. Dat wilde ik uitspelen om levend uit de kommandantur te geraken.

De majoor stond op en nam mijn dagboek in beide handen: 'Maar je moet begrijpen dat ik dat niet ongestraft kan laten.'

Ik vermoedde dat hij het over de kritiekvolle inhoud van mijn dagboek had, maar het kon ook zijn dat hij naar mijn opdracht als boodschapper verwees.

'Je wordt op de volgende trein naar Duitsland gezet. Ze hebben daar nog werkvolk nodig.'

Om zijn woorden kracht bij te zetten scheurde Schmitt het schrift in één ruk in tweeën en smeet het voor mijn voeten op de grond. Hij nam zijn pen en boog zich over de paperassen waar hij voor mijn intrede mee bezig was geweest. Voor hem was de zaak hiermee afgesloten.

'Nee! Laat me alstublieft hier blijven. Ik kan mijn moeder en zusjes niet alleen achterlaten.'

Ik kende de verhalen van Boris die overgewaaid waren over de werkkampen in Duitsland en Polen. Niemand hield het daar langer uit dan een jaar. Velen stierven door uitputting of honger.

Iedereen werd er als een hond behandeld en diegene die niet snel genoeg mee konden werden ter plekke afgemaakt als beesten.

'Kind! Je weet het misschien niet, maar het einde van de oorlog is nabij. En wanneer wij hier moeten terugtrekken laten we voor jouw landgenoten geen spaander meer heel. Geloof me maar als ik je zeg dat ik je een dienst bewijs door je op die trein te zetten. Daar heb je veel meer kans op overleven dan hier. Afvoeren!'

De kapitein nam me bij de schouder, iets zachter dan de voorbije week, en bracht me terug naar mijn cel. Alleen. Na een halfuurtje of zo kwam hij terug met een kleine maaltijd en mijn schoudertas. Als een uitgehongerde hyena stortte ik me op de homp brood en schrokte ik in twee teugen het brakke water naar binnen. Het slikken deed pijn. Ik keek in de tas. De meeste van de spullen die erin zaten hadden ze eruit gehaald. Hij was leeg op mijn identiteitspapieren na. Ik keek in het zijvakje om te zien of daar nog wat bruikbaars in zat. Een verfrommeld papiertje. Een wrange glimlach versierde mijn gehavende gezicht toen ik het briefje openvouwde en herkende. Zelfs lachen deed pijn, dacht ik sarcastisch. Het was het programma van de laatste film die ik met Arlov gezien had, *Tanker Der Bent*, op 22 juni 1941. Hij had er de datum nog opgeschreven.

Deportatie en bevrijding

Astrasytski Haradok, maart 1943

'Verdomme!' dacht ik hardop in mijn kerker.

Ik had het einde van de oorlog niet gehaald. De bezetters verloren op dat moment grote delen van de Kaukasus en ik was nog net in hun handen gevallen. Ik zou naar Duitsland gedeporteerd worden en kon Boris niet op de hoogte brengen van die SS-infiltrant of van het feit dat ik opgepakt was. Ach, hij zou wel weten hoe laat het was als ik niet meer kwam opdagen met post uit Polen. Boris zou Arlov dan wel waarschuwen. Maar mijn moeder en zusjes. Hoe moest ik hun laten weten waar ik zat?

Die nacht in mijn cel in de kelder van de kommandantur was de laatste in mijn thuisland. De dag daarop, bij de eerste dageraad werd ik uit mijn gevangenis gehaald en geboeid naar de binnenplaats gebracht. Daar stonden nog een tiental zwaar toegetakelde Russen naast een beestenwagen. Allemaal mannen. Slachtoffers van Lutz zijn vuisten. De ijzeren deuren van de vrachtwagen werden geopend. Op de vloer van de laadbak lag nog wat oud stro en mest. Van de vorige passagiers. Een soldaat bevrijdde me van mijn handboeien en duwde me richting de beestenwagen. Er was geen trapje om in de laadbak te klimmen. Een medegevangene hielp me erin te klauteren. De muil van mijn nieuwe woonst sloot zich achter me. Nog geen minuut later vertrokken we naar een voor ons onbekende bestemming.

De enige verluchting kwam van een smalle horizontale opening bovenaan in de zijkant. Te smal om door te ontsnappen. Het eerste uur stond iedereen rechtop, ik ook, hoewel ik het moeilijk had me staande te houden. Na twee uur hield ik het niet meer en ging zitten. In de mest. Anderen volgden mijn voorbeeld. We zwegen. Iemand deed zijn behoefte in een hoek van de rijdende ruimte. Ik kreeg honger maar we stopten niet. Door het raampje zag ik dat het donker begon te worden. Een man, die heel de dag naast me had gestaan, viel plots uitgeput tegen me aan en gaf over. Vlak voor mijn voeten. Ik werd misselijk en kreeg opnieuw hoofdpijn. Om het ellendige gevoel dat in me opkwam te kunnen negeren, legde ik mijn armen op mijn opgetrokken knieën en rustte er mijn hoofd op. Ik probeerde wat te slapen. Dat lukte gedeeltelijk.

Ik werd wakker van een scherp piepend geluid. Metaal wreef op metaal.

'We zijn gestopt.'

Het waren de eerste woorden die iemand sinds ons vertrek uit Astrasytski uitsprak. Oef, we worden hieruit gehaald, dacht ik. Maar dat gebeurde niet. Hoe lang we nog in de laadbak zaten, weet ik niet. Pas tegen zonsopgang de dag erop deed een ongeüniformeerde man de deuren van de beestenwagen open. Een voor een klommen we uit de laadbak. Niemand had de energie mij er dit keer uit te helpen. Met een duw van een plots opduikende bewaker belandde ik op de grond.

'Doorlopen!' Hij wees de richting aan waarin ik werd verwacht te gaan.

We kregen geen boeien om. Misschien was het nu het ideale moment om te vluchten? Ik keek rond. De moed zonk me in de schoenen. Het wemelde van de Duitse soldaten. Er bestond veel kans dat ik doodgeschoten zou worden bij mijn poging. In stilte bad ik om een betere mogelijkheid. We werden in een lange rij naar een wachtende goederentrein geleid. Langs alle kanten riep men op ons in het Duits.

'Sneller!'

'Vooruit! Doorlopen!'

'Ingerukt, domme honden!'

Wie te traag vooruitstrompelde, kreeg een slag van een knuppel. Een houten hellend vlak stond voor de schuifdeur van een lege container. Ik was de tweede die instapte. De vloer was in ieder geval hygiënischer dan die van de vrachtwagen en in de hoek stond een emmer die dienstdeed als toilet. Er hing een rare lucht in de container. Ik herkende hem van enkele jaren daarvoor. Een mengeling van sterke zeep met de weeë geur van rottende lijken prikte in mijn neus. De kloppende pijn aan mijn slapen en in mijn nek werd nog erger. Andere groepen gevangenen werden de ruimte ingeleid. Het werd druk. Overvol. Sommigen smeekten om meer plaats. Er werd geduwd en getrokken. Toen schoof de grote ijzeren deur onherroepelijk dicht. Het was donker. Wanneer stopte deze martelgang? Ik begon de hoop op een goede afloop bijna te verliezen. In tegenstelling tot mijn moeder was ik aan het begin van de oorlog vastbesloten geweest me niet te laten kraken. Maar nu, na dagen van afranselingen, nauwelijks eten en de erbarmelijke omstandigheden waarin we vervoerd werden, dreigde ik onder het gewicht van de vertwijfeling te bezwijken. Dat was mijn gemoedsgesteltenis tijdens die tocht. Ik had geen enkele notie meer van tijd of ruimte. Hoe lang de reis geduurd heeft, weet ik niet. Een dag, twee dagen? Heldere momenten wisselden af met vlagen waarin ik buiten bewustzijn dreigde te vallen. Soms stond de trein stil, soms reed hij. Enkelen stierven tijdens de tocht. Hun lichamen werden op elkaar in de hoek tegenover de toiletemmer gelegd. Niemand rouwde om hun heengaan.

Het eerste wat ik zag toen de grote ijzeren schuifdeur weer licht binnenliet, was een jongetje in een korte broek. Zijn blonde hoofd piepte net boven de onderkant van de deur. Met een stok in de hand dreef hij ons als vee naar buiten. Daar stonden meer jongens, nauwelijks volwassen, in dezelfde korte broekjes om ons de weg te wijzen. Ze dwongen ons in twee lange rijen, evenwijdig met de trein, plaats te nemen.

'Inspectie. Stilte iedereen!'

Dat laatste was onnodig want niemand sprak.

Ik stond vooraan. Een arts in uniform met een open witte doktersjas erover liep traag langs de colonne. Zijn blik rustte nauwelijks enkele seconden op iedere gevangene. Hier en daar pikte hij er iemand uit. Die werd dan apart gezet. Betekende dat redding? Of niet? Het groepje zag er extreem ondervoed en ongezond uit. Ze droegen bijna allemaal een davidster op hun rechtermouw. De geneesheer kwam dichterbij. Ik nam het zekere voor het onzekere en probeerde er op mijn voordeligst uit te zien. Ik rechtte mijn rug en klopte vlug wat stof en vuil van mijn kledij. Misschien ging ik daardoor zwaarder werk moeten uitvoeren, maar alles was beter dan het risico te lopen gefusilleerd te worden. De man hield zijn pas in toen hij vlak voor me stond. Het angstzweet brak me uit. Uitdrukkingsloos keek ik naar een punt achter de arts. Naar de horizon. Zijn priemende blik ontwijkend.

'Mond open.'

Ik deed wat van me gevraagd werd. Hij bekeek mijn tanden even en liep toen weer verder. Ik was opgelucht en nam even de tijd om de omgeving in me op te nemen. Er was niets. Geen station, geen straten. Nergens liepen toevallige voorbijgangers. Links stond een groot stenen gebouw. Rechts drie rijen van vier houten barakken. Het artificieel opgetrokken dorpje werd omringd door een hek van prikkeldraad. Een houten plaat waarschuwde ons dat die onder stroom stond. Op regelmatige afstand werd de omheining onderbroken door een houten uitkijktoren van waaruit een wacht de omgeving in de gaten hield. Achter me liepen de treinsporen. Rond het kamp niets dan velden tot zover het oog reikte.

Het medische onderzoek was afgelopen. Het afzonderlijk gehouden groepje werd in een vrachtwagen geduwd en verdween. De jonge bewakers dreven de achterblijvers richting het grote gebouw. Binnen bevonden we ons in een grote kale ruimte. Een van de jongens dwong ons ons uit te kleden.

'Alles op één hoop, ook je ondergoed.'

Mannen en vrouwen door elkaar. Ik treuzelde. Voor mij, een meisje dat zich nog nooit naakt aan een man had getoond, was dat uiterst vernederend. Met tegenzin deed ik, net als de anderen, wat er van me verwacht werd. Eenmaal uitgekleed keek ik ongemakkelijk naar een nietszeggend punt op de vloer. De blikken van de jeugdige mannelijke bewakers verlustigden zich aan mijn ontblote lichaam. De tranen welden op, maar ik drong ze terug. Ik stond mezelf niet toe te huilen. Ze mochten niet zien hoe krenkend, beledigend ik heel de situatie vond. Een desinfecterend middel werd op ons gestrooid waarna iemand een grote brandslang ter hand nam en ons op een douche trakteerde. Het koude water rook naar chloor en na een tijd deed het pijn aan mijn tenen en mijn vingers. Dezelfde pijn als toen ik bijna was doodgevroren in de sneeuw. Weer werden er enkele uitgekozen. Ze hadden allemaal zweren en kregen een stempel op het hoofd. Na het stortbad knipten ze onze haren kort en mochten we onze kleren uit de grote stapel zoeken. Haastig kleedde ik me weer aan. Gevangenen met een stempel kregen een aparte barak toegewezen in de verste hoek van het kamp. Bij de overblijvers werden de mannen en de vrouwen nu van elkaar gescheiden. Men stuurde mij samen met de andere vrouwen naar een grote barak vooraan. Die had verschillende ramen waardoor het redelijk licht was binnen. De ruimte stond vol met roodgeschilderde ijzeren stapelbedden, twee per twee. De lakens van het bed dat ik kreeg waren vochtig. Het plafond lekte. Maar dat deerde me niet. Uitgeput legde ik me neer en viel in een lange diepe slaap. Gedurende het hele gebeuren had ik gezwegen, in mezelf gekeerd, gefocust op overleven. De afvallingskoers was zenuwslopend geweest maar ik had het doorstaan.

'Wakker worden. Of wil je geen eten?'

Het porren aan mijn schouder haalde me uit mijn slaap. Het aroma van gekookte aardappelen bevestigde wat de onbekende had gezegd. Ik kreeg na meer dan een week eindelijk warm eten! In een luttel moment sprong ik van mijn brits en liep naar buiten. Een lange rij schoof aan langs een veldkeuken. Elke medegevangene ontving een portie in zijn gamel. Ik had geen.

'Hier. Van je voorgangster.'

Het meisje dat zo vriendelijk was geweest me wakker te maken duwde het benodigde eetgerief in mijn handen.

'Waar is die dan nu?'

We schoven achteraan in de file aan.

'Die dacht dat ze slim was en liet zich zwanger maken door een van de wachten.'

'Hoe bedoel je?'

'Wel, sommige vrouwen denken zo terug naar huis te kunnen, maar wie niet meer kan werken of op het punt staat te bevallen krijgt een stempel en gaat naar daar.' Ze wees naar de verste barakken die er nu doods en verlaten bijstonden.

'Ik heet Christina. En jij?'

'Johanna.'

De colonne vorderde snel en het was mijn beurt om het bord te laten vullen met een waterachtige brij die voornamelijk uit aardappelen en bruine bonen bestond. Geen vlees, maar het deerde me niet. Ik had honger en zette me ongestoord tussen mijn medegevangenen in de modder. Christina volgde mijn voorbeeld. In een vloeiende beweging, alsof het bandwerk betrof, duwde ik de ene na de andere lepel puree in mijn mond.

'Wees blij dat je in dit kamp zit', mompelde ze onder het eten.

Vragend keek ik haar aan.

'Als je geluk hebt, word je uitgekozen om te werken in een van de bedrijven hier in de buurt.'

'Hoe lang zit jij hier al?'

'Twee maanden.'

'Waar zijn we hier eigenlijk?'

'Wittenberg.' Christina schraapte met een laatste beslissende haal haar gamel leeg. 'Aan de Elbe.'

De daarop volgende weken verliepen in hetzelfde stramien. Tweemaal per dag kregen we dezelfde vieze brij te eten. Net genoeg om van te kunnen leven. Op zondag een homp brood erbij. Heel af en toe kwam een boer of een ondernemer uit de omgeving werkvolk ophalen. Telkens wanneer een nieuwe lading dwangarbeiders per trein werd ontvangen, doken de jongens in hun korte broekjes op om hen door de selectieprocedure te loodsen. De dagen werden gevuld met praten en slapen. Vooral slapen, want iedereen bleef angstvallig op zichzelf. De verveling sloeg snel toe. Wachten op werk, dat was het enige wat er te doen viel. Ik wilde een brief naar huis schrijven, maar ik mocht niet. Regelmatig was er een inspectie. Wie niet gezond genoeg meer was om te kunnen werken, kreeg een stempel en verdween naar de achterste barrakken. Hen zagen we nooit meer terug.

Op een avond, iedereen was net in bed gekropen, werden we opgeschrikt door een afgrijselijke gil. Doordat ik in het bovenste bed lag, kon ik gemakkelijk door het raam naar buiten kijken en zien wat er was gebeurd. Iemand uit het verste deel van het kamp had zich uit pure wanhoop tegen de onder stroom staande omheining gesmeten. Zijn levenloze lichaam hing vast tussen de prikkeldraden. Het deed me vreemd genoeg niets. Ik draaide me om en ging slapen. Ik weet wel nog dat ik blij was dat ik tenminste geen stempel had gekregen. Het stoffelijk overschot van de geëlektrocuteerde man heeft nog twee dagen in de omheining gehangen. Als afschrikmiddel voor de andere gevangenen. Pas toen de stank niet meer te harden was, werd het lijk weggehaald.

Uiterlijk zag ik er kalm, berustend uit. Ik onderging gelaten mijn straf. Vanbinnen gierden de zenuwen door mijn lichaam. De voortdurende spanning waaronder ik probeerde te overleven zorgde ervoor dat ik sinds het verlaten van Rusland mijn maandstonden niet meer gekregen had. Ik kan met geen pen de angst beschrijven die ik in het kamp voelde. Het was alsof dit niet met mij gebeurde, maar met iemand anders. Ik was slechts een toevallige toeschouwer van een gruwelijk toneelstuk. Een tragedie.

Eind april kwam een boerin iemand uitzoeken om haar te helpen bij het werk. Alle vrouwen werden uit hun bed gehaald en moesten buiten in vier rijen staan. De gezette vrouw met kortgeknipt bruin strohaar liep door de rijen en monsterde hier en daar een vrouw beter. Ze liep terug naar voren en fluisterde iets in het oor van de kampoverste.

'Wie spreekt Duits?'

Een uitgelezen kans om weg te raken uit deze nachtmerrie. Ik stak mijn hand op, samen met nog drie andere vrouwen.

'Alle andere kunnen gaan!' riep de kampoverste.

De boerin keurde ons alle vier en wees toen naar mij.

'Jij, wat is je naam?' blafte de bewaker.

'Johanna Brede.'

'Arbeidskaart gaan halen! Je gaat met Frau Schulze mee!'

De druk viel van mijn schouders weg. Ik kon gaan.

Ik besefte het toen niet, maar de voorkeur van Frau Schulze zou me een stap dichter bij mijn moeder brengen. Maar mijn thuisland zou ik nooit meer weerzien. Meer dan anderhalf jaar, van 30 april 1943 tot 15 december 1944 heb ik als dwangarbeidster gewerkt in de meiklokjeskwekerij van hovenier Otto Schulze in Lutherstadt. De familie was vriendelijk voor me. Ik kreeg genoeg te eten, een bed in de kleine bijkeuken waar een turfkacheltje me tegen de kou beschermde, en oude kleren van de boerin vervingen de smerige versleten jurk die ik droeg sinds mijn deportatie uit Wit-Rusland, meer dan een maand geleden. Ik hielp met oogsten en planten, leerde de koeien melken, hielp bij de boodschappen en deed het zwaardere huishoudelijke werk.

In het kamp had ik het ergste gehad. Niettegenstaande ik een betrekkelijke vrijheid genoot, vreesde ik bijna dagelijks voor mijn leven. Dwangarbeiders waren verplicht een kenmerk op hun kledij te dragen. Het teken bestond uit een blauw doekje met in witte letters 'OST', van Ostarbeiter. Het werd over een plaatje gespannen en van een speld voorzien zodat ik het gemakkelijk op verschillende kleren kon vastmaken. Je kon me van ver herkennen en net zoals de Joden in het begin van de oorlog werden dwangarbeiders op straat het mikpunt van spot en pesterijen. Ongestraft kon men alles met je doen. Ik zag Duitse soldaten die dwangarbeiders verplichtten te strippen in het midden van een besneeuwde straat waar iedereen, inclusief kinderen, hen kon zien. Of een gefrustreerde SS'er die zijn pistool leegschoot op een voorbijlopende Ostarbeiter. Zomaar. Omdat zijn aanwezigheid hem ergerde.

Ik ging niet graag zonder begeleiding van Frau Schulze om boodschappen. De boerin wilde haar gratis werkkracht niet kwijtraken en zag er daarom niet tegenop me te vergezellen. Haar aanwezigheid naast me op straat heeft me meermaals het leven gered. Het enige dat ik niet mocht, was contact opnemen met mijn achtergebleven verwanten in de Sovjet-Unie. In die achttien maanden had ik gemakkelijk kunnen vluchten. Maar waar naartoe? Met welk transportmiddel? Ik zag weinig kans om levend tot in Minsk te geraken, dus bleef ik waar ik was. Het einde van de oorlog rustig afwachtend.

Er waren immers genoeg signalen dat die bijna voorbij was. Die zomer, op 6 juni 1944, waren de Amerikanen geland in Normandië. In Italië werden de restanten van Rommels leger teruggedrongen tot boven Rome. In Oekraïne werd de bevrijding gevierd. De Duitsers werden bang.

In juli kwam een Kroatische officier, Marko Horvat, tijdelijk bij de familie Schulze inwonen. Hij was gedurende één maand in verlof alvorens terug te keren naar zijn eenheid aan het oostfront. Zoals iedere soldaat vertelde hij honderduit over zijn belevenissen op en naast het slagveld.

'Die Wit-Russen zijn zo een vriendelijk volk. Ik vergat bijna dat het oorlog was en wij hun land bezetten. Er was zelfs een dametje zo vriendelijk om mijn was te doen. Tegen een kleine vergoeding uiteraard.'

Ik mengde me niet in het gesprek en kookte in stilte verder het avondmaal.

'Dat weten we. Johanna, onze meid, is ook een Wit-Russin. Grappig klein ding', mompelde Otto in zijn pijp.

Marko wendde zich tot mij: 'Zo. Waar kom je dan vandaan?'

'Uit Alexandrovka. Maar ik woonde op kamers in Minsk, mijnheer.'

'Jammer, ik was in Bobrujsk gestationeerd.'

'O. Maar mijn moeder en twee zusjes wonen nog in Bobrujsk.'

'Je meent het! Twee zusjes, zei je? Heten die soms toevallig Ludmilla en Hendrica Brede?'

'Loeke en Henny, ja. Kent u ze?'

'Natuurlijk! Het zijn de dochters van Maria, mijn wasvrouw. Nu je het zegt. Ze heeft me eens verteld dat ze nog een dochter had die al meer dan een jaar spoorloos verdwenen was.'

Wat een toeval om in de chaotische tijd iemand tegen te komen die mijn familie kortgeleden nog gezien had. Ik was enthousiast en dolgelukkig als een klein kind. Ik vroeg de Kroaat de oren van het lijf over mijn moeder en zussen. Otto en zijn vrouw zagen wat het nieuws over mijn naasten met me deed en gaven toestemming een brief aan mama te schrijven en mee te geven met Marko toen die vier weken later weer vertrok. Een boodschap aan Arlov of Boris durfde ik niet mee te geven. Stel dat hij mijn post zou openmaken en lezen.

In spanning wachtte ik op antwoord. Het duurde twee maanden voor dat kwam.

Johanna,

Van Herr Horvat kreeg ik het heuglijke nieuws dat alles goed met je gaat en dat de familie Schulze uitstekend voor je zorgt.

Toen ik hoorde dat je nog leefde en hoe je in Duitsland bent geraakt, ben ik naar de kommandantur in Astrasytski Haradok getrokken en heb aan majoor Schmitt alles over

onze Duitse afkomst uitgelegd. Mijn familienaam is vol-
doende om ons allemaal het statuut van Rijksduitsen te ver-
lenen. In bijlage vind je de nodige papieren die dat bewij-
zen. Hierdoor wordt een hereniging mogelijk.
Ik hoop je zo snel mogelijk te zien op ons nieuwe adres in
Litzmannstadt, Polen.

Hoogachtend,
Je moeder

Mama had niet stilgezeten. Bij haar Duitse brief zat een papier waarin stond dat mijn werkstraf onderbroken werd, een paspoort dat vermeldde dat ik vanaf nu Rijksduitse was en wat geld voor een treinticket. Het was bijna voorbij. Ik ging naar huis. Dat dacht ik. Tijdens de treinreis naar Lódz kreeg ik voor het eerst weer mijn maandstonden. Het weerzien met mijn moeder was voor haar doen uitzonderlijk warm en hartelijk. Haar laatste restje levensenergie had ze in onze hereniging gestoken. Ze sprak nog nauwelijks en was nog meer in zichzelf gekeerd dan vroeger het geval was. Mijn zussen en ik waren opgelucht dat we elkaar in dit leven mochten terugzien. Loeke en Henny knuffelden me tot ik bijna stikte. Ik had hen gemist met iedere vezel van mijn lichaam en voelde me schuldig dat ik hen al die jaren met mijn moeder alleen had gelaten. De eerste nacht sliepen we met zijn drieën in hetzelfde bed in een voormalig Joods huis in Warschau dat door de nazi's geconfisqueerd was.

Een week lang voelde het aan alsof ik met vakantie was. Alleen bij het boodschappen doen werd ik eraan herinnerd dat we door het oog van de naald gekropen waren. Om de nodige voedingsmiddelen te kunnen kopen moest ik een korte rit met de tram ondernemen. Als Duitse mocht ik vooraan zitten. De Polen zaten op elkaar gepakt achteraan. Ik voelde hun priemende blikken vol ingehouden haat en woede in mijn rug. De rit duurde twintig minuten en reed dwars door het voormalige

Joodse getto. Niemand hoefde me dat uit te leggen. De kapot-geschoten huizen, de ruïnes en spookachtig lege straten vertel-den genoeg. Ik keek niet eens meer op van de aanblik van rot-tende lijken en graatmagere bedelende kinderen in de straten. Het getto was die zomer geliquideerd. Minder dan duizend Joden hadden het overleefd.

Duitsland leed grote verliezen en moest onder andere Frank-rijk, België en het zuiden van Nederland op de geallieerden prijsgeven. We hoorden dat Sovjettroepen voor de poorten van Warschau stonden. Mama sloeg in paniek en wilde koste wat het kost vermijden dat ze opnieuw onder communistisch be-wind zou moeten leven. Ze regelde een verblijf voor ons in Wewelsburg in het centrum van Duitsland. De reis verliep, door onze papieren, verrassend vlot. Mijn moeder, Loeke, Henny en ik waren daar lang niet de enige vluchtelingen. Wewelsburg werd overspoeld door een mengelmoes van ss'ers en burgers en kon de toevloed niet aan. Burgers werden in grote slaapzalen ondergebracht die ondanks de moeilijke situatie nog altijd veel luxueuzer waren dan het werkkamp in Wittenberg. Er was zelfs een gemeenschappelijke ontspanningsruimte voor feestjes.

Een voor een werden we, als trouwe Duitse onderdanen, weg-gestuurd om te gaan werken. Loeke moest poetsen bij een ss-officier in Paderborn en Henny hielp op het erf van een boer. Mijn moeder en ik werden tewerkgesteld in Hotel Axl in de Nikolaustrasse in Büren. Ik als kamermeisje, mijn moeder werd er keukenhulp. We leefden van dag tot dag, niet wetend wat morgen zou brengen. Regelmatig moesten we onze toevlucht zoeken tot de schuilkelder, want net als vele andere steden in Duitsland werd Büren zwaar getroffen door bombardementen. Ook ons hotel, een echt ss-nest, werd geraakt waardoor een aantal kamers onbruikbaar werd. De hoteleigenaar, Herr Akfeld, weigerde zijn zaak te sluiten.

'Ik verhuur mijn kamers verder tot de Amerikanen ze alle-maal platgooien!' brieste hij dan.

Wanneer het luchtalarm afging, verdween ik niet altijd naar de kelder maar keek gefascineerd vanuit het raam van een kamer op de eerste verdieping van Hotel Axl naar de vallende bommen.

In de maand dat Büren bijna onophoudelijk werd bestookt door de geallieerden kreeg ik een vreemde nachtmerrie. Ik droomde dat ik op het perron van het station stond. Een trein arriveerde en een groep wachtende Russische krijgsgevangenen stapte op de trein. Eén draaide zich om en keek me indringend aan. Het was Arlov. Badend in het zweet werd ik wakker. Ik had het laatste jaar nauwelijks meer aan hem gedacht en nu kon ik zijn beeld uit mijn droom niet meer van me afschudden. Schuld en schaamte overvielen me. Ik kreeg het zo benauwd dat ik de dag daarop naar het station rende om me ervan te vergewissen dat mijn droom niet meer dan een misplaatst visioen was geweest. Op het spoor stond net zoals in mijn droom een lege trein. Op het perron verzamelde een grote groep Russen, klaar om naar huis te gaan. Ik zocht naar de blonde krullen van mijn verloofde en meende hem in de verte te herkennen. Vol vreugde stapte ik naar hem toe, rukte aan zijn arm en draaide hem naar me toe.

'Arlov!'

Ik had me vergist.

'O, excuseert u me.'

Het was iemand anders. Huilend ben ik terug naar de Niko-laustrasse gegaan. Van Arlov heb ik nooit meer iets gehoord.

Midden maart 1945 waren alle ss'ers gevlucht en werden ze door Herr Akfeld zonder protest vervangen door Amerikaanse soldaten. De oorlog was voorbij. Mijn voorgevoel had me niet in de steek gelaten. Ik had het overleefd.

Voor velen was dat niet het geval. De Tweede Wereldoorlog had in totaal aan ongeveer zestig miljoen mensen het leven gekost. Twee derde daarvan waren onschuldige burgers. Meer dan elf miljoen mensen, onder wie veel Joden, waren het slachtoffer geworden van stelselmatige vervolging. Hitler, de veroorzaker van al dat zinloze geweld pleegde lafweg zelfmoord in zijn bunker in Berlijn. In mijn nieuwe thuisland stond geen huis meer overeind. Lopend door de straten zag ik jonge vrouwen die bergen losse stenen doorzochten om hun eigen kapotgeschoten woning mee te herstellen. Het openbaar vervoer, vroeger een toonbeeld van Duitse *Gründlichkeit,* was lamgelegd door verwrongen sporen of gekantelde treinstellen. De steden hadden meer weg van een maanlandschap dan van Moeder Aarde zelf. De mensheid werd met een beschuldigende wijsvinger aangewezen. Ik voelde me slecht omdat ik het overleefd had.

Mijn familie, of wat daarvan overbleef, zat in een uitzonderlijke maar lastige situatie. We waren Russen met Duitse paspoorten op zak. Als Duitser zaten we in het verliezende kamp en leden we nog steeds honger. Als Rus vierden we de overwinning met de Amerikanen. Loeke en Henny maakten er geen geheim van dat ze terug wilden naar Bobrujsk om hun opleiding af te maken. Mijn moeder en ik raadden dat met pijn in het hart af omdat Stalin er in de pers geen geheim van maakte dat iedere collaborateur, gedwongen tewerkgesteld of niet, zonder pardon gestraft zou worden. Door de verdwijning van mijn vader was ik er sterk van overtuigd dat een terugreis naar mijn geboorteland niet tot de mogelijkheden behoorde. Heel wat Russen die in Duitsland vastzaten, deelden onze mening maar werden niettemin verplicht naar de Sovjet-Unie gerepatrieerd. We ontdeden ons voor een tweede maal van onze afkomst en gaven ons aan bij de burgerlijke stand met onze Duitse paspoorten.

'Goedemorgen. Wat kan ik voor u doen?'

We stonden met zijn vieren voor het loket. De Amerikaan achter het bureau zag er schappelijk uit. We maakten een goede kans.

Uitzonderlijk nam mijn moeder het woord: 'Goedemiddag. Mijn dochters en ik zijn tijdens de oorlog vanuit Wit-Rusland naar hier gebracht op basis van onze Duitse afkomst. Onderweg hebben ze ons echter alle papieren afgenomen.'

'En nu weten jullie niet waar naartoe', onderbrak de jongeman haar. 'Zoals zo velen', prevelde hij binnensmonds. De bediende vervolgde hardop: 'Willen jullie terug naar Rusland gebracht worden?'

'Liever niet. Mijn man is al voor de oorlog opgepakt omdat hij een Oostenrijker was en is verdwenen.'

Hij knikte begrijpend: 'Ik zal zien wat ik voor u kan doen.'

In zijn lade zocht de jongeman naar de juiste formulieren en begon voor de zoveelste maal die dag aan zijn vragenlijstje: 'Naam.'

'Brede.'

Bij de geboortedatum weken we met opzet af van de oorspronkelijke datum, om opsporing tot een minimum te beperken. Mijn moeder, zussen en ik kregen elk een nieuw paspoort. Onder nationaliteit stond: 'Stateloos van Russische oorsprong'. Door die kleine leugentjes hadden we min of meer onze nationaliteit teruggekregen, zonder dat we gedwongen werden om terug te keren naar een leven onder het communisme.

Ik wilde al naar buiten lopen toen de Amerikaan mama opnieuw aansprak.

'Mevrouw, als u wilt, kunt u daar een brief schrijven naar uw achtergebleven familie. Het Rode Kruis bezorgt hem dan.' Hij wees naar een tafeltje in de hoek.

Mijn moeder snoof sarcastisch maar liep niettemin tot bij de stoel en schreef twee brieven. Een lange met heel het verhaal aan tante Sofie en een korte naar oom Jan. Ze kleefde de enveloppen dicht en gaf ze aan de bediende. Zijn ze ooit op hun bestemming geraakt? Waren mijn tante en oom verhuisd of gestorven? Was er wat misgelopen met hun antwoord? Ik weet het niet. We hebben van hen nooit meer enig teken van leven vernomen. Het psychologische IJzeren Gordijn dat in de nadagen van de oorlog tussen oost en west werd opgetrokken, bleek voor mij en mijn gezin een onoverkomelijke barrière waar we nooit meer doorheen zouden raken.

Nooit meer door de toendra zwerven. Nooit meer het lange Russische gras ruiken. Afgesneden van iedereen en alles wat ik kende. Niets tastbaars kon mijn herinnering aan thuis levend houden. Alleen een eenzame roebel en het programma van de laatste film die ik met Arlov had gezien. Mijn dagboek was verscheurd. Anouchka had me verraden. Op een vreemde manier had ik haar ook verraden. Arlov vergeten. Boris in de steek gelaten. Mijn thuis achtergelaten. Mijn familie was verdwenen. Wat was er allemaal gebeurd met hen? Zoveel vragen spookten door mijn hoofd en ik kon er met de beste wil van de wereld geen antwoord op vinden. Zo heb ik een paar dagen doelloos door Büren gedoold. Om te ontdekken dat het geen zin had stil te staan bij het waarom van het verleden. Die stapel stenen, ooit een huis, bleef daar liggen, hoe hard ik ook probeerde hem te herstellen. De enige weg was vooruit. Ik hief mijn schouders op, draaide me om en liep op de toekomst toe.

Voor ons, jongelui was het leven onder de Amerikanen meer dan zomaar een bevrijding. Velen onder ons hadden gevochten of vrienden verloren. De onbezorgdheid die zo kenmerkend is voor de jeugd was ons niet gegund. Wij waren de generatie die hun onschuld verloren had nog voor we het beseft hadden. Kinderen toen de oorlog begonnen was en volwassenen met een pak aan maturiteit toen die achter de rug was. In een wanhopige poging iets van de tijd te kunnen terugdraaien, deed ik wat al mijn leeftijdsgenoten deden. Feesten. Jongens en meisjes door elkaar. De regels werden daarbij vakkundig aan onze laarzen gelapt. Veel van mijn vriendinnen werden per ongeluk zwanger en eindigden in een gedwongen huwelijk.

Ik herinner me een feestje in Büren, kort voordat de Engelsen de stad zouden overnemen van de Amerikanen. Rond die tijd was de avondklok nog steeds in voege maar daar hielden we geen rekening mee. Wie niet thuis raakte vóór spertijd bleef ter plekke overnachten. De vermoeide zielen namen een willekeurige jas van de stapel en legden zich in een hoek op de grond of op een stoel te rusten. De zaal was gevuld met een mengelmoes van Europese nationaliteiten. Langzaamaan had men het opgegeven naar ieders nationaliteit te vragen. Er was geen voor of tegen meer. Men was doodeenvoudig blij dat de oorlog voorbij was. Daardoor was het perfect mogelijk dat Guido Sergelle, een Italiaan die aan het Comomeer woonde, en Pichelle, een Franse champagneboer, in een geanimeerd gesprek over landbouwtechnieken verwikkeld waren. Als derde gesprekspartner hield ik me wat afzijdig om de ongewone situatie in me op te nemen. Beide mannen hadden iets over zich dat me aantrok. De intelligente Italiaan was een lange statige man die helemaal in het gesprek opging terwijl de kleine charmante Fransman een levensgenieter was die zijn flirtende blik nu en dan aandachtig op mij richtte. Terwijl ik het tafereel in me opnam kwam ik tot de conclusie dat als iedere Europeaan de gezonde instelling van die twee heren had, de toekomst van ons continent er rooskleurig uit zou zien.

In de zomer vertrokken de Amerikanen en werd Büren een Britse zone. We verhuisden naar een van de vele door de Engelsen opgetrokken geprefabriceerde woningen. Wij kregen Behelfsheim nummer 3 in de Nikolaustrasse in Büren toegewezen. Op een steenworp van het hotel, waar mama en ik nog steeds werkten. Ik herinner me dat het huisje aan het oude kerkhof stond en lekte als het regende. Mijn moeder stond dan met een paraplu in de hand te koken.

Door onze betrekking in Hotel Axl hadden we niets te kort. Restanten en overschot uit de keuken van het hotel zorgden ervoor dat we geen honger leden ofschoon de Engelsen dat verboden en als diefstal beschouwden. Ik serveerde de maaltijden in het restaurant, een werkje dat geen van de andere meisjes wilde doen. Onze klanten waren grotendeels Engelse militairen die in maanden geen vrouw hadden gezien. Wij, jonge onervaren meisjes, werden behandeld als aangeschoten wild en het kostte me heel wat energie om zowel nuchtere als dronken chauffeurs van mijn lijf te houden. Ik kleedde me met opzet slonzig en zette mijn gebrekkige looppas extra in de verf.

Op een dag, na de middagdienst ruimde ik de borden af van de eettafels. De laatste klanten waren al vertrokken en mijn moeder was in de keuken aan het afwassen. Ik was alleen in de refter. Op een paar borden lagen nog wat restanten en in plaats van te wachten tot thuis schrokte ik ze snel naar binnen.

'Dat kost je wat!'

Ik schrok. Tegen de deurpost leunde een Engelse sergeant die wel vaker naar het restaurant kwam. Een kitbag lag aan zijn voeten. Hij zou spoedig vertrekken. Ik moest tijd winnen. Mijn kleine diefstal kon verstrekkende gevolgen hebben voor Herr Akfeld die betaald werd om Engelse militairen eten te geven. Geen stateloze vluchtelingen.

'Ik heb niets dat ik u kan geven', probeerde ik me van den domme te houden.

'Integendeel, jij hebt alleen maar wat ik nodig heb.'

De soldaat verwachtte een afkoopsom in ruil voor zijn stilzwijgen. Hij liep vol overtuiging op me toe. Ik deinsde geschrokken achteruit tot een tafel mijn weg versperde.

'Wees niet bang. Ik wil alleen maar een kusje.'

Onhandig duwde hij zijn lippen op de mijne. Ik hield mijn mond stijf dicht. In de gang hoorde ik plotseling de stem van een van zijn collega's.

'Komaan, Wicker, waar blijf je? We moeten gaan.'

Gered! De sergeant beëindigde zijn gestolen kus en rende op de deur af. Onderweg griste hij zijn ransel mee.

Net zoals de Amerikanen verdwenen ook de Britten naar het oosten. In hun plaats arriveerden de Belgen. In vergelijking met de Engelsen een minder elitair en gemoedelijker volk. Loeke kreeg een arbeidsplaats in hun mess toegewezen en maakte snel kennis met twee Vlaamse militairen, Peter Baert en Henri Daelen. Beide mannen waren secretaris bij de eerste infanterie van het grenadiersbataljon. Ze deden me wat aan onze landgenoten denken als ik er mijn zusje over hoorde praten. Om een extra inkomen te verwerven, bood Loeke aan het kwartier dat Peter en Henri deelden te poetsen. Dat namen ze graag aan en het contact tussen de Belgen en mijn zusje werd nauwer. Uit Loekes verhalen kon ik opmaken dat Henri geïnteresseerd was in onze levensomstandigheden want hij informeerde er uitgebreid naar. De militair wilde weleens zien hoe erbarmelijk ons onderkomen was en vroeg mijn zus of hij haar familie eens mocht komen bezoeken. Bij dat bezoek was ik niet aanwezig, waarschijnlijk omdat ik in die tijd lange dagen maakte in het hotel. Mijn moeder was door haar snel achteruitgaande gezondheid gestopt met haar keukendienst en ik had haar werk erbij genomen. Naar ik achteraf hoorde was het bezoekje van Henri een succes. Zijn visites werden frequenter en mama begon zijn kleren tegen een aardige som te wassen en te strijken. Mijn moeder en ik vermoedden dat de eigenzinnige Belg een boontje had voor mijn zusje.

Eind november 1945 kreeg ik het bewuste heerschap eindelijk te zien. Na weer een lange en uitputtende werkdag keek ik uit naar een rustig avondje lezen in de fauteuil bij de kachel. Bij het openen van de voordeur borg ik die vooruitzichten op. In het midden van de woonkamer stond een kleine, iets gezette man in een uniform dat ik herkende als een van de stukken die mijn moeder regelmatig waste. Dat moest Henri zijn. Ik begroette hem. Zijn handen waren grof en lelijk. Dat was een arbeider, concludeerde ik. Misschien toch geen geschikte partij voor mijn zusje. De militair zag er verder zeer verzorgd uit en vulde de kamer volledig met zijn persoonlijkheid. De netjes achteruitgekamde haren accentueerden zijn terugwijkende haarlijn. Zijn kepie droeg hij nonchalant onder de arm.

Mama stelde ons aan elkaar voor: 'Dat is Johanna, mijn oudste dochter. Johanna, dat is Henri Daelen. Kijk, hij heeft sigaretten en koffie mee om te ruilen.' Ze wees op het stapeltje luxeartikelen dat op de tafel lag.

'Prettig met u kennis te maken', zei ik correct.

Hij antwoordde niet maar de pretlichtjes in zijn ogen vertelden me hoe aangenaam hij de kennismaking vond.

'Het spijt me. Ik moet gaan.' Hij richtte zich tot Loeke: 'Breng jij mijn kleren morgen mee naar de kazerne?'

'Ja, geen probleem.'

Henri zette zijn hoofddeksel op en verdween.

Twee dagen later maakte ik met Loeke de bedden op.

'Henri heeft het gisteren over jou gehad.'

'O, ja.' Ik deed alsof het me niet echt interesseerde.

'Volgens hem leek je een zeer intelligent meisje. Hij vroeg wat je opleiding was en wat je hobby's zijn.'

'En?'

'Ik heb hem verteld dat je lerares bent en van lezen houdt. Henri stelde meteen voor om je wat boeken uit te lenen.'

'Huh. Heeft hij dan boeken? Ik dacht dat die boer niet eens kon lezen.'

Mijn zusje riep me tot de orde: 'Johanna, niet zo autoritair!'

We trokken het hoeslaken over de matras.

'Henri heeft trouwens gevraagd of we eens met hem wilden uitgaan. Jij en Henny ook. Dansen of zo.'

Ik dacht na over het voorstel. Een dubbel gevoel overmeesterde me als ik aan de Belg dacht. De oudere ruwe man, ik schatte hem minstens vijfendertig, oefende een vreemde aantrekkingskracht op me uit. Ik minachtte hem en tegelijk keek ik naar hem op. Ik riep mezelf tot de orde. Hij was een vrouwenversierder. Een die waarschijnlijk nam wat hij kon krijgen. Niets speciaals en ik zette hem uit mijn hoofd.

Het avondje uit kon ik niet ontwijken. Ik gunde het mijn zussen van harte en besloot het daarom te ondergaan. Ik was toch niet zo een danser en dacht dat het voldoende zou zijn als ik me beperkte tot het observeren van de dansende paartjes. Peter Baert, Henri's collega, vervolledigde ons groepje. Hij stond bijna onafgebroken met Henny of Loeke op de dansvloer te swingen op Cole Porter. Henri hield me bijna heel de tijd plichtsbewust gezelschap. Meer dan eens probeerde de Belg een gesprek met me aan te knopen, maar ik ontweek zo veel mogelijk zijn vragen. Als dat niet lukte, antwoordde ik kort.

'Dus je bent lerares?'

Ik knikte.

'Wat zijn je interesses?'

'Geschiedenis en aardrijkskunde.'

'Wil je je vak niet weer uitoefenen in plaats van in het hotel te werken?'

'Misschien.'

Bovenal probeerde ik machteloos de kriebelende gewaarwording in mijn onderbuik te negeren. Het had zich daar genesteld de avond dat ik Henri leerde kennen en dook met de regelmaat van de klok op. Ik hield me voor dat ik op mijn zesentwintig last had van mijn hormonen. Niets meer.

Na een paar uur had ik er genoeg van. Ik moest mijn emoties weer onder controle krijgen en wilde daar weg. Ik stond op en verzon een gepast excuus.

'Het spijt me, maar ik moet morgen vroeg op. Ik ga nu beter naar huis.'

'Wil je dat ik je breng?' Henri veerde op.

Het was niet zo ver.

'Nee, dat hoeft niet. Ik raak er wel alleen.'

'Goed dan. Als je het zeker weet.'

We wisselden een handdruk uit. Net op het moment dat die het stevigst was, trok Henri me tegen zich aan en gaf me onverwacht een kus op de mond. Ik moedigde hem niet aan, maar stootte hem ook niet weg. De reactie in zijn broek vertelde me dat, hoe hard ik me ook zou verzetten, ik zijn volgende prooi was. Het verleidingsspel was begonnen.

Henri liep nu nog vaker bij ons aan. Zijn aandacht ging niet naar mijn zusje maar naar mij. Ik zorgde dat ik altijd thuis was en bood hem iets te drinken aan. Aan de grote eettafel vroeg ik hem uit over zijn leven in België. Hij was afkomstig uit een eenvoudig arbeidersgezin in Turnhout, een gemeente boven Antwerpen. Door omstandigheden was hij enig kind gebleven. Zijn vader had als inpakker in een kaartenfabriek gewerkt en straatkasseien gelegd om zijn zoon te kunnen laten studeren. Aan het begin van de oorlog besloot Henri zich aan te sluiten bij de Witte Brigade en had diverse sabotagedaden op zijn naam staan. Op een dag had hij in de bossen rond Turnhout moeten onderduiken omdat de Duitsers achter zijn palmares gekomen waren. Twee ss'ers hadden bij zijn moeder aan de deur gestaan en haar grondig aan de tand gevoeld. Hij had het verstandiger gevonden om niet meer thuis te slapen.

In december verdween Henri spoorloos. Geen enkel bericht. Zelfs zijn laatste stapel netjes gestreken was haalde hij niet op. Ik maakte me ongerust en vroeg aan Loeke om navraag te doen. Ze kwam echter niets te weten en ten einde raad ging ik zelf horen hoe het zat.

Aan de beveiligde ingang van de kazerne liep ik Peter tegen het lijf.

'Ha, Johanna. Hoe gaat het?'

Ik kwam meteen ter zake: 'Peter, waar is Henri?'

Geen ontwijken mogelijk.

'Rik is terug naar België', draalde hij.

'Zomaar, zonder iets te laten weten?'

Ik was me ervan bewust dat ik verontwaardigd en boos klonk. Ik ging ervan uit dat Peter waarschijnlijk niet wist hoe serieus mijn relatie met Henri was. Maar mijn intonatie was van dien aard dat het hem duidelijk werd dat Henri mij wel degelijk verantwoording schuldig was.

'Het is maar voor een paar weken. Iets met zijn moeder.'

Iets zei me dat Peter niet de waarheid vertelde. Maar ik kwam er nog wel achter. Die boodschap zond ik hem non-verbaal toe door hem, vlak voor ik me omdraaide, een priemende blik toe te werpen. Hij hield me tegen.

'Rik houdt van je, wist je dat?'

'Henri houdt van alle vrouwen.'

'Nee, dat is niet waar. Hij ziet alle vrouwen graag, maar hij houdt alleen van jou. Ik ken hem allang. Nog nooit was hij zo in de ban van een meisje.'

Ik fronste mijn voorhoofd. Stof tot nadenken. Stof genoeg voor een lange wandeling. Ik vertrok.

Pas begin januari 1946 keerde Henri terug uit België. Met een grote bos bloemen slenterde hij vroeg in de morgen naar onze voortuin. Ik stond op het punt naar mijn werk te vertrekken. Onze blikken kruisten elkaar. Ik had zin om hem met zijn bloemen te laten staan waar hij stond, maar Henri versperde mijn weg naar de straat.

'Wil je me alsjeblieft laten passeren?'

'Johanna, je hebt voor honderd procent gelijk als je boos op me bent. Maar wil je minstens een moment naar mijn uitleg luisteren?'

'Ik moet naar mijn werk', beet ik terug.

'Alsjeblieft', smeekte Henri en hij duwde de ruiker in mijn handen.

Die moest ik eerst even binnen leggen.

'Goed, dan', gaf ik toe.

We wandelden al pratend naar het hotel.

'Je houdt van me, is het niet?'

'Hoe kom je daarbij?' klonk het gespeeld verontwaardigd uit mijn mond. Ik probeerde nog steeds boos op Henri te zijn.

'Omdat je me gemist hebt en omdat je boos was dat ik niets van me had laten horen.'

Hoe wist hij dat?

Henri leek mijn gedachten te kunnen lezen: 'Peter heeft me alles verteld.'

Ik hoefde niet te bevestigen noch te ontkennen. Henri bewees dat hij zijn vrouwelijke medemens door en door kende. Van die kennis had hij in het verleden meermaals gebruikgemaakt. Ik wist van Loeke dat ik lang niet het enige meisje was dat zijn aandacht genoot. Fletschen, een Duits meisje dat samen met mijn zus in de mess werkte, flirtte zonder schaamte met de Belgische militair. En met succes naar ik hoorde. Daarom had ik ten opzichte van Henri zoveel mogelijk reserve gehouden. Dat nam niet weg dat de vlinders in mijn buik niet te controleren waren en dat hij mijn gevoelens had geraden.

'Beloof me dat je naar heel het verhaal gaat luisteren.'

Ik kreeg argwaan.

'Oké, hier komt het', zuchtte Henri.

'Ik moest naar huis omdat Jeanne mijn moeder had aangevallen en er moesten maatregelen genomen worden om haar te interneren. Jeanne is sinds de bombardementen op Turnhout niet meer helemaal in de haak.' Hij rolde met zijn ogen. 'Ik kan zelfs zeggen dat ze krankzinnig is geworden.'

Ik begreep het niet: 'En Jeanne is?'

Henri staarde ontwijkend naar de grond. Met zijn voet porde hij in het grind.

'Mijn vrouw.'

'Je wát!'

Aan de grond genageld. Perplex.

'Smeerlap! En hier onschuldige meisjes versieren!'

Sommige omstanders keken geamuseerd onze richting uit maar dat kon me niets schelen. Ik wilde kwaad doorlopen. Henri hield me tegen.

'Johanna, wacht! Je hebt beloofd naar heel mijn verklaring te luisteren.'

Ik vouwde mijn armen over elkaar. Inwendig kookte ik van woede.

'Tussen Jeanne en mij ging het voor de oorlog al niet goed. We waren van plan om te scheiden maar toen moest ik onderduiken en ging zij door het lint. Volgens de Belgische wet mag ik niet meer van haar scheiden nu ze krankzinnig verklaard is. Maar ik hou van je.'

Ik was onvermurwbaar. 'Nog iets dat je wilde zeggen of is dat het hele verhaal?'

'Nee, er is nog iets.'

'Vertel', beet ik.

'Ik heb twee kinderen met Jeanne. Hilda is bijna zestien en Raoul is veertien. Dat is alles.'

We stonden voor de ingang van Hotel Axl.

'Dat is alles! Nou, voor mij is het meer dan genoeg. Laat me met rust!' En ik vluchtte naar binnen.

Maar Henri gaf niet op. Hij bleef me bestoken met liefdesverklaringen. Zijn aandacht voor andere vrouwen, Fletschen incluis, verdween als sneeuw voor de zon. Wekelijks bracht hij voedingsmiddelen mee uit de kleine supermarkt van het leger. Daar was veel meer te krijgen dan in de Duitse winkels en was het ook goedkoper. Sigaretten konden we ruilen op de zwarte markt. Henri vroeg en kreeg een gesprek met mijn moeder om haar heel de situatie uit te leggen. Door haar eigen verleden en de uitzonderlijke relatie die ze met mijn vader had gehad, was ze sneller bereid de Belg krediet te verlenen. Mama gaf hem zelfs haar zegen, maar liet mij de keuze om op zijn avances in te gaan.

Na meer dan een jaar kon ik mijn verliefdheid niet meer beteugelen. Ik had hem genegeerd, andere mannen aangemoedigd in de hoop hem te vergeten. Maar die konden niet aan hem tippen. Op 2 februari 1947 gaf ik toe aan Henri's smeekbeden. We begonnen een relatie en ik moet met het schaamrood op de wangen toegeven dat het een groot voordeel was een ervaren vrouwenkenner als Henri in mijn bed toe te laten. Hij wist van wanten.

Midden februari kreeg Rik het bericht dat zijn bataljon van Büren naar Aken werd gestationeerd. Onmiddellijk nam hij maatregelen om mij met hem mee te kunnen nemen en een huis voor ons te zoeken. Op 7 maart verhuisde ik naar de Juliestrasse 314 in Aken. Rik liet zijn kinderen ook naar Duitsland overkomen waardoor ik de zorg had over een relatief groot gezin. Henny, Loeke en mijn moeder bleven in Büren wonen. Niet veel later werd ik zwanger.

Mijn prille onzekere geluk werd echter overschaduwd door het overlijden van mijn moeder. De zomer was uitzonderlijk warm en mama was onwel geworden tijdens het wieden in de moestuin. Henny had haar gevonden. Bewusteloos. In allerijl werd mijn moeder naar het ziekenhuis gebracht. Daar stelden de artsen vast dat ze een hartinfarct had gehad maar dat ze aan de beterhand was.

'Vrijdag 11 juli mag ze terug naar huis', stelde Loeke me in een telefoongesprek gerust.

Ik hoefde, misselijk van mijn zwangerschap, volgens mijn zusje de tocht niet te maken. De nacht voor haar geplande thuiskomst is mijn moeder op nauwelijks drieënvijftigjarige leeftijd in haar slaap overleden. Ik heb altijd medelijden met haar gehad. Ze had zich statig door haar leven gesleept, omdat ze moest, omdat het haar opgedragen was. De vele doden, de twee oorlogen en alle verliezen, materieel en immaterieel, die ze had geleden. Ze was er verbitterd en eenzaam door geworden. Verlaten, omdat zelfs wij, haar dochters, niet echt konden bevatten wat het bij haar had teweeggebracht. Diep vanbinnen was ik opgelucht. Mijn moeder was uit haar onbegrijpelijke lijden verlost en naar een betere wereld gegaan. Waar Ivan, Franja, Stasia, Edmond, Noora en mijn vader, iedereen om wie ze had getreurd, op haar zaten te wachten en haar verwelkomden. Met een onzekere toekomst voor me verwerkte ik haar dood. De neerslachtige buien die vaak kenmerkend zijn bij het overlijden van een ouder bleven tot een minimum beperkt. Mijn zussen en ik zochten steun bij elkaar en niet lang na de begrafenis kwamen Henny en Loeke bij ons in Aken inwonen.

De rest van mijn zwangerschap beleefde ik relatief rustig. Mijn omgeving deed er alles aan om het me naar de zin te maken. Rik niet in het minste. Er groeide een kind in mijn buik van een man die met een andere vrouw was getrouwd. Ik had geen enkel sociaal vangnet als hij me in de steek liet. Eigenlijk was ik niet meer dan zijn minnares. Maar Rik verzekerde me dat hij goed voor mij en de baby zou zorgen. Ik moest hem vertrouwen.

Op 11 januari 1948 werd Jacqueline geboren. Een guitige baby met dikke wangetjes, gezond van lijf en leden. Henri erkende haar als zijn dochter. Met een inwonend kindermeisje en een hulp die kookte en poetste was het huis nu behoorlijk gevuld. Zeker als je weet dat we de alleenstaande villa moesten delen met de familie Kirschbaum van wie het huis oorspronkelijk was. Het gezin bewoonde de onderste verdieping. Wij de bovenste. Aangezien ik geen huishoudelijk werk hoefde te doen had ik tijd genoeg om een praatje te slaan met Frau Kirschbaum. Hun dochter Dagmar speelde dan graag met Jacqueline.

Ik besefte dagelijks dat vrouwe Fortuna aan mijn zijde stond. Duitsland was amper begonnen met zijn wederopbouw. Veel ongelukkigen sliepen nog steeds onder een blote sterrenhemel en leden dagelijks honger terwijl ik in een spotgoedkope Belgische winkel alles kon kopen wat mijn hartje begeerde. Ik kon Jacqueline het leven van een prinsesje schenken. Het ging ons voor de wind.

Begin de jaren vijftig verhuisden we naar een kleiner huis in Soest, tweehonderd kilometer ten oosten van Aken, want heel wat leden van het gezin Daelen-Brede trokken het huis uit. Henny trouwde met René net als Loeke, die haar oog liet vallen op Leo, een Duitser. Hilda huwde op haar beurt met André, een collega van Rik, maar bleef bij ons wonen. En Rik en ik keken uit naar de komst van een nieuwe spruit. De nieuwe woning was een van twee huizen onder één kap aan een verlaten zandweg te midden van weiland. Eind juni 1952 beviel ik van een tweede dochter, Bianca.

Twee jaar later kregen we te horen dat mijn schoonmoeder aan een ernstige hartziekte leed, waardoor permanente verzorging vereist was. Rik wilde haar naar Duitsland laten overbrengen, maar zijn aanvraag werd in Brussel afgewezen. Daarom besliste hij om zijn legerdienst in Duitsland te beëindigen en terug naar België te keren. Hij had zijn oog laten vallen op een pand aan de Turnhoutsebaan in Deurne bij Antwerpen en opende er een wild- en gevogeltewinkel. Voor mij en mijn dochters betekende de verhuis onverwachte moeilijkheden. Wij waren stateloos en in het bezit van een Duitse vreemdelingenpas. Enkel met een toeristenvisum, dat maximaal zes maanden geldig was, konden Jacqueline, Bianca en ik in België komen wonen. Gedurende twee jaar ondernamen we in maart en september met de twee kinderen de vermoeiende reis naar Soest om daar iedere keer een verlenging van onze verblijfsvergunningen aan te vragen. Op het politiebureau in Duitsland begonnen ze ons al te kennen.

'Frau Brede, een verlenging zeker?'

'Ja, inderdaad.'

De agent controleerde onze papieren en zei: 'Er zijn geen verlengingen meer mogelijk in België.'

'Hoe bedoelt u?' vroeg Rik verward.

'Wel, met een toeristenvisum kan u maximaal twee jaar in België verblijven. Die twee jaren zijn nu verstreken.'

Wat nu, dacht ik.

De bediende zag mijn ongenoegen, keek snel links en rechts of niemand hem zou kunnen horen en fluisterde: 'Er zijn natuurlijk andere manieren om terug naar België te keren. Tegen betaling natuurlijk.'

De man schreef snel iets op een papiertje en gaf het samen met onze identiteitskaarten terug.

'Het spijt me dat ik niet meer voor u kan doen, Frau Brede', zei de agent met een veelbetekenende blik.

Op het briefje stond een telefoonnummer. Die avond belde Rik het nummer op. Hij kreeg een man aan de lijn die onmiddellijk met hem afsprak in een café. Ik bleef thuis met de kinderen.

Na de ontmoeting met de onbekende kwam Rik terug met een plan.

'Het zijn mensensmokkelaars, maar het is de enige oplossing. Ik moet dringend terug naar moemoe en de winkel. Dus, we doen het morgenavond.'

Ik had maar een half woord nodig.

'Vragen ze veel?' Ik voelde me schuldig ten opzichte van Rik.

'Dat valt nog mee. Luister. Die man komt jou en Jacqueline morgen om acht uur ophalen. Ik verstop Bianca in de wagen en probeer haar via de normale route over de grens te krijgen. Jullie worden op anderhalve kilometer van de overgang afgezet en moeten altijd rechtdoor lopen in de richting die hij zal wijzen. Dan kan er niets misgaan.' Rik tekende alles uit op een inderhaast getekende plattegrond.

'Aan de andere kant van de grens zal ik jullie bij die bocht ophalen.' Hij wees op het plan waar hij bedoelde: 'Ik laat de auto draaien zodat je in het donker op het geluid kunt afgaan. De lichten steek ik niet aan. Die zullen de aandacht te veel naar ons toetrekken.'

De dag daarop herhaalde Rik nog verschillende keren het hele schema, om er zeker van te zijn dat ik het goed begrepen had. Zoals afgesproken kwam de smokkelaar, een groezelig uitziende donkere man, ons om acht uur stipt halen. Rik vertrok tegelijk met onze auto. Bianca lag achter Rik op de bodem van de auto te slapen met een deken over haar reiswiegje. Bij eventuele ontdekking zou hij de dienstdoende douanier wat geld toestoppen. Dat werkte altijd.

Het was pikdonker toen Jacqueline en ik in de berm van een verlaten landweg werden afgezet. De onbekende chauffeur wees snel in de richting waarin we verondersteld werden te lopen en maakte toen dat hij weg was. Ik had niet eens de tijd gehad om Jacquelines bruine pelsen jasje uit de auto te halen. Ik stond perplex maar kon niets anders doen dan wat Rik me had opgedragen. Ik liep met mijn achtjarige dochter door het struikgewas.

Na een kwartiertje begon Jacqueline te jengelen.

'Mutti, ik heb het koud.'

'We zijn je jas vergeten, Jacqueline, als je goed doorloopt, krijg je het niet koud.'

Na nog eens vijftien minuten arriveerden we bij een open plek. De grens. Aan de andere kant begon België. De bomen en de struiken waren hier weggekapt om de zichtbaarheid voor de beambten te vergroten. Rechts was het inktzwart, maar ik schrok toen ik zag hoe dicht het licht van de grenspost links was. Doordat Jacqueline in het wit gekleed was, liepen we grote kans gezien te worden. Ik besliste daarom om de grote witte strik uit haar haren te halen en in de struiken te gooien. Om zeker te zijn liep ik nog wat meer naar rechts, verder van de wachtpost. Jacqueline begon terug te zeuren.

'Mutti, mijn haar hangt in mijn ogen. Ik wil mijn strik terug.'

Met een smoesje scheepte ik haar af: 'Dat gaat niet, Jacqueline. We moeten voortmaken, anders krijgen de wolven ons te pakken.'

Ik slaagde in mijn opzet. Mijn oudste dochter stribbelde niet meer tegen en liep snel door. Na een tiental minuten waagde ik de sprong over het veld. Mijn hart klopte in mijn keel toen ik samen met mijn kind gebukt de vlakte over rende. Buiten adem bereikte ik het struikgewas. Gelukt! Ik was in België!

Jacqueline

Duitsland na de oorlog

Aken, zomer 1950

Tijdens de laatste stuiptrekkingen van de Tweede Wereldoorlog werd Europa op de Conferentie van Jalta grofweg in twee stukken opgedeeld. Een stuk voor de geallieerden en een stuk dat onder invloed kwam van de Sovjet-Unie. Het fundament voor de Koude Oorlog was gelegd. West-Europa sloot zich op 4 april 1949 samen met onder andere Amerika aan bij de NAVO. Stalin voelde zich in het nauw gedreven en ondertekende op 14 mei 1955 het Warschaupact dat de meeste landen van Oost-Europa ertoe verbond om een bondgenoot militair te hulp te snellen bij een eventuele invasie. Het IJzeren Gordijn was een feit.

Aan het begin van de jaren vijftig hield Robert Schumann, de Franse minister van Buitenlandse Zaken, een begeesterende toespraak. Het leidde met de ondertekening van het Verdrag van Parijs op 23 juli 1952 tot de oprichting van de Europese Gemeenschap voor Kolen en Staal. België, Nederland, Luxemburg, Frankrijk, Italië en West-Duitsland stonden samen aan de wieg van een eengemaakt Europa.

In de roes van de bevrijding doken heel wat meisjes in een euforische bui met de net aangekomen militairen in bed. Bij gebrek aan voorlichting en anticonceptie gebeurde er in het heetst van de strijd al weleens een ongelukje. Als gevolg daarvan steeg het geboortecijfer in de tweede helft van de jaren veertig spectacu-

lair. De babyboomgeneratie was een feit. Ik ben een echte baby-
boomer, geboren in Aken uit een Russische vluchtelinge en een
getrouwde Belgische militair. Een bastaard die, hoewel door
mijn vader erkend, de naam droeg van mijn moeder.

In onze tuin in Aken hadden we een zandbak. Ik hield ervan
de fijne korrels als zout door mijn vingers te laten glijden. Ik
tekende vaak engeltjes of andere vormen in het grove oppervlak. Dagmar Kirschbaum, een buurmeisje van bijna tien jaar
oud, hield me gezelschap. Ik moet ongeveer twee jaar en een
half geweest zijn toen er enkele vliegtuigen overvlogen en Dagmar spontaan begon te huilen. De angst en het verdriet van
jaren stond op haar gezicht te lezen. Zij had immers de oorlog
meegemaakt. Ik begreep toen absoluut nog niet wat er aan de
hand was en weende uit sympathie spontaan met haar mee, vertelde mama me later.

Dagmar woonde op de benedenverdieping van de villa waar
mijn ouders met mij de bovenverdiepingen bezetten. Pas in de
jaren vijftig zou het Belgische leger beginnen met de bouw van
grote woningcomplexen voor hun militairen. Mama kon het
heel goed vinden met Dagmars moeder, de gravin von Pe-
truschka. De arme vrouw had enkel haar titel nog want al haar
bezittingen lagen in het voormalige Oost-Duitsland en waren
door de communisten geconfisqueerd.

Het huis was een van de weinige in onze straat dat niet geha-
vend uit de oorlog gekomen was en door het Belgische leger
aangeslagen. Met de witgeschilderde buitenmuren en het puntdak stelde ik me voor dat de villa mijn kasteel was en ik de prinses die erin mocht wonen. We bereikten onze eigen etage via een
verweerde houten trap. Alle muren in het huis waren grijs
geschilderd. Boven hadden we onze eigen keuken en badkamer.
Wat me altijd is bijgebleven van het huis in Aken is het beeld
van mijn moeder en Hilda voorovergebogen over de wastafel in
dat kleine badkamertje met een ontstopper in de hand. Mijn
grote zus had zonder na te denken een overschotje rijst door de
afvoer willen spoelen met alle gevolgen van dien. Mama kon er

niet echt om lachen en papa, een echte klusjesman, was nergens te bekennen.

Op een zondagvoormiddag keek ik in de keuken toe hoe mama voorbereidingen trof voor het middagmaal. Ik zat omgekeerd op mijn knieën op een stoel, de leuning in mijn handen en balanceerde de stoel voortdurend op de twee voorste of achterste poten.

'Jacqueline, stop daarmee.'

Mama liet een klontje boter in een pan vallen. Geboeid keek ik hoe het veranderde in een sissende vloeistof vol blaasjes. Ik koos ervoor haar opmerking niet te horen.

'Straks val je nog. Stop met wiebelen!'

Bang!

Mijn moeders woorden waren nog niet koud of ik verloor mijn evenwicht. De stoel schommelde ver voorbij zijn evenwichtspunt en ik belandde met mijn hoofd tegen de kachel.

'Au, dat doet pijn, Mutti', huilde ik.

'Dat zal je leren ongehoorzaam te zijn', klonk de vermanende toon.

Bijna tegelijkertijd sloeg haar ernst om in bezorgdheid en bekeek ze mijn wond. Er zat een diepe snee van drie centimeter aan mijn linkerslaap. De jaap bloedde hevig maar was niet zo ernstig dat ze genaaid moest worden dus verzorgde mama mijn voorhoofd.

Mijn moeder kon nooit lang boos blijven. Zoals iedere ouder moest ze me al eens bijsturen, maar ze was de warmte zelf. Vergevingsgezind en zelden of nooit streng. In tegenstelling tot mijn vader gaf ze snel toe aan mijn smeekbeden, zelfs toen ik ouder werd. Aan mijn val op de kachel heb ik een stevig litteken overgehouden om me te wijzen op mijn onvoorzichtigheid.

Een andere herinnering uit die tijd: Joachim en Franz Leni, die met hun moeder regelmatig op bezoek kwamen. De jongens, twaalf en negen, konden prachtig pianospelen en hielden me urenlang bezig met hun vingervlugge spel. Ik klapte in mijn handen en kraaide het uit van plezier. Geen enkel lid van de familie Leni was echter fan van mijn vader. De rook van zijn sigaretten ergerde hen mateloos. Papa ging normaal nooit buiten roken maar als Joachim of Franz met hun moeder langskwamen, vond je hem meestal in de tuin tegen een muur aangeleund met een sigaret in de hand.

Ik verbeeldde me misschien een prinsesje te zijn maar in werkelijkheid leidde ik ook echt een bevoorrecht en beschermd leven, zeker in vergelijking met mijn Duitse leeftijdsgenootjes. We woonden in een mooi, nog steeds volledig ongeschonden huis, en hadden een huishoudster en een kindermeisje dat zich met mijn verzorging bezighield. Militairen in Duitsland gestationeerd konden bovendien alles belastingvrij kopen uit eigen Belgische winkels, zoals auto's en sigaretten. Duitsers hadden nauwelijks iets om hun hongerige magen te vullen. Het land was volledig ontredderd. Er was bijvoorbeeld nergens koffie te vinden en ze moesten het met kneip stellen. Ieder verstandig mens zou denken dat de Duitsers de bezetters zouden haten, maar het tegenovergestelde was het geval. De bezetters verschaften hun immers werk en geld. Dochters en moeders gingen bij de militairen poetsen of strijken terwijl vaders en zonen de illegaal verkregen goederen uit de buitenlandse winkels voor grof geld op de zwarte markt doorverkochten. Al herinner ik me een voorval waaruit kan blijken dat sommige van mijn Duitse leeftijdsgenootjes de Belgische militairen liever zagen vertrekken.

Mijn moeder liet me op een dag over aan de zorgen van tante Loeke. Die wilde echter van me af omdat haar vrijer Leo haar kwam bezoeken.

'Jacqueline, ga jij maar braaf buiten spelen. Goed?'

Ik knikte terwijl mijn tante de knopen van mijn pelsen jasje dichtdeed en het bijpassende mutsje op mijn haren zette. Het was redelijk koud buiten. Met een duwtje in de rug belandde ik in de voortuin. De deur viel achter me in het slot. Als een echte belhamel zocht ik naar iets om me mee bezig te houden. Er viel echter weinig te beleven op het kleine lapje grond en ik kreeg een jongen en een meisje in het oog die net buiten het hek op straat speelden. Ze waren een paar jaar ouder dan ik en onze blikken kruisten elkaar. Beiden monsterden me geslepen aan maar ik was me van geen kwaad bewust.

'Hallo, ik ben Jacqueline en wie zijn jullie?' riep ik hen door het hek toe.

'Max en Lotte, mijn zusje', wees de jongen naar het meisje naast hem.

'Jij bent zeker geen Duits meisje?' vroeg Lotte.

Afgunstig keken ze naar mijn teddyjasje.

'Nee, mijn vader is een Belg.'

Max knikte zonder verder wat te zeggen en keek even naar zijn zusje om te overleggen. Zo leek het. Toen wendde hij zich opnieuw tot mij.

'We moeten van onze ouders de omheining rond jullie huis zwart schilderen. Help je mee?'

'Ja, hoor, dat doe ik graag.'

Voor een knutselwerkje was ik altijd wel te vinden.

'Goed, dan haal ik de verf. Wacht even.'

En weg was Max.

Een paar minuten later kwam hij terug met een pot waarin een stok stak.

'Hebben jullie geen verfborstels?'

'Nee, ons geld is op. We kunnen geen borstels meer kopen. Trouwens, deze speciale verf moeten we met onze handen uitsmeren.' Lotte klonk overtuigend.

Nietsvermoedend ging ik aan het werk en stak mijn hand tot aan de mouw van mijn jasje in de pot. De verf was veel dikker dan ik had gedacht, het leek meer op pek. Daarom dat we ze met onze handen moeten uitsmeren, dacht ik goedgelovig.

Lotte en Max gierden het uit en liepen daarna gillend weg. Ik snapte hun reactie niet echt en was zelfs een beetje boos dat ze me met al het werk alleen lieten. Ik hief mijn schouders gelaten op en werkte de klus zo goed mogelijk af.

Toen mijn moeder thuiskwam van de winkel kon ze er niet om lachen. Dat was een van de weinige keren dat ik van haar een ferme uitbrander kreeg. Zelfs tante Loeke kreeg een berisping.

Ik was vier jaar oud toen we naar de Emdenestrasse in Soest verhuisden. Het was een van twee huizen onder één kap midden in het groen, behalve vlak achter ons huis. Daar bevond zich een school voor kinderen van militairen. Vanuit onze keuken zag mama de leerlingen spelen in de wei. Mijn moeder vond de scholieren te gemeen en stond niet toe dat ik er les volgde. Tot onze reis naar België is dat zo gebleven.

De Emdenestrasse was toen niet meer dan een zandweg met aan de overkant van de straat een gracht alvorens over te gaan in een maisveld. Daarachter lag een grote, drukke geasfalteerde baan. Ik heb er de tijd van mijn leven gehad.

Het huwelijk van mijn zus Hilda met André, een Vlaamse militair uit Moerbeke-Waas, hebben we daar gevierd. Ik was erg trots dat ik haar bruidsmeisje mocht zijn want ik adoreerde mijn grote zus. Het feit dat we eigenlijk slechts halfzussen waren, ging compleet aan me voorbij. Alle aandacht die dag ging naar mij in mijn witte bontmutsje. En met een pasgeboren zusje, Bianca was toen een paar maanden oud, was die belangstelling een aangenaam geschenk.

Ik vond André de tofste schoonbroer die ik me kon wensen. Doordat hij tamelijk groot was, kon ik bij André, als hij thuiskwam van het werk, pirouettes maken tot ik het beu werd. Ik moest dan voor hem gaan staan met mijn rug naar hem toe en mijn armen tussen mijn benen steken. Mijn schoonbroer trok ze dan verder door zodat ik een buiteling maakte, over kop ging en terug op mijn voeten belandde.

Met mama en André in huis leidde bijna ieder gesprek tot een Babylonische spraakverwarring. Hilda's echtgenoot murmelde het typische dialect van het Waasland terwijl mijn moeder enkel Duits sprak en het beetje Antwerps van mijn vader kon verstaan.

'Ik ga naar bed', gaapte mijn schoonbroer op een avond en hij stond op uit zijn comfortabele fauteuil.

Mijn moeder legde het boek waarin ze las opzij en stond ook op. Ze liep naar de kachel, zette die hoger en nam de grote waterketel.

'Waarom warm je nu nog water op?' vroeg papa verwonderd.

'Rik, André heeft toch warm water nodig voor zijn bad?'

'Bad, bad. Hij ging in bed, niet in bad!' grinnikte mijn vader om de zoveelste vergissing van mama.

'Dus, het is niet nodig?' Irritatie schemerde door haar stem.

Papa schudde zijn hoofd en las verder in zijn tijdschrift.

Ook in dit huis kon ik best ondeugend of ongehoorzaam zijn, wat soms catastrofale consequenties had. Mijn moeder en zus hadden me altijd verboden in de keuken te komen als ze kookten. Ik vergat bijna dagelijks hun goede raad omdat ik toch zo graag wilde weten wat de pot die avond schafte. Alle aandacht in de keuken ging naar een grote kookhaard die op kolen werkte. Ik vond het bijna speelgoed: de wit met gele deurtjes en lades van email vooraan in het toestel waarin je brood kon bakken of kolen kon bijvoegen. Rond de bovenplaat was een ijzeren buis bevestigd. Op een dag stond ik er veel te dicht tegen in een poging mijn nieuwsgierigheid te bevredigen. Ik schoof uit en brandde de binnenkant van mijn rechteronderarm aan de metalen buis. Brullend van de pijn maakte ik het Hilda enorm moeilijk om de lichte brandwond te verzorgen. Of ik daardoor mijn lesje geleerd had, was zeer de vraag.

De akker tussen de hoofdweg en de Emdenestrasse werd door het Belgische leger regelmatig gebruikt om er manoeuvres te houden. Ik was geen verlegen kleuter en wilde altijd alles weten, dus sprak ik de militairen zonder schaamte aan. Vaak hielp ik de rekruten mee met hun gevechtsoefeningen en hield ik hen bezig. Mijn vader vond me zo eens spelend met een veldtelefoon met een helm op mijn keurig in twee staartjes gekapte hoofd.

Bij mijn avonturen in de weiden en de akkers in de omgeving was Brutus, de Duitse scheper van onze buren, mijn trouwe speelkameraad. We waren twee handen op één buik en niemand zou het in zijn hoofd hebben gehaald me de les te spellen als de Duitse scheper in de buurt was. De liefde van de hond

kende geen grenzen. In de zomer stond de gracht aan de overkant van de straat droog. Brutus groef twee putten in het
kanaaltje. Eén voor hem en één voor mij. Hij maakte me duidelijk dat ik er net als hij in moest gaan liggen en een dutje doen.
Iedere keer als ik eruit wilde klimmen begon Brutus te grom-
men. Papa is me na een tijdje komen zoeken en heeft me zo van
Brutus' overdreven sympathie verlost.

Aan het einde van onze straat woonde een boer. Mama en ik
liepen er iedere keer langs tijdens onze dagelijkse wandeling
naar het bos. De man presenteerde me op een dag een handvol
kersen.

'Hier, mijn kind, neem een paar kersen. Dat is gezond', murmelde hij tussen zijn rotte tanden.

'Nee, dank je. Je handen zijn vuil!'

De vriendelijke boer keek me beteuterd aan.

Volgens mij moesten die kersen en zijn handen eerst grondig
gewassen worden, wilde de boer dat ik ze opat. Als vijfjarige
was ik niet op mijn mondje gevallen. Mama werd mijn brutaliteit al gewoon en scheen zich niet te schamen.

Ze schaterde het uit. 'De appel is niet ver van de boom gevallen! Of in dit geval de kers.'

Ik kreeg zelfs geen standje, wat bij mijn vader zeker het geval
geweest zou zijn.

Vanaf dat moment speelde ik vaak op het erf van boer Pelz-
macher. Ik mocht mee rijden op zijn tractor naar de velden, tenminste als ik beloofde om van alle hendels en knoppen af te
blijven. Hij leerde me hoe ik koeien moest melken en zelfs hoe
ik rechtstreeks kon drinken van hun uiers. De melk uit karton-
nen dozen van vandaag smaakt nergens naar in vergelijking
met de verse romige lauwe melk uit mijn kinderjaren.

Op zijn erf had de man twee waakhonden aan de ketting. Het
liefst van al plaagde ik zijn twee honden. Het voorval met de
Duitse herder van onze buren had mijn liefde voor dieren een
beetje getemperd, maar die was nog niet helemaal in rook opgegaan. Dat gebeurde pas toen ik het in mijn hoofd haalde om

aan de staart van een van de twee bewakers te trekken toen die aan het eten waren. Zijn antwoord was kort maar efficiënt. In één beweging draaide hij zich om en beet in mijn hand. Net krachtig genoeg om me te laten schrikken zonder dat het bloedde. De hond waarschuwde me op die manier om het niet nog eens te proberen. Ik verleerde mijn ondeugende streken niet, maar liet de dieren voortaan met rust.

Ik richtte mijn aandacht nu op mijn familieleden. Hilda en André waren net getrouwd toen ik samen met hen per trein een bezoek bracht aan mijn tante Loeke in Keulen. In de heenreis hadden we een heel compartiment voor ons alleen. Het effect dat een rijdende trein heeft op je evenwicht vond ik prettig om te ervaren, dus liep ik voortdurend van voor naar achter in de wagon. Na enkele minuten raakte mijn zus geïrriteerd van het gedreun van mijn voetstappen.

'Jacqueline, kom zitten. Ik word onnozel van je over-en-weer-geloop.'

Zoals steeds had ik bij een eerste waarschuwing geen zin om te gehoorzamen. Onverstoorbaar liep ik terug in de richting vanwaar ik kwam.

Na enkele minuten hield Hilda het niet meer uit en riep: 'Als je nu niet luistert, zet ik je bij het volgende station van de trein!'

Brutaal diende ik haar van antwoord: 'Dat is niets. Dan vraag ik wel aan de mensen om me naar de Emdenestrasse in Soest te brengen.'

Niet verbaasd over mijn mondigheid trok mijn grote zus me naast haar op de bank. Ik bleef er wonder boven wonder zitten tot we in Keulen aankwamen.

Het huis van tante Loeke was niet meer dan een half geruïneerde woonkazerne. Overal zag je kogelinslagen en op de bovenste verdieping was een hoek van het gebouw verdwenen. Om tot bij het appartement van mijn tante te komen, moesten we een lange trap beklimmen. Tegenover de voordeur van hun flat stond de deur open. Nieuwsgierig keek ik naar binnen. De ravage die ik zag, was onbeschrijfelijk. De woning was spookachtig verlaten. De meubels lagen, bijna allemaal onbruikbaar, her en der verspreid onder een dikke laag puin. Het plafond was niets minder dan de helderblauwe lucht van die zomerse dag.

De oorlog was toch allang voorbij, dacht ik. Waarom maken ze dat dan niet, zodat er weer iemand kan wonen?

Hoewel het appartement van tante Loeke nog een dak had, zag het er niet veel beter uit dan dat aan de andere kant van de gang. Ze betrokken met vijf volwassenen slechts twee kamers. Eén om in te leven en één om in te slapen. Oom Leo moest noodgedwongen de kleine flat delen met zijn moeder en twee zussen. Een van de zussen is later met een Brit getrouwd en naar Engeland verhuisd. De rest van het gezin heeft nog lang in die krappe behuizing moeten wonen. Het bezoek aan tante Loeke heeft een grote indruk op me nagelaten. Zelfs tot op de dag dat we definitief uit Duitsland vertrokken, bijna tien jaar na het einde van de Tweede Wereldoorlog, kon ik me herinneren dat er overal kapotgeschoten huizen en straten waren. Voor een kleuter een angstaanjagende en gruwelijke ervaring.

In mijn kleutertijd heb ik het mijn omgeving meer dan eens moeilijk gemaakt. Toen ik ouder werd en zeker na mijn puberteit werd ik stiller en meer teruggetrokken. Mijn scherpe tong stribbelde het langst van alles tegen. Mama zei dat ik op haar moeder leek. Als kind was ze ook zeer levendig.

Ik moet een jaar of zes geweest zijn toen we naar Deurne bij Antwerpen zijn verhuisd. André en Hilda bleven in ons huis in Soest wonen en we zijn er de jaren nadien nog vaak op bezoek geweest. Papa en mama waren liever in Duitsland gebleven maar mijn grootouders, Leonard en Madeleine, werden oud en afhankelijk van hun enige kind, mijn vader. Moemoe leed aan een hartkwaal en stierf uiteindelijk kort nadat mijn ouders een wild- en gevogeltewinkel openden. Vava weende hard en onophoudelijk om het heengaan van zijn vrouw. Dat was mijn eerste kennismaking met de dood, maar ik had mijn grootmoeder slechts kort gekend en snapte mijn grootvaders verdriet van geen kanten.

Achter de winkel kweekte mijn vader zelf kippen en konijnen. Op vraag slachtte hij de dieren en ik had geen enkele moeite om erop te staan kijken. Ik zag papa graag bezig en mocht niet in de winkel komen, dus was dat mijn favoriete tijdverdrijf. Vlot hing hij de dieren met hun poten omhoog aan een haak en kapte alsof het bandwerk was de koppen af. Het bloed spoot uit de halzen op de tegels van onze binnenplaats. Van de kippen brandde vader de pluimen af en de konijnen vilde hij behendig met een speciaal mes. Mijn moeder verwijderde de ingewanden. Van voedselinspectie was toen nog geen sprake. Op een bepaalde dag werd papa, die fluitend een konijn stond te villen, ineens lijkbleek.

'Wat is er, vader?'

'Ga je moeder roepen, ik heb in mijn vinger gesneden.'

Ik deed onmiddellijk wat hij van me vroeg want ik wist dat papa er niet tegen kon om menselijk bloed te zien vloeien, vooral niet zijn eigen bloed. Om die reden was hij nooit bij de bevalling van zijn kinderen aanwezig geweest. De verwonding aan zijn vinger bleek achteraf mee te vallen.

De verhuis naar België had voor mij een grote verandering in petto. Ik moest voor de eerste keer naar school. Het was een strenge katholieke school, hoewel noch vader noch moeder fervente kerkgangers waren. Mijn ouders wilden dat ik een kwalitatief goede opleiding kreeg en omging met goedopgevoede kinderen uit de betere klasse. Aan die voorwaarden werd volgens hen enkel voldaan als ik naar een katholieke school zou gaan. Dus werd het Sint-Rumoldus. We kregen er les van nonnen of ongetrouwde juffen, wat ik belachelijk vond. Maar in het begin van de jaren vijftig was het immers nog een schande wanneer getrouwde vrouwen werkten. Het betekende dat hun echtgenoten niet genoeg verdienden om rond te komen en dat was geen goed voorbeeld voor de meisjes op het strenge instituut. In de klas moesten we over onze gewone kleren een blauw met witte voorschoot dragen met lange mouwen, ongeacht het weer. Ik maakte er ook kennis met het begrip lijfstraffen. Bij mij thuis was het geen gewoonte om te slaan. Alleen in uiterste nood of wanneer mijn kwajongensstreken echt te gortig waren, werd er eens een hand gebruikt. Op school liepen de leerkrachten altijd met een metalen liniaal in de hand rond, klaar om toe te slaan. Het vaakst werd die gebruikt tijdens de lessen schoonschrift.

'De juffrouw schrijft links in plaats van rechts?'

Pets!

'De jongedame drukt te veel met haar wijsvinger op haar pen.'

Pets!

Ik vond het barbaars. Drie van mijn medeleerlingen begonnen in dat jaar spontaan te stotteren omdat ze zo zenuwachtig werden van de dreigende liniaal.

Ik was een middelmatige leerling die alles en niets echt graag deed en al helemaal geen blokker was. Ik deed niet graag wiskunde en heb nog steeds moeite met de tafels van vermenigvuldiging. Turnen was nog zo'n vak waar ik niet naar uitkeek. De gymnastieklessen moesten we in onze gewone kledij afwerken met een kort broekje onder onze rokken voor het fatsoen. In plaats van schoenen droegen we de overbekende witte turnpantoffels. De juf was een echt kreng dat niet anders deed dan blaffen en snakken. Nee, mijn liefde voor sport werd er niet echt door aangewakkerd. Aan Frans had ik al helemaal een broertje dood. Hoewel papa me altijd hielp met mijn huiswerk moest ik voor dat vak regelmatig nablijven. Slechte leerlingen liet men in eerste instantie een jaar overdoen. Wanneer dat niet hielp, werden ze gewoon achteraan in de klas gezet en mochten ze doen wat ze wilden. Ze hoefden zelfs niet meer op te letten, zolang ze maar geen kabaal maakten. Die probleemgevallen eindigden vaak als analfabeet. Gelukkig waren mijn punten niet zo slecht en doorliep ik de schoolperiode zonder noemenswaardige problemen.

De taalaanpassing voor mij en mijn moeder verliep met gemengd succes. In Duitsland en zelfs in de beginperiode in Vlaanderen hadden we thuis altijd Duits gesproken, aangezien het de enige taal was die mijn ouders gemeenschappelijk hadden. In uitzonderlijke gevallen sprak ik Nederlands met Hilda of mijn vader, waardoor mijn moeder en ik in België met een zwaar accent kampten. Mijn eerste lerares sprak er ons over aan en vroeg mijn ouders thuis ook op het Nederlands over te stappen. Bij mij is mijn buitenlandse tongval langzaamaan verdwenen. Mama spreekt nu, na meer dan vijftig jaar in dit land, nog steeds niet zonder accent. Voor de rest burgerden we ons volledig in. Mijn ouderlijk huis werd geen museum vol met Russische souvenirs. Moeder had die periode in haar leven voorgoed afgesloten zonder dat er oude wonden waren die konden gaan etteren. Russisch sprak ze enkel nog met haar zussen.

Van mijn eerste jaren in België kan ik me verder niet zoveel meer herinneren. Wel dat een vreemde nachtelijke wandeling door een bos een einde maakte aan de regelmatige bezoekjes aan onze familie in Duitsland. Het bos bestond vooral uit dennenbomen. Alleen mama en ik liepen daar. Vader en Bianca waren nergens te bekennen. Ik droeg een wit jurkje en een van mijn mooiste strikken in mijn haar. Geen jas, waardoor ik rilde van de kou. Ik voelde me ook erg moe. Het lint uit mijn haar moet ik onderweg ergens verloren zijn want ik herinner me dat ik terug wilde om het te gaan halen.

'Toe Mutti, mijn haar hangt in mijn ogen. Ik wil mijn strik terug.'

Een korte snauw vertelde me dat dat niet mogelijk was: 'Dat gaat niet, Jacqueline. We moeten voortmaken, anders krijgen de wolven ons te pakken.'

Ik schrok van mijn moeders toon. Zo sprak ze bijna nooit tegen me. Had ik iets verkeerds gedaan? Kreeg ik straf? Wilde mama me hier in dit bos achterlaten zoals in *Hans en Grietje*? Om het zekere voor het onzekere te nemen liep ik de rest van de tijd zonder tegenspreken flink door. De wandeling duurde langer dan gedacht. Mama leek voortdurend op zoek naar iets. Het was zo donker in het bos en ik dacht overal de priemende ovale ogen van wolven in het struikgewas te zien. Mijn hart klopte in mijn keel toen ik eindelijk in de verte een licht gesputter hoorde.

Mama zuchtte opgelucht: 'Kom, Jacqueline, we zijn er.'

We lieten het bos achter ons en liepen op een auto toe die met draaiende motor in het struikgewas langs de kant van de weg stond. Het was de onze en papa stapte uit.

'Vlug, vlug. Want daar in de verte staat de douane.'

Hij wees naar een lichtpuntje in de verte.

Eenmaal in België gaven vava en Raoul mij en mijn moeder aan op het commissariaat. Enkele rijkswachters kwamen naar de winkel en hebben ons geholpen om de juiste papieren in te vullen zodat we geregulariseerd konden worden en een verblijfsvergunning konden aanvragen. Nu zou dat ondenkbaar zijn, maar toen was dat de normaalste zaak van de wereld.

Jeugdjaren

Deurne, België, 1957

In het jaar dat na het Verdrag van Rome de Europese Economische Gemeenschap werd opgericht, kreeg mijn moeder een paar miskramen en kampte lang met een vreemde soort buikpijn. Op een gegeven moment was ze zo ziek en had ze zoveel pijn dat ik dacht dat ze ging sterven en dat ik als oudste dochter het huishouden zou moeten doen terwijl ik dat helemaal niet goed kon. Mama kon nauwelijks nog rechtop lopen en hield zich aan een streng dieet. Na een jaar lang sukkelen nam mijn vader haar mee naar een dokter. Mijn moeder bleek last te hebben van haar gal en moest uiteindelijk onder het mes.

Mijn vrees was ongegrond want papa nam het huishouden volledig van mijn moeder over, zowel tijdens haar verblijf in het ziekenhuis als bij de herstelperiode erna. Mijn vader kookte lekker. Voor ons draaide mama's ziekte uit op een feest. Ik krijg honger bij de herinnering aan zijn witlof in roomsaus of de zelfgebakken eclairs die hij bij de koffie toverde. Eigenlijk was dat niet verwonderlijk. Mama kende in het begin van hun relatie enkel de Russische keuken en papa leerde haar beetje bij beetje de Vlaamse keuken kennen.

Hij waste de kleren in onze eerste wasmachine, een ronde ton met in het midden een as die langs boven gevuld werd. Achteraf bekeken was mijn vader echt een nieuwe man avant la lettre. Zo deinsde hij er niet voor terug om met mijn zusje in de kinderwagen over straat te lopen. Hij was trots op zijn kinderen. Papa's opvattingen over opvoeding waren wonderbaarlijk. Hij vond dat het bij een eventuele scheiding de vader was die verantwoordelijk was voor de opvoeding van de kinderen omdat die het geld verdiende om ze te kunnen onderhouden. Geen van de buren waagde het over mijn vaders aanpak te roddelen omdat hij graag gezien was en een joviale sociale man was. Hij deed vaak klusjes voor de omwonenden.

Na enkele weken kwam mijn moeder thuis met een grote snee van onder haar borst tot aan haar lies. De wond was van buiten dichtgepind en moest regelmatig ontsmet worden. Al bij de eerste poging viel papa flauw, net als zijn vader. Uiteindelijk moest mama het litteken zelf verzorgen.

Wegens mijn moeders ziekte gaf papa de winkel op en verhuisden we naar de Venneborglaan, niet ver van mijn school. Hij nam verschillende baantjes aan als kelner of barman, zodat hij overdag thuis kon zijn om voor ons en mama te zorgen.

Ons nieuwe huis was gebouwd in de stijl van de jaren twintig, had rode bakstenen, een zadeldak en een alleraardigst voortuintje. Het houtwerk rond de ramen en deuren was groen geschilderd. Het centrale zenuwpunt van onze nieuwe woning was de gezellige woonkeuken. De grote servieskast en een comfortabele fauteuil vulden de ruimte grotendeels. Daar vertelde papa op zondagnamiddag, als het te slecht weer was om buiten te spelen, zijn zelfverzonnen verhaaltjes van 'Pieterke en Wieterke'. De spannende avonturen deden ons, inclusief mama, aan zijn lippen hangen. Muisstil was het in het vertrek wanneer papa met weidse gebaren de taferelen beschreef. Soms was ik blij dat het slecht weer was want dat betekende weer een verhaaltje van 'Pieterke en Wieterke', de helden van ons gezin.

Een eettafel en een gasfornuis vervolledigden de inrichting. Het kooktoestel had drie pitten naast elkaar omdat mijn moeders kleine gestalte het niet toeliet anders tot bij de achterste twee platen te reiken.

Bianca en ik deelden een kamer terwijl de rest van de eerste verdieping aan een onbekende werd verhuurd.

Op 4 oktober 1957 stond ik met papa in de tuin naar de lucht te turen, niet wetend wat te verwachten.

'Onthoud deze dag goed, Jacqueline, het is het begin van een nieuw tijdperk. Vergeet deze dag nooit.'

Ik begreep niet waarover hij het had.

Enkele minuten later verscheen een vreemd voorwerp aan de hemel. Het had het meeste weg van een vallende ster. In Rusland had men even daarvoor de Spoetnik gelanceerd.

Dat jaar zat ik naast Flora Den Hertog in de klas en we wisten vanaf de eerste dag we een hekel aan elkaar zouden hebben. De concurrentie werd vooral uitgevochten tijdens de examens. Het was het eerste en enige studiejaar dat ik meer dan tachtig procent haalde. Bovendien waren onze beide vaders ex-militairen en we schepten er graag tegen elkaar over op.

'Mijn vader is eerste adjudant.'

'Mijn papa was kolonel.'

'Met de nadruk op was.'

'Mijn papa was bij de Witte Brigade.'

En zo ging het onophoudelijk door tot Bianca op een dag onderweg naar school enkele rotte aardappelen in de goot vond. Ik had net bij haar mijn hart gelucht over de hatelijke opmerking die Flora me de dag ervoor had toegeworpen.

'En toen noemde ze papa een nul die niet eens een granaat kon gooien. Kun je dat geloven?'

'Je kunt het haar betaald zetten, natuurlijk. Hier kijk, kunnen we hiermee niet laten zien dat we een familie zijn van goede granaatwerpers?'

'Wat moet ik daarmee?'

'Wel, naar Flora keilen, natuurlijk. Slimmeke.'

Voorzichtig nam ik een zakdoek, wikkelde de projectielen erin en stopte ze in mijn boekentas. Nu zou ik Flora een lesje leren.

Zo zou het altijd gaan tussen Bianca en mij. Mijn zusje, de stille genieter, kwam met de ideeën aan en ik voerde ze uit, waardoor ik altijd straf kreeg. Ze leerde goed en was veel stiller dan ik, hoewel dat relatief is want thuis riep en tierde ieder gezinslid dat het een lieve lust was. Bij ons heerste de wet van de luidste en ik kon gerust meedingen naar die titel. Bianca koos ervoor om op strategische momenten de katjes in het donker te knijpen.

Tijdens het speelkwartier was het zover. Ik haalde de zakdoek met de aardappelen uit mijn tas en liep vlak achter Flora naar de speelplaats. Van zodra de juf even niet keek, haalde ik de eerste aardappel uit de zakdoek en gooide die met een verrassend sterke zwaai, waarin al mijn haat voor haar gebundeld was, tegen Flora's achterhoofd. Mijn tegenstandster schrok zich te pletter en voelde aan haar achterhoofd. Het vloeibare deel van de aardappel was in haar haren blijven plakken, de rest was op de grond gevallen. Flora keek achterom op zoek naar de dader en ontdekte mijn scheve grijns. In een opwelling raapte ze de rest op en smeet hem terug in mijn richting maar ik stond al klaar met het volgende projectiel. Iedere keer weer kreeg ik de overschot teruggeworpen. Er ontstond een arena van medeleerlingen rond ons die luidkeels partij kozen. De aardappelen waren nergens meer te vinden en Flora en ik krabden, trokken en beten van ons af alsof ons leven ervan afhing. Plots was het gevecht afgelopen en werd ik aan mijn kraag naar het bureau van de directrice gebracht. Flora ook. We kregen alle twee een flinke uitbrander en een gesloten omslag die we aan onze ouders moesten geven.

Onderweg naar huis informeerde Bianca hoe haar plan was verlopen.

'We zijn natuurlijk tot bij zuster Imelda moeten gaan en ik heb een brief voor mama en papa meegekregen. Hier is hij.'

Ik liet mijn zusje de enveloppe zien.

'Fiieeuuw. Wat ga je ermee doen, Zakin?'

Bianca had moeite met het correct uitspreken van mijn naam.

Jacqueline werd verbasterd tot Zakin en als ze me thuis wilden plagen werd het al eens Zakuit.

Ik stopte en dacht even na. Ik staarde van de maagdelijk witte omslag naar het rioolputje in de goot. Een seconde later verdween de brief tussen de buizen van het rooster. Een knipoog naar Bianca vertelde dat het ons geheimpje was en we liepen verder.

Een week later kreeg ik bij thuiskomst een flink pak rammel. Zuster Imelda had naar huis gebeld met de vraag waar het antwoord op haar brief bleef. Bianca had het telefoongesprek afgeluisterd en alles aan papa verklikt.

'Het is godgeklaagd!' tierde hij.

'Zo erg is het toch niet, Rik?' probeerde mijn moeder hem te sussen.

'Ah, nee? Zo liegen en bedriegen! Eerst op uw knieën in de hoek met uw armen in de lucht en tot honderd tellen en dan honderd keer schrijven: "Ik mag mijn ouders niet bedriegen." Hup! En rap een beetje!'

Ik gehoorzaamde snel.

Mama was altijd veel menselijker en warmer dan papa. Aan haar vertrouwden we onze problemen toe terwijl vader afstandelijker was. Op dat vlak was papa een contradictie. De trots voor zijn kinderen, de hulp die hij was in het huishouden en de verhaaltjes waarmee hij ons entertainde, werden overschaduwd door de streng katholieke opvoeding die hij regelmatig op ons doordrukte. Bij papa was niet veel bespreekbaar. Als ik met een vraag bij hem kwam had ik twee mogelijke antwoorden: 'Vraag dat maar aan je moeder', of 'Zoiets vraag je niet'.

Mama en papa dwongen allebei mijn respect af, elk op hun eigen manier. In die periode verleerde ik de meeste van mijn streken.

Het liefste speelden Bianca en ik in de tuin. We hadden niet veel speelgoed, dus maakten we het meeste zelf. Onze verbeelding vormde daarbij ons grootste plezier. Zo fantaseerden we dat we op reis gingen. Van een beddenlaken maakten we een tent en een oude reiswieg was onze auto. Of we speelden schooltje en ik was de non die in volle klederdracht, met wapperende kap en witte boord door mama in elkaar genaaid, lesgaf aan Bianca. Schooltje en kerkje speelden we het liefst. Zo vonden we een ziek musje dat we probeerden te verzorgen. Het beestje stierf natuurlijk, dus wilden we het begraven. Dat moest op gepaste wijze met een Latijnse mis gebeuren. Ik verkleedde me als pastoor en we maakten hosties van een snee wit brood. De korsten trokken we eraf en het deeg werd met onze handpalmen plat geklopt waarna we er ronde cirkels uit knipten. Mijn moeder stond ons in een hoekje te bekijken en lachte.

Dat waren de rustigere momenten, maar mijn ondeugendheden staken op een zeldzaam moment nog weleens de kop op. Ik moet ongeveer elf geweest zijn toen mama me op een dag vroeg om de ketel met water op te warmen voor thee. Er was onverwachts bezoek en mijn moeder bleef bij hen in de woonkamer. Ik opende de gastoevoer van het eerste pit en stak een lucifer aan. Het ontbranden van het zwavelkopje en de ssccchht die ik daarbij hoorde, hadden me altijd al gefascineerd. Ik was de ketel helemaal vergeten en stak gebiologeerd de ene lucifer na de andere aan en legde ze daarna in de asbak op de vensterbank. Een penetrante geur maakte me wakker uit mijn roes. Het overgordijn voor het keukenraam had vlam gevat en de groene verf van het raam kwam los. Ik schrok. Mijn hart sloeg over.

'Ma, kom!'

Maar net zoals vroeger met André had mama me niet goed begrepen. Ze dacht dat ik 'Mamaatje, het komt!' had geroepen.

Ze riep terug: 'Oké.'

'Ma! Kom! Het brandt!'

Het echtpaar op bezoek had me nu wel verstaan en mijn moeder kwam zo snel haar kromme beentjes haar konden dragen. Koelbloedig pakte ze de ketel met water en bluste het vuur.

Het is de eerste en de enige keer geweest dat mama me over haar schoot legde, mijn rok optilde en me met de blote hand een flink pak rammel heeft gegeven. Niet moeilijk, dankzij mijn ondoordachtheid was het hele huis net niet in vlammen opgegaan.

Bijna ieder jaar gingen we op reis. Dat kon Oostenrijk of Zwitserland zijn en soms zelfs simpelweg de Vlaamse kust die toen vanuit Antwerpen een rit van vijf uur betekende. Papa had zelf een tent van groene nylon met puntdak in elkaar gestikt en een geraamte van buizen aan elkaar gelast. De witte slaaptent aan de binnenkant kon zes personen comfortabel te rusten leggen. Later maakte vader ook nog een grote tent waarin we rechtop konden staan. Toen ik negentien was, bouwde mijn handige papa het oude chassis van een afgebrande caravan om in een gloednieuwe. Die was in hout met een tentzeil erbovenop dat uitgeklapt kon worden.

Aan papa's groene Volkswagen Kever hing tijdens zo een reis een volgestouwd aanhangwagentje. Wat nooit in onze bagage ontbrak, was een transistorradiootje en vaders acht millimetercamera. De kleine radio werkte op batterijen en terwijl papa onophoudelijk draaide aan het hendeltje van zijn camera, galmde 'Marina' van Rocco Granata door de luidsprekers over de camping.

Een uitzonderlijke keer maakten we een daguitstap. Zoals heel veel Belgen bezocht ik in de zomer van 1958 samen met mijn ouders de Wereldtentoonstelling in Brussel. Met open mond liep ik de vele brede trappen op van het Russische paviljoen. We kwamen binnen in een immens grote kale betonnen ruimte waar onder andere de Spoetnik stond uitgestald. Verschillende hoogwaardigheidsbekleders uit mijn moeders geboorteland stonden her en der met elkaar te praten. Mama deed een poging enkele van die gesprekken af te luisteren, maar slaagde er niet in iets belangrijks op te vangen.

'Dichter dan dat zal ik nooit meer bij Vadertje Rusland geraken', zuchtte ze berustend toen we terug naar buiten liepen.

Aan mijn laatste jaar van de lagere school heb ik goede herinneringen. Tijdens de catecheselessen had ik voor het eerst contact met mannelijke leeftijdsgenoten. Er zat geen enkele jongen tussen die ik leuk vond. Iedere morgen sleepte ik mezelf met tegenzin naar de non die ons moest voorbereiden op onze plechtige communie. Iedere les werd om zeven uur afgesloten met een mis. Ik kreeg de catechismus er maar niet in. Maar goed dat we er niet voor konden zakken.

Ondertussen stoomde zuster Amata ons klaar voor de middelbare school. Ze was een begeesterende lerares en ik hing letterlijk aan haar lippen. Het gevolg was dat ik goede resultaten haalde, waardoor mijn vader erop stond dat ik de humaniora zou aanvatten.

'Maar, papa, laat me huishoudkunde gaan studeren, dan word ik later een goede huisvrouw', probeerde ik nog. Maar ik wist dat het een hopeloze zaak zou worden.

'Niets van, jij gaat net als ik naar de humaniora.'

Het werd de Moderne Humaniora van het Santa Maria Lyceum in Deurne.

In de zomer van 1960 vertrok Raoul met slaande deuren uit het huis. Tussen hem en papa had het nooit goed geklikt en de situatie was geëscaleerd. Mijn broer pakte op achtentwintigjarige leeftijd al zijn bezittingen bij elkaar en vertrok naar Australië. Hij vestigde zich in Noumeà, de hoofdstad van Nieuw Caledonië en niemand heeft hem ooit nog teruggezien. Op een spaarzame brief na, toen mijn vader stierf, heb ik hem ook niet meer gesproken. Veel later vertelde mama mij dat mijn vader ervan overtuigd was dat Raoul niet zijn zoon was omdat hij rood haar had terwijl papa en Jeanne beiden gitzwarte lokken hadden. Mijn broer was de irritatie die hij bij zijn vader veroorzaakte meer dan beu en is uiteindelijk vertrokken. Ik heb mijn broer altijd gemist. Hij was een man naar wie ik opkeek.

Mijn vader kreeg in dezelfde periode eindelijk een goede betrekking te pakken bij een verzekeringsmaatschappij naast de opera in het centrum van Antwerpen. Dat had hij te danken aan Peter, zijn voormalige collega bij het leger. Door die nieuwe betrekking konden we naar een groter, moderner en lichter huis bij ons in de Venneborglaan verhuizen. We hoefden alleen maar onze meubels naar de andere kant van de straat te brengen en waren gesetteld. Ook deze woning had een klein voortuintje en was volledig in het wit geschilderd. Men had de eerste meter vanaf de grond rondom het huis afgewerkt met arduin.

Ons nieuwe onderdak telde verschrikkelijk veel kamers. Er was een salon, een eetkamer, een woonkeuken met koepel in het dak en voor ieder van ons een slaapkamertje. Mama kreeg een mixer cadeau en onze oude keukenmeubels werden vervangen door een tafel en stoelen in formica met vernikkelde buizen als poten.

Papa kocht onze eerste televisie want dat najaar zou de koning trouwen met donna Fabiola De Mora Y Aragon en dat wilde niemand missen. Ik mocht echter niet kijken en moest aan de grote eettafel studeren voor mijn examen geschiedenis. Door mijn wimpers tuurde ik stiekem toch naar de televisie en zag de Spaanse donna met een bontkraagje aan haar prachtige jurk met beide handen opgestoken zwaaien naar de menigte voor het paleis.

Enkele maanden daarvoor was ik met tegenzin aan mijn middelbare studie begonnen. Ik ergerde me letterlijk blauw aan de reglementen, lessen en vooral het schooluniform. Het donkerblauwe jurkje met witte blouse had verticale plooitjes en een wit plastieken kraagje dat we eraf konden halen om te wassen. Daarbovenop droegen we een das. De boord sneed verschrikkelijk in mijn hals. In de zomer waren witte sokjes de regel en 's winters kniekousen. Jarenlang hebben mijn medestudenten en ik ervoor geijverd om tijdens de wintermaanden nylonkousen onder die kniekousen te mogen dragen. Zonder resultaat. Enkel de laatstejaars, de retorica, werd die gunst verleend.

Een van de leraressen was de fanatieke juffrouw De Munck van Engels. Want alles wat Brits was, was goed. Ze was niet groot en probeerde dat te verbergen door schoenen met metalen naaldhakken te dragen. Haar uiterlijk was altijd tot in de puntjes verzorgd. Het kapsel van juffrouw De Munck was sterk getoupeerd in een enveloppe en met lak vastgezet. Blouses met driekwart mouwen en mantelpakjes met rechte smalle rokjes tot onder haar knieën vervolledigden haar voorkomen. Daardoor moest de lerares het podium vooraan in de klas schuin opstappen wilde ze vermijden dat de naden van de strakke rokjes het begaven. Op een dag kreeg iemand het idee om op het moment dat juffrouw De Munck het verhoog zou opstappen een stuk stof in tweeën te scheuren. Omdat ik vooraan in de klas zat en bereid was mee te doen aan het grapje zou ik die taak op me nemen. De uitdrukking op het gezicht van de lerares Engels was hilarisch. Maar ze had redelijk snel door dat haar kledij nog intact was en dat het om een grap ging. Ze kon er gelukkig om lachen. Juffrouw De Munck is in mijn derde middelbaar getrouwd met een Schot en op het einde van het schooljaar is ze naar Engeland verhuisd.

Een van de weinige nonnen op school was de joviale zuster Alexia, kortweg de Lek genoemd omdat ze overmatig speeksel produceerde en dat vaak met haar pupillen deelde doordat ze meer tussen onze lessenaars liep dan aan het krijtbord stond. Zuster Alexia gaf wiskunde en geschiedenis. Voor wiskunde had ik nog steeds geen voorliefde, met uitzondering van algebra. De bewijzen die bij meetkunde meer regel dan uitzondering waren, kreeg ik er niet in. De geschiedenislessen kregen veruit mijn voorkeur. Maar de meest memorabele les was die waarin de Lek levendig en met zin voor details vertelde over de gladiatorengevechten bij de Romeinen. Zo plastisch was haar uitleg dat ze plots haar valse boventanden verloor. Beduusd keek ze naar haar gebit dat in haar hand lag. De klas schaterde het uit en zuster Alexia is huilend de klas uitgelopen. De rest van het lesuur kwam een andere non studie geven.

Nadat ik mijn humaniora beëindigde werden de gevolgen van het Tweede Vaticaans Concilie steeds zichtbaarder en mochten de meisjes van het Santa Maria Lyceum broeken dragen onder hun uniformen. De nonnen droegen kortere rokken of sommigen zelfs geen uniform meer en gingen de wijde wereld in, in plaats van zich op te sluiten in hun kloosters. Door een dalend aantal roepingen gaven steeds minder zusters les en werden ze vervangen door soms getrouwde juffrouwen

Wat ondanks Vaticanum II onveranderd bleef, was de strikte scheiding tussen de instituten en de colleges, ofwel de meisjes en de jongens. Thuis had ik geen broers en op straat spelen mocht ik niet. Jongens zaten in een voetbalploeg of in de jeugdbeweging en ook die waren strikt gescheiden. Dus de enige jongens die ik zag, waren de misdienaars in de kerk. Een van hen was Wilfried, achttien jaar en naast misdienaar ook zanger in het kerkkoor. Hij woonde in dezelfde straat schuin tegenover ons huis en zijn vader reed met een brede Amerikaanse wagen, een Chevrolet met vleugels achteraan op de motorkap. Wilfried was mijn eerste puberale verliefdheid en om hem te zien woonde ik gedurende lange tijd iedere morgen de vroegmis bij. Papa begon zich zorgen te maken en dacht dat ik non wilde worden, maar mama vermoedde waar de klepel hing. Ik heb Wilfried nooit durven te zeggen wat ik voor hem voelde en maar goed ook. Een jaar later trouwde hij met Leentje en kreeg een kind van haar. Hij dronk blijkbaar veel en is op een nacht met zijn wagen tegen een boom gereden toen hij nauwelijks dertig was.

Als puber veranderde mijn persoonlijkheid ingrijpend. Ik was in tegenstelling tot mijn leeftijdsgenoten absoluut geen fan van de Beatles of Elvis Presley. Die waren mij veel te lawaaierig. Ik gaf veruit de voorkeur aan Nat King Cole of Pat Boon, een charmezanger die occasioneel op een filmset stond.

Echt veel vriendinnen had ik niet, behalve Magda en Cecile. Beiden kwamen uit huishoudens van zes of zeven kinderen. Daar was ironisch genoeg vaak minder lawaai dan bij ons thuis. We trokken ons dan terug in een hoekje van de tuin of in een kamertje op zolder om te kletsen. Uitzonderlijk experimenteerden we al eens met make-up maar veegden dat weer onmiddellijk van ons gezicht. Make-up was volgens onze ouders schofterig, alleen meisjes uit het officiële onderwijs deden dat op. Die categorie werd algemeen beschouwd als minderwaardig. De kloof tussen het katholieke en het gemeenschapsonderwijs was groot. We werden zoveel mogelijk gescheiden gehouden. Onze vrije namiddag was op een donderdag, die van het officiële net op woensdag.

Magda en Cecile kwamen zelden bij mij thuis omdat mijn moeder veel te dicht op onze huid zat. We hadden er minder vrijheid, dus kwamen Magda of Cecile bij ons aanbellen en vragen of ik bij hen mocht spelen. Zelden liet mama me gaan. Ze vond altijd wel een excuus om me thuis te houden waarbij de vloeren schuren en dweilen hoog op haar lijstje stonden. Pas als ik mijn taken voltooid had, mocht ik bij mijn schoolvriendinnen gaan spelen. Om mijn moeder voor te zijn kwamen de twee samenzweerders me helpen als ze even naar de winkel was. Op een keer ben ik zelfs om drie uur 's nachts opgestaan om in alle stilte de vloeren van ons huis te boenen. Toen was het rond dat uur al licht in de grote vakantie omdat het zomeruur nog niet in gebruik was. Dat kwam er voor de eerste keer in 1977 naar aanleiding van de oliecrisis, om energie te besparen.

Rond mijn puberteit was ik behoorlijk dik en ik lachte bijna altijd. Dat leverde me op school de bijnaam *La vache qui rit* op, waardoor ik onzeker werd. Ik was echt een solitair persoon geworden. Bij familiefeesten muisde ik er graag vanonder en de plagerijen, hoe onschuldig ook, maakten van mij nog minder een groepsmens. Ik liet iedereen met rust en hoopte dat zij mij ook de nodige ruimte gaven. Ondanks mijn nieuwsgierigheid wist ik vanaf mijn tienerjaren niet hoe ik met de problemen van andere mensen moest omgaan.

Alleen thuis behield ik mijn scherpe tong. Als mijn ouders ruzie maakten was dat altijd om de grootste bagatellen eerst. Beide sterke karakters vochten om de scepter. Ze riepen en ze tierden tot ze er van uitputting bij neervielen om daarna veertien dagen 'beeld zonder klank' te spelen.

'Die vaas moet op de kast!' gilde moeder.

'Ze is nog van moemoe geweest en moet een ereplaats hebben. Zet die in de vensterbank!' bulderde vader.

'Dan stoot een van de kinderen ze misschien om en is ze kapot. Wil je dat soms?'

Twee dagen later was het nog van dat.

'Jacqueline, zeg tegen uw vader dat hij van die vaas afblijft.'

'Jacqueline, zeg tegen uw moeder dat ik in mijn huis doe wat ik wil.'

Ik had er genoeg van.

'Zeg! Ik ga later met een zeeman trouwen. Dan kan ik mijn vaas zetten waar ik wil.'

Ze bekeken het maar. Met mijn armen over elkaar gevouwen verliet ik de woonkamer om een rustigere plek te zoeken.

Mama en papa verschilden grondig van mening maar hebben nooit overwogen om uit elkaar te gaan. Mij kwam het voor dat ze beiden heel goed wisten waaraan ze begonnen waren en uit respect voor mijn moeders keuze om kinderen te krijgen van een gehuwde man is vader altijd bij haar gebleven. Het klinkt raar maar bij ons thuis was veel liefde. Alle gevoelens en emoties binnen ons gezin leken zoveel sterker, zoveel meer gepassioneerd dan die in de buitenwereld.

De eerste keer dat ik bewust geconfronteerd werd met de dood van een geliefde was in mei 1961. Daniëlle, een klasgenootje, had vier zussen van wie er in de jaren daarvoor al drie aan leukemie gestorven waren. Toen ook zij op dertienjarige leeftijd overleed aan die ziekte vormden we met alle leerlingen een erehaag rond haar kistje. De scherpe geur van wierook brandde in mijn neusgaten. Ik huilde onophoudelijk. Niet om de dood van Daniëlle maar ik had medelijden met het onmenselijke verdriet van haar ouders. Hoe voelt het om vier kinderen te verliezen aan dezelfde kanker en er nog slechts één over te houden? Mijn ogen zetten op van het vele wrijven met mijn zakdoek en toen ik thuiskwam van de begrafenis kon papa het niet laten er een opmerking over te maken.

'Wat is dat nu? Wenen voor een wildvreemde? Is dat niet belachelijk?'

Mijn moeder zag het en liep op me toe om me te troosten.

'Maar kindje, toch. Was het zo erg?'

Ik knikte sniffend.

Mama wendde zich tot mijn vader: 'Jij hebt ook geen medelijden! Maar ja, van een militair moet ik niets anders verwachten. Die hebben geen hart!'

'Mannen huilen nooit, anders zijn het slappelingen, zoals Raoul', snauwde hij terug.

Ik was achttien toen Hilda besloot om terug te keren naar België zodat haar kinderen naar een behoorlijke school konden gaan. André was nog steeds beroepssoldaat en bleef in Duitsland. Voor mij was dat een zegen want dat betekende dat ik mijn zus veel vaker zou zien. Het klikte nog steeds uitstekend tussen ons. Bij haar bloeide ik open van een tiener naar een volwassen vrouw. We gingen vaak samen naar de bioscoop. *West Side Story* en *Ben Hur* waren onze favoriete films. Met mama ging ik liever naar het theater.

In september 1966 startte ik mijn opleiding verpleegkunde aan het Sint-Bartholomeusziekenhuis. Het internaat onder leiding van zuster Gracienne werd mijn nieuwe thuis. Ik raakte erg gehecht aan de verantwoordelijke non. De jonge dertiger paste niet in het beeld dat ik van een kloosterlinge had. Ze had alle platen van Elvis en op een dag reed ze met de brommer van een medestudente rondjes op het binnenplein van het hospitaal in haar lange zwarte habijt met kleine kap en van die witte vleugels op het hoofd. Het was een komisch gezicht en de internen amuseerden zich kostelijk. Zuster Gracienne gaf zoveel gas dat het lawaai overdonderend werd. De directeur van het ziekenhuis, wiens kantoor uitkeek op het plein, opende zijn raam en riep de non tot de orde.

'Zuster Gracienne, is dat een goed voorbeeld voor de studentes?'

De non schrok, remde en zette de motor van de brommer af. De directeur sloot zijn venster.

Giechelend om de ondeugendheid van haar even teruggewonnen vrijheid liep ze op me toe.

'Kom mee.'

Zuster Gracienne nam me bij de elleboog. We liepen richting een paar bomen in de hoek van het plein. Tegen de stammen stonden twee bankjes zonder leuning.

'Héhé, dat pleziertje kunnen ze me niet meer afnemen.'

De zuster en ik gingen zitten. Vol bewondering om haar durf keek ik haar aan.

'Was u niet bang dat de rok van uw habijt tussen de spaken ging terechtkomen?'

'Ach nee', stelde ze me gerust. 'Dat kostuum gaat binnenkort toch ingeruild worden voor een veel korter exemplaar.'

De non woelde even tussen de plooien en haalde een pakje sigaretten en lucifers uit haar zak.

'Wil je er ook één?'

'Ja, graag.'

Het is mijn eerste van vele sigaretten geworden. We trokken een tijdje aan onze peukjes en ik genoot van de wind in mijn haren.

'Waar komt u eigenlijk vandaan?'

Zuster Gracienne keek door het gebladerte naar het verleden en hikte een kort glimlachje.

'Mijn doopnaam is Gislaine. Ik kom uit Berlare. En geloof het of niet maar mijn ouders waren geen kerkgangers. Pa is een gedreven communist en heeft me zelfs laten vallen toen ik zei dat ik me wilde bekeren.'

'Amai.'

Ik was nog meer onder de indruk van deze unieke vrouw. Ze zag het en lachte. Voor haar was het geen punt.

'Kom je straks ook naar het verjaardagsfeestje van Louise in de refter?' informeerde de non.

'Tuurlijk. Dan kan ik nog eens dansen op Nancy Sinatra.'

Ze boog haar hoofd naar me toe en fluisterde als een samenzweerder: 'Die sigaret smaakt eens zo lekker bij een glaasje wijn en wat chips.'

Daarna stond ze op en liep naar de ingang.

Ik hoorde haar zachtjes zingen: *'These boots are made for walking... and that's just what they'll do... One of these days these boots are gonna walk all over you...'*

Ergens in mei, vlak voor de examens, gaf ik er de brui aan. Dik tegen mijn zin had ik de laatste jaren van mijn humaniora afgemaakt en een studierichting moeten kiezen van mijn vader. Maar ik had genoeg van studeren en wilde werk gaan zoeken.

Tot december 1967 heb ik thuisgezeten en me verveeld. Er kwam geen interessante betrekking uit de bus. Ik was bijna twintig toen vader op een dag van zijn werk kwam en zei: 'Jacqueline, als je wilt, kun je bij ons komen werken. Ze zoeken nog een administratief bediende voor de dienst opmaak polissen.'

Eerste huwelijk

Deurne, 18 december 1967

Met de inwerkingtreding van het Fusieverdrag op 1 juli 1967 verenigden de Europese Gemeenschap voor Kolen en Staal, Euratom en de Europese Economische Gemeenschap zich onder de noemer Europese Gemeenschappen. De verschillende naties groeiden weer wat dichter naar elkaar toe.

De verzekeringsmaatschappij waar papa al bijna zeven jaar werkte, was in een mooi groot gebouw aan de Rooseveltplaats in het centrum van Antwerpen gevestigd en telde toen meer dan tweeduizend werknemers. Mijn vader was er diensthoofd van de verzendingen. De dag nadat papa me een job had aangeboden, vergezelde ik hem naar zijn werk. Het sollicitatiegesprek was niet meer dan een informele babbel. De personeelschef legde me uit wat de functie inhield. Ik moest ponskaarten controleren op fouten, het klassement bijhouden en zegels halen bij de dienst van mijn vader voor zendingen.

Twee vaste bedienden werkten onder mijn vader. Mannen, want papa moest van vrouwen op zijn dienst niet veel weten. Daarnaast had hij een vijftal loopjongens onder zich die instonden voor de boodschappen zowel tussen de verschillende afdelingen als naar buiten toe. Dat waren zonder uitzondering adolescenten die voorlopig binnen het bedrijf nog geen vaste betrekking konden innemen omdat ze wachtten op de oproeping voor hun legerdienst. Soms stuurde papa een van de jongens naar ons huis als hij zijn bril of portefeuille vergeten was. Een van hen was Guy Verlinden, de zoon van mijn vaders chef. Hij had verschrikkelijk veel puisten in zijn gezicht en stak zijn kin erg naar voren. Thuis noemden we hem Njamnjam omdat hij murmelde en zijn 'dag madam' meer klonk als njamnjam. Ik veronderstelde dat Guy in mij geïnteresseerd was. Op zijn aandacht zat ik echt niet te wachten en dus ontweek ik hem zoveel mogelijk terwijl vader net voor koppelaar speelde.

Ik had bijna alle loopjongens al gezien, behalve die ene over wie de vrouwelijke collega's het meest spraken: Francis Dupont. Volgens mijn vader was hij wel knap maar ook een bluffer en een grote mond. Op mijn eerste werkdag kreeg ik de betrokken loopjongen eindelijk te zien. Hij kwam stukken ophalen op mijn dienst.

'Goedemorgen, Frrrancis', kirde Ingrid.

Ze zat aan het bureau tegenover mij in hetzelfde kantoor. Ik keek op.

'Morgen, Ingrid. Ik ben ervan overtuigd dat jouw weekend weer schitterend verlopen is.'

'Laat ons hopen dat het jouwe even ontspannend was als het mijne.'

Iets ontging me.

'En wie mag deze mooie jongedame wel wezen? Een nieuwe collega die je voor me verborgen wilde houden?'

Francis keek geïnteresseerd mijn richting uit. Ik was meteen verkocht.

'Sorry, dat is Jacqueline. Ze werkt hier nog maar sinds vandaag', zong Ingrid.

'Hallo.'

Meer kreeg ik er niet uit. Een coup de foudre, een bliksemslag bij heldere hemel had me geraakt. Francis was lang en smal, met een klein buikje en extreem grote voeten. Zijn ovaalvormige gezicht met bruine ogen werd omlijst door donkere bakkebaarden die tot aan de onderkant van zijn oren reikten. Geen baard of snor sierde zijn lippen zodat een lichte dubbele kin zichtbaar was. Het zwarte haar was netjes opzij gekamd. Francis presenteerde goed. Zijn kledij, een kostuum met daaronder een dunne wollen coltrui, was kreukvrij. De laatste onbekende loopjongen leek me een sympathieke en joviale kerel. Ik begreep niet waarom papa niet zo van hem moest weten.

'Mag ik mijn hand terug?'

Ik schrok op uit mijn dagdroom en besefte dat ik me hopeloos belachelijk had gemaakt.

'Sorry.'

Met een knipoog vertrok hij naar de volgende ruimte.

'Zo, Frrrancis heeft blijkbaar niet veel moeite moeten doen om de oudste dochter van zijn baas van haar sokkel te blazen.' Ingrid bevestigde wat ik dacht.

Het had geen zin het te ontkennen. Mijn gezicht voelde plots warm aan.

Hou me op de hoogte, verraadde haar veelbetekenende blik. Ingrid boog zich weer over haar werk.

Het nieuwe jaar werd gevierd en op ons bedrijf betekende dat dat we de eerste vrijdag van januari na de werkuren per afdeling pinten dronken in een of andere bruine kroeg. In de loop van die namiddag kwam papa even langs mijn bureau om te informeren naar mijn plannen voor die avond.

'Jacqueline, je komt toch met onze dienst mee iets drinken straks?'

Ik vermoedde dat hij me in het oog wilde houden.

'Naar welk café gaan jullie?'

'Den Draak. Kom je?' drukte vader door.

'Ik ga eerst snel iets met mijn eigen collega's drinken en dan kom ik naar u toe. Goed?'

Hij was tevreden met het antwoord: 'Oké.'

Iets na vijf uur arriveerde ik bij Den Draak. Aan de manier waarop hij tegen de bar aanhing, wist ik dat vader al een paar glazen op had. Ik kreeg net de tijd om een pintje te bestellen

toen Guy en Francis bijna tegelijk op me toe liepen en me aan-
spraken.

'Jacqueline, het is...'

'Dag meisje, gaan wij tweeën eens een dansje doen?'

Ik hapte toe: 'Ja, hoor. Met plezier.'

Francis nam mijn hand en wierp een triomfantelijke blik naar
Guy. In mijn ooghoek zag ik dat die zeer teleurgesteld was en ik
had toch wel een beetje medelijden met hem.

'Guy, ik zal straks ook met jou dansen, goed? Maar eerst met
Francis want die moet straks nog met de bus naar Turnhout. Jij
woont in de stad, dus je kunt langer blijven.'

Francis en ik liepen naar de dansvloer.

De rest van de avond heb ik geprobeerd mijn tijd tussen de
twee loopjongens te verdelen maar ik moet bekennen dat dansen met Guy een zwaardere opgave was dan met Francis. Bij de
eerste viel tussen ons te vaak een ondraaglijke stilte tijdens het
dansen terwijl bij de tweede de gesprekken levendig waren.
Francis maakte er geen geheim van dat hij me wilde versieren.
Ongegeneerd door mijn vaders aanwezigheid flirtte hij met me
door mijn hoofd op zijn schouder te drukken of een dubbelzin-
nige opmerking te maken.

'Welke hobby's heb je?'

'Niet veel, alleen wat lezen.'

'Liggend of zittend?' grijnsde hij.

Ik lachte een beetje groen.

'Geen sporten?'

'Nee, niet echt.'

'Ook geen paardrijden?' Weer die grijns.

'Francis! Je plaagt me.' Ik sloeg hem speels op de revers van
zijn jasje.

'Ik doe niets lievers. Willen we er hier vanonder muizen en
met zijn tweeën uitgaan in die dancing in de Breydelstraat?'

'Ik weet niet, Francis. Ik mag het vast niet van mijn pa.'
Ondertussen evalueerde ik mijn vaders humeur van op een
afstand. 'Ik durf het hem zelfs niet te vragen.'

Een tijdje later vertrok Francis zodat hij op tijd zijn laatste bus op de Rooseveltplaats kon nemen. Papa zag zijn kans schoon om opnieuw voor koppelaar te spelen. Hij haalde wat kleingeld uit zijn portefeuille.

'Hier Guy, voor de jukebox.'

Guy deed braaf wat er van hem verwacht werd. Een kwartier later weer van dat.

'Hier Guy, dans nog eens met mijn dochter.'

Maar het klikte niet. Ik bleef de nodige fysieke afstand tussen hem en mij bewaren tot het tijd werd voor mij en mijn vader om naar huis te gaan.

Vanaf de week daarop hadden Francis en ik een dagelijkse afspraak in een discotheek in de Van Stralenstraat. Toen waren die tijdens de twee uur durende middagpauze open en bijna alle jonge werknemers gingen ernaartoe, inclusief Ingrid en ik. Onze boterhammen aten we tijdens de uren vlug clandestien op door de bovenste lade van ons bureau met ons lunchpakket erin open te zetten. Daar in de discotheek heeft Francis me voor de eerste keer gekust. Ik was verliefd, dus ik was blind en alles wat me overkwam was geweldig. Alles wat mijn schatje zei of deed was perfect.

Midden januari 1968 waren Francis en ik officieel een koppel. Bijna iedereen op het werk wist van onze affaire. Ingrid had niet kunnen zwijgen. Mijn moeder heb ik het zelf verteld. Alleen vader wist gedurende een paar weken van niets tot hij me er midden februari in de auto onderweg naar huis over aansprak.

'Als je maar niet denkt dat uwe Francis bij ons over de vloer komt. Zolang hij nog op mijn dienst werkt, kun je dat vergeten.'

Hij wist het. Ik slikte.

'In orde, pa.'

Vader zweeg. Dat was nog redelijk goed gegaan.

Papa en ik vertrokken altijd op tijd naar ons werk, want anders was er geen plaats meer om onze Kever te parkeren. Daardoor stonden we meestal om halfacht voor de deuren van het kantoor te wachten terwijl we om acht uur pas moesten beginnen. Francis' bus uit Turnhout, de nummer 40, arriveerde ook rond hetzelfde moment. We gebruikten dat halfuurtje om op de hoek van de Rooseveltplaats wat te kletsen.

'Het is zoals ik verwacht had.'

Mijn lief keek teleurgesteld toen hij me een ochtendzoen gaf. We hadden afgesproken dat hij zijn ouders gisterenavond zou vertellen over onze romance.

'Hoe bedoel je?' Ik fronste mijn voorhoofd.

'Ma en pa waren op zijn zachtst gezegd niet blij toen ik zei dat je een Duitse was.'

'Ik ben toch alleen maar in Duitsland geboren? Mijn vader is een Belg en mijn moeder een tot Belg genaturaliseerde Russin.'

'Je moet het van hun kant ook begrijpen. Ma heeft haar eerste echtgenoot in Gross-Rosen verloren en haat alles wat Duits is. Maar toen ik uitlegde dat je vader een beroepsmilitair was, hebben ze zich erbij neergelegd.'

Pets!

'Wat was dat?'

Ik had iets op mijn hoofd voelen vallen. Francis probeerde eerst nog zijn lach in te houden maar proestte het na enkele seconden uit.

'Een duif heeft op je haar gekakt.'

'Nee, hé. Dat meen je niet! Mijn haar is getoupeerd en er zit lak op. Dat krijg ik er zonder het te wassen niet uit.'

'Kom. We gaan naar binnen', grinnikte hij.

We zagen elkaar dagelijks en om de weekends te overbruggen logeerde ik bij Francis. Daar sliep ik op een bank in de slaapkamer van zijn ouders. Francis en mij samen laten slapen was uit den boze.

Toen ontving Francis een oproepingsbrief voor zijn legerdienst. De eerste drie maanden kreeg hij zijn basisopleiding in Turnhout maar omdat zijn vader daar instructeur was, wilde hij zo snel mogelijk naar Duitsland. Francis kreeg voor zes maanden een plaats in de buurt van Keulen. Slechts één keer ben ik Francis samen met zijn ouders gaan bezoeken. Ik had op mijn werk het bericht gekregen dat zijn ogen ernstig beschadigd waren geraakt door een steekvlam en dat hij in het militair hospitaal van Keulen lag. In allerijl reden we met de auto naar Duitsland. De paniek sloeg me om het hart toen ik in de mij aangewezen ziekenkamer Francis zag liggen met zijn linkeroog in een dik verband.

'Wat is er gebeurd?'

'Je hebt je oog toch nog?' vroeg ma Leonie bezorgd.

Francis trachtte ons te sussen: 'Het is niets ergs. Alles komt in orde. Ik wilde een sigaret doen branden met een aansteker die slecht was afgesteld en ik heb mijn wimpers en wenkbrauw verbrand. Mijn oog doet ook wat pijn maar de dokter heeft me verzekerd dat alles in orde komt.'

We zijn nog twee dagen gebleven vooraleer ik terug naar Antwerpen moest. Mijn familie vertrok op vakantie naar Italië, meer bepaald Venetië en San Marino aan de Adriatische Zee en dat wilde ik voor geen geld van de wereld missen. Met de caravan op vakantie met mijn ouders en Bianca stond garant voor amusement. Ik had er lang naar uitgekeken. Los van onze routine in België maakten we soms de gekste dingen mee en we leerden op zo een camping altijd wel mensen kennen. Dat jaar waren het drie Oostenrijkse studenten die onze aandacht trokken.

's Avonds bij het licht van een klein lampje voor de tent die ik met Bianca deelde, speelde ik voor waarzegster. Ieders toekomst werd voorspeld terwijl de muggen rond het licht zweefden. Mijn moeder keek van op een afstand toe. Het was de beurt aan Jozef.

'En wat wil jij weten over je toekomst?'

'Lieve waarzegster,' zei hij half serieus, 'vertel me of ik deze zomer eindelijk mijn ware liefde tegenkom.'

Samenzweerderig legde ik de kaarten in een kruis op tafel.

'Ja, ja... Ik zie het duidelijk.'

'Wat?'

'Je komt deze zomer de vrouw van je leven tegen. Je bent haar zelfs al tegengekomen.'

De andere jongelui begonnen te giechelen.

'En, zal ik met haar trouwen?' Jozef ging helemaal op in het spelletje.

'Ja. Ik zie het duidelijk.'

Bianca schaterde van het lachen. Schuin achter Jozef zag ik Markus, een van zijn kameraden, met een emmer op ons afkomen. Op het laatst mogelijke moment dook ik weg.

Splash!

Jozef kreeg een koude douche over zich heen. Iedereen huilde van plezier bij de aanblik van zijn verbaasde gezicht.

'Wakker worden, kameraad, we gaan je meisje zoeken op de fuif. Kom', gierde Markus in zijn oor.

Jozef droogde zich zo goed en zo kwaad als het kon af en we liepen in groep naar de cafetaria van de camping die gebruikt werd als fuifzaal.

'Om twaalf uur terug hier!' riep papa ons nog na.

'Dans je straks met me?' fluisterde Jozef me toe.

'Gek! Natuurlijk, ik dans met iedereen.'

Jozef knikte.

Het was broeierig warm in de cafetaria, zeker onder de spots van de dansvloer. Dat hield me niet tegen te swingen en te rock-'n-rollen tot ik erbij neerviel. Een tiental jaren geleden danste men nog keurig in paartjes en bewaarde men de nodige afstand tussen de seksen. Nu kronkelde iedereen tegen iedereen. Na een paar uur had ik dringend verfrissing nodig en ik liep naar de bar voor een cola. Margot, een Hollandse, hield me staande.

'Ik zag dat Jozef de hele tijd met je stond te dansen. Zijn jullie een koppel?'

'Nee. Ik heb thuis een vriend.'

'Jammer. Hij wordt ieder jaar blijkbaar op de verkeerde verliefd.' Ze keek me veelbetekenend aan.

Mijn frank begon te vallen. Ik zou afstand moeten bewaren. Gelukkig was het bijna twaalf uur.

Ik was ongeveer een week weer aan het werk toen ik een eerste brief kreeg uit Wenen.

'Van wie kan dat nu zijn?' Vertwijfeld stond ik in de hal naar de enveloppe in mijn hand te turen.

Bianca liep net de trap af: 'Dat zal van Jozef zijn. Hij vroeg me je adres.'

Het is niet bij één brief gebleven. Het waren er tientallen. Ik wilde ze niet beantwoorden maar toen de stroom niet ophield, stuurde ik Jozef snel een bericht waarin ik vertelde dat ik zwanger was en met mijn vriend ging trouwen. Een leugentje om bestwil, ik wist het. Maar ik moest iets verzinnen om van hem af te raken. Het lukte. Ik kreeg geen brieven meer uit Oostenrijk.

Francis schreef ik wel zoveel ik kon en ik heb ook een paar keer gebeld maar mijn lief schreef bijna nooit terug. Zelfs zijn ouders ontvingen nauwelijks of geen post meer. Iedereen werd ongerust. Op den duur werd ik zo kwaad dat ik hem een gepeperde brief schreef.

Francis,

Ik hoor nu al meer dan een maand niets meer van je. Ook je ouders krijgen geen post of telefoontje. Ze maken zich ongerust. Waarom doe je dat? Ben je me nu al vergeten? Of heb je een minnares? Voor mij is deze afstand even moeilijk als voor jou, maar ik hou vol want je legerdienst is bijna voorbij. Ik hoop dat je niet zo zwak bent en zoals zovele rekruten er een extra liefje op na houdt. Als dat het geval is, is het voor mij gedaan! Fini! Waarom doe ik eigenlijk nog de moeite? Uit het oog, uit het hart. Voor mij is het afgelopen!

Jacqueline

Tot het einde van zijn legerdienst hoorde ik niets meer van Francis. In mijn ogen was hij laf, een zwakkeling en had hij me bij de minste hindernis opgegeven. Leonie probeerde te bemiddelen. Ze zag in mij de ideale schoondochter en voor haar was een huwelijk al in kannen en kruiken. Toen zijn legerdienst afgelopen was, dwong ze me mee te gaan naar Antwerpen Centraal om Francis af te halen. Met een uitgestreken gezicht en een braaf kusje op de wang zei ik:

'Welkom thuis.'

Ik mocht dan razend zijn om zijn gedrag, ik hield nog steeds van hem. Mijn versnelde hartslag kon dat niet ontkennen. Ik kon niet boos blijven op Francis en hij wist dat. De dagen daarop groeiden we langzaam weer naar elkaar toe. De plooien werden gladgestreken.

Na zijn legerdienst kon Francis een vaste baan krijgen bij de verzekeringsmaatschappij. Hij werd dossierbehandelaar op de afdeling hypotheken en vertrok van mijn vaders dienst. Dat betekende dat Francis eindelijk welkom was thuis. We vielen opnieuw in ons oude ritme. Het ene weekend logeerde hij bij mijn ouders en sliep in mijn slaapkamertje. Ik verhuisde dan naar Bianca's kamer. Het andere weekend verbleven we bij Francis' ouders zoals voor zijn legerdienst het geval was.

Rond die periode bespraken we voor het eerst de mogelijkheid van een huwelijk. Ik zat comfortabel in de fauteuil onderuitgezakt naar het journaal te kijken toen mijn lief het onderwerp ter sprake bracht.

'Zie je dat zitten om te trouwen?'

'Ja. Waarom niet.'

'Oké. Dan gaan we morgen over de middag samen een ring kopen. Ik heb daar toch geen verstand van.'

Het was niet echt een romantisch aanzoek maar Francis wist dat ik niet echt zou vallen voor een melige knieval. Zo, terwijl we keken naar de televisie, had het iets natuurlijks alsof het zo moest zijn. Ik heb een geelgouden ring met een parel gekozen. 's Avonds reden we in de auto van mijn toekomstige schoonvader naar de cinema. Op de parking gaf hij me een beetje zenuw-achtig de verlovingsring.

'Zo, nu ben je van mij.'

Ik kan me niet herinneren welke film we toen gezien hebben, maar wel wat we die avond onderweg naar huis in de auto alle-maal uitspookten. De garage van mijn schoonouders stond niet aan het huis maar een vijftigtal meter verderop, op het einde van hun doodlopende straat. Francis opende de poort en ik wilde al uitstappen.

'Nee, blijf nog even zitten.'

Hij reed de auto in de garage, sloot de poort en zette zich terug op de chauffeursstoel. We legden de stoelen zo plat moge-lijk en kusten elkaar gepassioneerd. We forceerden niets. Het moest zo gebeuren en van het een kwam het ander. We hielpen elkaar uit onze kledingstukken. Daar in een houten alleen-staande garage op de achterbank van een wagen vrijde ik voor de eerste keer. Francis was een middelmatige minnaar. Ik vond er niet veel aan. Het deed een beetje pijn en ik snapte niet wat daar nu zo leuk aan was. Was dat het nu? In de naweeën van onze vrijpartij rolde plots de metalen poort naar omhoog maar nog voor ik de kans kreeg om mijn borsten te bedekken met het inderhaast naar me toegetrokken hemd van Francis trok de onbekende, waarschijnlijk Leonie of Fernand, de poort alweer naar beneden om ons de nodige privacy te gunnen. We waren betrapt. Met tegenzin trokken we onze spullen weer aan en lie-pen naar huis. Ik verwachtte een preek.

Verrassend genoeg kwam die er niet. Schoorvoetend slenter-den we de woonkamer in.

'Jullie zijn zo laat. Waar hebben jullie gezeten?'

Leonie keek niet eens van haar breiwerk op toen ze het vroeg. Ze zat daar alsof dat allang het geval was. Achter haar bestu-deerde Fernand ons met een spottende grijns op zijn gezicht. Ik had een flauw vermoeden wie onze stoorzender was geweest.

Francis probeerde een luchtig antwoord te verzinnen: 'De film duurde langer dan verwacht.'

Voor mijn toekomstige schoonmoeder was die uitleg voldoende. Ze breide rustig verder. Francis schraapte zijn stem. Hij wilde nog wat zeggen. Leonie en Fernand keken ons vragend aan. Mijn verloofde nam mijn hand vast.

'Euhm... Ik heb Jacqueline gevraagd met me te trouwen en ze heeft ja gezegd.'

Francis' ouders veerden op uit hun fauteuil en liepen opgewekt op ons af.

'Proficiat!'

'Ik dacht dat je Jacqueline al veel eerder had gevraagd', hoorden we simultaan.

We wisselden kussen uit en Fernand ging naar de kelder om een gepaste fles wijn te zoeken voor deze gelegenheid. Francis en ik keken elkaar opgelucht aan. Al één hindernis overwonnen.

'Ma, willen jullie het nieuws wel nog eventjes voor je houden? Henri en Johanna weten het nog niet.'

'Dat is goed, jongen. Doe dat dan morgen maar.'

Fernand kwam terug met een fles witte wijn en een kurkentrekker.

'En wanneer wilden jullie trouwen? Want je weet, Francis, dat je dat van ons niet voor je eenentwintigste mag.'

'Daar hebben we het eigenlijk nog niet over gehad', onderbrak ik. 'Maar op zich kan dat geen probleem zijn.'

De dag daarop ging ik alleen naar mijn ouders omdat ik wist dat mijn vader de grootste hindernis was. Tussen hem en Francis klikte het niet echt en die wrok zou waarschijnlijk het humeur van papa sterk beïnvloeden als hij van onze verloving hoorde. Vader had er nooit een geheim van gemaakt dat hij me liever met Guy samen zag dan met Francis. Met knikkende knieën stapte ik ons huis binnen.

Mama was verwonderd me te zien: 'Wat doe jij hier? Je zat toch bij Francis dit weekend?'

'En alleen? Is er ruzie tussen jullie?'

Papa zat in zijn fauteuil en legde geïnteresseerd zijn tijdschrift opzij.

'Nee, maak jullie geen zorgen. Ik kom iets belangrijks vertellen. Ga ook even zitten, mama.'

Mijn moeder deed wat ik vroeg: 'Je bent toch niet zwanger?'

'Nee, nee, nee. Hoe zou dat moeten kunnen? Francis en ik zijn bijna nooit alleen. Nee, we gaan trouwen.'

Ik liet hun trots mijn verlovingsring zien.

Vader keek even bedenkelijk en zei: 'Ik hoop dat je daar geen spijt van zult hebben.'

Mama viel hem in de rede: 'Maar Rik toch! Als die twee elkaar nu graag zien, laat ze dan toch trouwen! Het is een beleefde jongen, dus waarom niet?'

'Ja, ja. Het is al goed.' En papa nam zijn magazine weer ter hand.

Uiteindelijk viel mijn vaders reactie nogal mee maar ik was toch teleurgesteld. Dat overschaduwde mijn geluk. En overgelukkig was ik want ik ging trouwen met mijn grote liefde. Een droom die in vervulling zou gaan. Ik was ervan overtuigd dat het me de rest van mijn leven voor de wind zou gaan.

Moeder wendde zich nu tot mij: 'En wanneer moet dat huwelijk plaatsvinden?'

'Wel, Francis moet van zijn ouders wachten tot hij eenentwintig is, dus dachten we het volgende zomer te doen.'

'Fernand en Leonie zijn verstandiger dan ik dacht', murmelde vader vanachter het boekje.

'Dat geeft ons dus anderhalf jaar de tijd om een feest voor te bereiden. Dat is goed.' Mama pauzeerde even en knipoogde toen naar me: 'Weet je, Jacqueline, je zou je vader een groot plezier doen om de trouw op zijn verjaardag te laten doorgaan.'

Het tijdschrift zakte onmiddellijk. Moeders opzet was geslaagd. Haar diplomatie had het gewonnen.

'Ja, dat is een goed idee, ik word dan juist zestig.'

'Ik zal het aan Francis vragen, maar het zal wel geen probleem zijn.'

Onze ouders kwamen samen om zowel het feest als onze eerste gezamenlijke woning te regelen. De receptie werd door Leonie en Fernand bekostigd en de rest door mijn ouders. We moesten kiezen van mijn vader tussen een uitgebreid feest of een huwelijksreis. We kozen voor de reis.

De bovenste verdieping van Francis' ouderlijk huis was ongebruikt en we konden er na enkele verbouwingen gratis intrekken na ons huwelijk. Zo een kans liet je als jong koppel niet schieten, dus gingen we erop in. Tussen twee slaapkamers werd een muur uitgebroken en vervangen door een steunbalk met twee zuilen om het plafond te kunnen blijven dragen. Van een badkamer werd een keuken gemaakt met witte kasten en alle moderne toestellen die er toen op de markt waren. Een ijskast, wasmachine en gasfornuis. Op zolder werd de grote ruimte verdeeld in twee slaapkamers en volledig afgewerkt. Mijn vader hielp mee om een kleine badkamer aan te bouwen met een douche, wastafel en toilet. We kochten nieuwe meubels. Een beige nepleren salon, een eetkamer in gelakt kersenhout en een witte slaapkamer met een sobere koperen lijst rond de voorpanelen.

Het feit dat we verloofd waren, betekende niet dat er in die periode losser naar ons werd omgekeken. Integendeel, Leonie en mijn vader hielden ons nog beter in de gaten.

De zomer van 1969 maakte ik met papa hevig ruzie om thuis te mogen blijven bij Francis terwijl de rest van mijn familie op reis zou vertrekken. Na veel geroep en getier tussen mij en mama enerzijds en papa anderzijds, ben ik toch thuis mogen blijven… maar moest ik wel bij mijn schoonouders op logement. Er was geen sprake van dat Francis en ik alleen in mijn ouderlijk huis konden overnachten.

Officieel bleef het aparte slaapregime dus in voege maar Francis en ik vonden steeds betere manieren om eraan te ontsnappen. Terwijl midden augustus 1969 in Woodstock de vrije liefde en de vrede werden gepredikt vormden de Kalmthoutse heide of de bossen rond Turnhout het ideale decor voor onze liefde.

Een onaangename ervaring maakte daar een einde aan.

Het was mistig en vochtig weer. Francis wist toch nog ergens een droog plekje onder een boom. We vrijden er, maar een jeukachtig en branderig gevoel aan mijn zitvlak maakte er vroegtijdig een einde aan. We kleedden ons aan en ontdekten dat we op een nest rode bosmieren hadden gelegen. Ook Francis begon te krabben. Tegen de tijd dat we thuis waren, zaten we beiden ongemakkelijk te wringen op onze autostoelen. Het branderige gevoel was alleen nog maar erger geworden en er zat niets anders op dan mama te waarschuwen en naar de dokter te gaan. Van de arts kreeg ik een zalf. Ik heb een week niet kunnen zitten. Francis had er minder last van. Mijn moeder heeft goed gelachen maar was zo vriendelijk niets aan papa te vertellen.

Zelfs een week voor ons huwelijk moest mama van papa nog verse lakens op mijn bed leggen voor Francis terwijl ik opnieuw naar Bianca's kamertje werd verbannen. Gelukkig was moeder minder puriteins dan vader. We lagen alle twee nog in bed omdat Francis en ik verlof hadden genomen om de laatste voorbereidingen van ons huwelijk te regelen. Van zodra Bianca naar school en papa naar zijn werk was sloop moeder de slaapkamer binnen.

'Jacqueline, Bianca is naar school, je kunt naar Francis als je wilt.'

Haar voorstel verbaasde me niet. Het kwam immers van een vrouw die zelf twee buitenechtelijke kinderen op de wereld had gezet. Ik sloop naar mijn eigen slaapkamertje en mama heeft ons rustig laten begaan.

Eigenlijk vrijden we zo vaak dat het een wonder mocht heten dat ik tijdens onze verlovingsperiode niet zwanger raakte. Aan anticonceptie werd niet gedacht. De pil stond aan het eind van de jaren zestig nog in haar kinderschoenen en condooms waren op zijn zachtst gezegd onpopulair. Francis en ik raakten er daarom van overtuigd dat we geen kinderen konden krijgen en voor hem was dat goed, want hij zag een baby in huis niet echt zitten.

In vergelijking met mij had Bianca het veel gemakkelijker om zich met haar vriendje af te zonderen. Mijn zusje was zeventien en het schoolvoorbeeld van de flowerpower met haar lange zwarte kleren en losse haren toen ze in de jeugdbeweging Chris leerde kennen. Bianca had dezelfde leeftijd als Lieve, de oudste dochter van Hilda. Mijn halfzus werkte hard en was veel afwezig. Lieve gaf Bianca regelmatig de sleutel van hun huis zodat zij zich met Chris vrijheden kon permitteren die ik nooit gekend had. Mijn zusje was een echte rebel. Ze trok zich weinig aan van vaders geblaas en ging haar eigen weg.

'Je moet niet denken dat je uitgaat!' riep vader toen hij langs de badkamer kwam waar Bianca haar ogen fel zwart aan het opmaken was.

'Nee, nee. Natuurlijk niet.'

Mijn kleine zus had een bijzondere manier om vaders wil te trotseren. Ze was het openlijk altijd met hem eens, maar ik wist dat van zodra papa zijn wijnkelder indook of zich in zijn fauteuil terugtrok, Bianca vlug naar buiten zou glippen. Die dag lukte dat niet zonder slag of stoot. Vader zat in zijn fauteuil en mijn zus moest langs hem heen lopen om haar handtas op de eettafel te nemen.

Papa zag het en hield haar tegen.

'Vergeet het, jij gaat niet uit!'

'Ik ga wel uit!'

'Je bent nog veel te jong!'

'Maar ik heb me nu helemaal opgemaakt!'

'Al moet ik je in jouw slaapkamer vastbinden, jij gaat niet uit!'

In blinde woede nam Bianca een kandelaar van het dressoir en hief hem dreigend naar vader op.

'Als je me nu niet met rust laat, klop ik erop!'

Tot op dat moment had ik de hele scène samen met mama van op een afstand bekeken maar het werd tijd om in te grijpen. Met twee passionele en koppige karakters als mijn vader en Bianca zouden er ongelukken gebeuren. Ik voelde aan dat mijn zusje ook echt met het voorwerp zou gooien als vader er haar toe dreef. Instinctief kwam ik tussenbeide en nam Bianca snel de kandelaar af.

'Geef dat maar hier. Dat is gevaarlijk.'

Boos om mijn tussenkomst liep Bianca weg en sloeg de deur achter zich dicht. Vader besloot wijselijk zich even in zijn wijnkelder terug te trekken. Ik zette de kaarsenhouder terug op zijn plaats.

Nog geen tien minuten later verscheen mijn zusje opnieuw in de woonkamer, nam haar handtasje en verdween door de voordeur naar buiten. Papa hoorde die waarschijnlijk dichtgaan en kwam naar boven.

'Waar is Bianca?' blafte hij tegen mama.

'Weg.'

'En je hebt haar niet tegengehouden!'

Mijn moeder probeerde zich nog te verdedigen maar kreeg van papa de volle lading. Bianca was natuurlijk allang gevlucht. Ergens benijdde ik haar om haar aanpak. Het verzekerde meer succes dan de mijne. Misschien toonde ik meer respect voor papa dan mijn zus, maar diep vanbinnen had ik minstens evenveel ontzag voor haar aanpak.

Je moest al blind zijn om niet te zien dat mijn vader een echte vrouwenversierder was. Niettemin nam papa zijn belofte aan mama serieus. Hij werd, bij mijn weten, nooit fysiek met een van de dames waar hij mee flirtte. Tijdens de lange verlovingsperiode merkte ik dat veel vrouwelijke collega's hem cadeautjes gaven. Meestal een pen en één keer zelfs een das in natuurzijde.

'Wat doe ik daar nu mee?' vroeg vader me in de auto onderweg naar huis.

'Hoe bedoel je, papa?'

'Hoe moet ik aan je moeder gaan uitleggen dat ik "zomaar" een das heb gekregen? Een pen kan ik op het bureau laten, maar een das niet en ik kan hem ook niet weggooien. Daarvoor is hij veel te kostbaar.'

Ik broedde even op een plan.

'Zeg dat je die in de goot hebt gevonden.'

Nadien hoorde ik dat mama met wat reserve het verhaal heeft geloofd.

Op zaterdag 21 februari 1970 bezochten we Francis' grootmoeder in het ziekenhuis. Moeder Oris was al in de tachtig en de voorbije jaren had een uitzaaiende kanker veel van haar energie geëist. Ze lag op sterven. De hele namiddag bleven we aan haar ziekbed staan. Leonie was haar enige kind en Francis dus haar enige kleinkind. In de late namiddag is ze gestorven. Daarna reden we terneergeslagen terug naar huis. Ongewild moest ik aan mijn eigen kleine familie denken. Ik had twee tantes en een halfbroer die in het buitenland woonden en een halfzus en een zusje dicht bij mij. Al mijn grootouders waren allang gestorven. De meeste nog voor ik geboren werd.

De telefoon in de hal ging. Fernand stond op om hem te beantwoorden. Mijn schoonvader bleef een minuutje weg vooraleer hij terugkwam.

'Het is voor jou, Jacqueline', zei hij stil.

Instinctief voelde ik dat er iets mis was en haastte me naar de telefoon. Het was mijn moeder.

'Ja?'

'Och, Jacqueline. Ik heb heel de dag geprobeerd te bellen maar Fernand zei me net dat jullie in het ziekenhuis zaten.'

Aan mama's stem hoorde ik dat er iets grondig fout zat.

'Wat is er gebeurd?'

'Jacqueline, ik heb slecht nieuws... Hilda is vannacht gestorven.'

'Hoe kan dat? Maar ze is nog niet eens veertig.'

'Ze was in de badkamer een douche aan het nemen en is waarschijnlijk onwel geworden. Ze is gevallen en heeft overgegeven. Ze heeft nog geprobeerd om uit de badkamer te lopen met een washandje voor haar mond maar is na haar val niet meer buiten geraakt. Ze is in haar eigen braaksel gestikt.'

'En Patrick? Ongerust vroeg ik naar mijn neefje.

'Die zat beneden televisie te kijken en is daar in slaap gevallen. Toen hij wakker werd, was het al na elf uur. Dat vond hij vreemd, dus is hij zijn moeder gaan zoeken. Hij heeft haar gevonden en is naar de buren gegaan. Die hebben de rijkswacht gebeld.'

Met mijn mond open van verbazing had ik het verhaal aangehoord. Mijn grote zus, mijn afgod, mijn alles! Wat een verschrikkelijke manier om te sterven. En Patrick, het arme ventje, was pas zeven jaar geworden en had zijn moeder op zo een gruwelijke manier gevonden. Ik huilde en huilde in lange halen. De tranen stroomden vrij over mijn wangen. Francis kwam me troosten. Waarom? Waarom moest net zij zo jong en op zo'n afschuwelijke manier sterven? Waarom deed God me dat aan?

De woensdag daarop zouden zowel moeder Oris als Hilda begraven worden. Francis en ik gingen elk naar de begrafenis in onze eigen familie. André werd in Duitsland opgebeld en verteld dat Hilda plots ziek geworden was en dat hij terug moest komen. Hij had zijn vrouw doodgraag gezien en papa vreesde dat zijn schoonzoon zich wat zou aandoen, mocht hij al in Duitsland weten dat Hilda dood was. Eenmaal thuis vertelden we hem natuurlijk onmiddellijk de waarheid. Net als mijn vader, die zijn oudste dochter verloren had, was André een gebroken man, kapot. Papa kon zijn tranen nog bedwingen maar mijn schoonbroer huilde aan één stuk door tot en met de dag van de begrafenis. Hij sliep of at niet en zijn ogen stonden opgezet.

Op de begrafenis zag ik voor de eerste en enige keer Jeanne, vaders vrouw, die voor deze gelegenheid even uit de inrichting mocht waar ze verbleef. Ze maakte een scène en gilde als een varken dat naar de slachtbank gebracht werd.

'Rik! Jij hebt haar vermoord! Rik! Iedereen moet het weten! Rik heeft het gedaan!'

Links en rechts werd er gefluisterd. Papa kreeg een rood hoofd van schaamte. De situatie was uiterst gênant. Een verpleger die haar begeleidde, nam haar snel even apart en toen ze terugkwam was Jeanne rustig. Waarschijnlijk had de man haar een kalmeringsmiddel gegeven.

Ik was zo onder de indruk van de dood van Hilda dat ik het huwelijk, waarvan de voorbereidingen in volle gang waren, wilde uitstellen. Leonie verzette zich daar heel erg tegen. Mijn moeder probeerde te bemiddelen en het lukte. De datum bleef geprikt op 25 september maar uit protest droeg ik geen lang wit kleed. Het werd een sneeuwwit jurkje tot op mijn knieën in Zwitserse piqué zonder mouwen. Daarboven droeg ik een gecentreerd jasje in dezelfde stof als de jurk met een satijnen kraag. Geen enkel bruidskindje vergezelde me naar het gemeentehuis of de Sint-Rumolduskerk.

De receptie hielden we in een feestzaal op de Keizerlei in Antwerpen, dicht bij ons werk zodat de collega's over de middag gemakkelijk konden langskomen. Daarna genoten we in een klein gezelschap van een eenvoudig diner in een restaurant. Alleen onze ouders, Bianca en onze getuigen waren aanwezig. Omdat ik eerst Hilda als getuige wilde, heb ik aan André gevraagd haar plaats in te nemen. Francis had voor een zus van zijn vader gekozen.

Dezelfde avond vertrokken we voor veertien dagen naar Mallorca en ik voelde aan dat ik spijt zou krijgen van dit huwelijk, dat het niet lang zou duren. Plots had Francis geen zin meer in seks. Hij was niet vriendelijk meer tegen mij en zeurde voortdurend over de warmte. Hij stond niet toe dat ik zijn kledij in de kasten hing en waste zijn handen tientallen keren per dag. Onze relatie voelde veel beter aan toen we nog niet getrouwd waren. Omdat ik nog nooit eerder getrouwd was geweest, legde ik dat aanvoelen naast me neer en probeerde ik het beste uit de omstandigheden te halen.

Na onze huwelijksreis ging ik gewoon opnieuw werken bij de verzekeringsmaatschappij. Het werd 1971, het jaar waarin de Europese politici voor het eerst het idee lanceerden een monetaire unie uit de grond te stampen. In ons jonge gezin gebeurde het onvoorziene. Midden maart ontdekte ik dat ik zwanger was. Met een klein hartje vertelde ik het aan Francis. Zijn reactie was eerder lauw.

'Het zal wel niets zijn. Jouw cyclus is toch zo onregelmatig.'

Mijn maandstonden bleven uit en we gingen naar de dokter. Hij bevestigde mijn vermoeden. Francis schrok. Na een relatie van drie jaar waarin we twee jaar onbeschermd hadden gevreeën zonder ooit zwanger te raken leek de situatie absurd. We konden niets anders dan ons erbij neer te leggen. Voor mij was de baby in ieder geval gewenst. Francis reageerde heel anders toen we uit het artsenkabinet vertrokken.

'Ik moet geen kind hebben. Laat het maar wegdoen!'

Verbaasd en geschokt. Dat is wat ik voelde. Het kleine wezentje dat in mij groeide en waarvan ik nu al de moeder was, verdiende een eerlijke kans op leven. Vanwege Francis' humeur zou ik dat toch niet laten wegnemen? Ik bleef over het probleem piekeren en toen ik mijn ouders ging vertellen dat ik zwanger was, besprak ik de kwestie met mijn moeder in de keuken.

'Francis wil dat ik het wegdoe. Hij zei dat hij geen kinderen wil', bekende ik.

Mama zag dat ik ermee worstelde en legde haar arm rond mijn schouders.

'Ach, hij draait wel bij. Francis is nog jong en dan zeggen mannen nu eenmaal zulke dingen. Ik ben in ieder geval dolgelukkig dat er voor ons een eerste kleinkind aankomt en papa ook. Daar ben ik zeker van.'

Ik hoopte echt dat mijn moeder gelijk zou krijgen en door haar mensenkennis en diplomatie twijfelde ik er niet aan dat het inderdaad het geval zou zijn.

Ik nam me voor om na de bevalling, die verwacht werd rond 20 oktober, te stoppen met werken, maar wat bloedverlies in de derde en vierde maand van mijn zwangerschap besliste daar anders over. De dokter verplichtte me te rusten en het werk te stoppen want de dagen waren te lang en uitputtend. We hadden nog steeds geen auto en reden nog altijd met de bus van

Turnhout naar ons werk. Met de sneldienst duurde de rit van tweeënveertig kilometer ongeveer één uur, met de stopdienst gemakkelijk het dubbele, waardoor we meestal om vijf uur al opstonden en pas laat konden gaan slapen. Pas vlak voor mijn bevalling kochten we de oude wagen van Hilda over die al die tijd ongebruikt in de garage had gestaan, een blauwe Simca 1000. In het laatste trimester ging het veel beter met me en mijn echtgenoot en ik profiteerden ervan om nog eens goed uit te gaan voor de baby geboren zou worden.

Ik was acht maanden zwanger toen ik op een zaterdagmiddag in de woonkamer op de bank in slaap was gevallen. Francis had naast me een boek zitten lezen. Toen ik wakker werd, was hij nergens te zien, maar ik hoorde hem in de keuken rommelen. Misschien wilde hij me verrassen en maakte hij iets lekkers voor me klaar, dacht ik. En ik besloot hem op mijn tenen tegemoet te sluipen om hem aan het schrikken te kunnen maken. Om van de woonkamer naar de keuken te kunnen moest ik door de hal. Daar aangekomen hoorde ik Francis praten. Hij was blijkbaar met iemand aan de telefoon.

'Ja, schatje, ik weet het maar ik kan nu niet weg. Vanavond misschien', fluisterde mijn echtgenoot.

Een stilte.

'Ik wou dat ik je elke dag kon beminnen. Je bent een lekker ding.'

Francis had een minnares!?

'Justine, ik moet ophangen. Straks hoort Jacqueline me nog. Ik zie je overmorgen op het werk. Goed?'

Francis haakte de telefoon in. Ik liep terug naar de woonkamer en ging op de bank liggen alsof ik er nooit van was opgestaan. Mijn hersens werkten op volle toeren. Justine, Justine. De enige Justine die ik kende op het werk was de vrouw van de grote baas. Waar was Francis toch mee bezig? Ik concludeerde dat het beter was om voorlopig tegen niemand iets te vertellen. Ik was hoogzwanger en niet echt zeker van mijn stuk, dus zou ik niemand kunnen beschuldigen. Zwijgen was de boodschap.

Op 5 oktober om halfeen 's nachts werd ik wakker. Mijn bed was nat en ik vermoedde dat mijn vliezen gebroken waren. Rustig maakte ik Francis wakker die snel een koffertje klaarmaakte met het hoogstnodige. Hij legde een plastic zeil in de auto samen met een stapel handdoeken want ik verloor bij iedere stap veel vocht. Zonder problemen arriveerden we bij de kraamafdeling van het ziekenhuis. Ik mocht de arbeidskamer in en daar kwamen de weeën in de loop van de nacht pas goed op gang. Francis verveelde zich. Het hing hem de keel uit dat hij moest zitten wachten in de verloskamer. Tegen de late namiddag had ik volledige ontsluiting. Ik had enorme drang om te persen maar de gynaecoloog was nergens te bespeuren, dus moest ik in opdracht van de vroedvrouw alles zoveel mogelijk tegenhouden. Het kostte me al mijn krachten. Toen de arts eindelijk aankwam, begon ik aan de laatste etappe van mijn bevalling. Ik mocht mijn kind baren. Maar bij elke perswee zakte de hartslag van ons kindje tot het uiteindelijk op veertig hartslagen per minuut stond. De gynaecoloog moest ingrijpen en nam een vacuümpomp om mijn eerstgeborene naar buiten te helpen. Op dat moment zag ik het gezicht van Francis bleek wegtrekken en viel hij als een logge zak meel op de grond. Noch de vroedvrouw noch de arts hadden tijd om aandacht aan hem te besteden. Een buitenstaander werd geroepen om mijn echtgenoot overeind te helpen en wat zuurstof te geven. De rest van de bevalling heeft Francis buiten op een stoel gezeten, zo wit als een lijk. Ik mocht niemand zeggen dat hij niet bij de geboorte aanwezig was geweest.

Niet veel later werd Ilse geboren. Ze mat drieënvijftig centimeter en woog tweeduizend zeshonderd gram. Ilse kreeg zuurstof toegediend en werd onmiddellijk onderzocht. Ze verbleef een maand lang in een aanpassingskamer met een dubbele toegangsdeur om de temperatuur in de ruimte constant te houden tot ze drie kilogram woog.

Ik was zo uit mijn lood geslagen dat ik vlak na de bevalling vergeten te vragen was of ik haar niet even mocht vasthouden.

Een maand lang had ik geen enkele binding met haar. Er lagen nog dertien andere baby's achter het raam, telkens in twee rijen van zeven naar het glas gekeerd. Iedere dag wisselde de voorste rij met de achterste om iedere ouder de kans te geven zijn of haar kind van dichterbij te kunnen zien.

'Ik voel me geen moeder', zei ik op een dag tegen mama toen ze Ilse kwam bezoeken.

'Ach, dat komt nog wel', probeerde ze me te sussen.

'Nee. Ze mogen tegen mij zeggen dat eender welk kind van de veertien die hier liggen van mij is. Ik zou het aanvaarden. Het zijn allemaal vreemden.'

Op 3 november had Ilse de nodige drie kilogram bij elkaar gesprokkeld en mochten Francis en ik haar eindelijk gaan halen. Ze werd in mijn armen gelegd en niemand moest proberen om haar nog van me af te nemen. Ik was een moeder.

Francis werd na de geboorte van Ilse steeds afstandelijker. Hij ging vaker en later uit en vond het te lastig om op te staan in het midden van de nacht.

'Het is irritant als haar gehuil me wakker maakt. Ik moet morgen wel gaan werken!'

'Het is goed, ik zal 's nachts de flessen wel geven.'

Mijn echtgenoot draaide zich kwaad om en sliep verder.

Ik ging niet meer werken want het moederschap was een fulltimebaan op zich. Naast het eten geven, verschonen en luiers wassen, was er geen tijd meer om nog iets anders te doen.

Ilse werd een halfjaar en mijn schoonmoeder moeide zich steeds meer met de opvoeding van mijn dochter. Omdat we gratis onderdak hadden zweeg ik, maar het ergerde me mateloos. Leonie kocht ook twee grote labradors waarmee ze op korte tijd een hechte band kreeg. Als ze een ijsje at liet ze de honden daarvan likken om de overschot even later zelf verder te verorberen. Ik kon alleen maar hopen dat ze de beesten op een iets respectabeler afstand hield als ik er niet bij was. Aan Francis had ik geen steun meer. Mijn echtgenoot was nauwelijks nog thuis en ik hoorde van Ingrid dat meerdere kennissen hem in de stad arm in arm hadden zien lopen met Justine. Mijn voorgevoel werd bevestigd. Ik moest er Francis over aanspreken.

Die avond kwam hij extreem laat thuis van zijn werk. Ilse sliep al. Mijn schoonvader was de enige die ook thuis was en ik wist dat het een goede zaak was om hem als getuige te gebruiken, dus rende ik de trap af naar de voordeur beneden in plaats van de ruzie boven in ons eigen appartement te laten plaatsvinden.

Ik riep Francis toe: 'Waar heb je nu weer gezeten?'

'Ik kom van mijn werk.'

'Dat geloof je zelf niet eens! Vanwaar kom je?'

'Dat gaat je niets aan!' begon hij nu ook te tieren.

Net op tijd kwam Fernand uit zijn woonkamer de gang ingelopen om uit te zoeken wat er aan de hand was: 'Kinderen, wat is dat hier?'

Ik zag mijn kans schoon en negeerde zijn vraag.

'Als jij het niet zegt, zeg ik het. Je zat bij een andere vrouw. Je zat bij Justine! Je hebt godverdomme al maanden een maîtresse!' raasde ik door.

'Dat is niet waar! Waar haal je dat nu weer vandaan? Je bent gek, jij!' En hij liep de trap op.

Ik bleef staan waar ik stond.

'Dat kan ik echt niet geloven, Jacqueline', was mijn schoonvaders besluit en hij draaide zich om.

Twee dagen later verdween Francis opnieuw zonder wat te zeggen en ik liep naar beneden om Fernand aan te spreken. Ik wist waar Justine woonde en vroeg hem of we daar even konden langsrijden, dan waren we tenminste zeker. Mijn schoonvader stemde toe en Leonie bleef achter om op Ilse te passen. Bij het bewuste adres aangekomen stond daar inderdaad onze blauwe Simca 1000. Voor mij was de zaak nu rond, maar Fernand wilde blijven wachten tot Francis zou buitenkomen. Het duurde bijna twee uren voor we mijn overspelige echtgenoot zagen verschijnen. Duidelijk boos en beschaamd over het gedrag van zijn zoon stapte Fernand uit en liep op hem toe. Ik heb niets gehoord van wat er daar gezegd is geweest omdat ik in de auto bleef zitten, maar aan de lichaamstaal van mijn schoonvader en mijn echtgenoot was duidelijk te zien dat de eerste de laatste flink de les spelde. Francis heeft daarna Justine opgegeven en bleef veel vaker thuis, waardoor hij samen met mij kon vaststellen dat Ilse steeds meer last had van diarree. We gingen met haar naar de huisarts die vaststelde dat Ilse paratyfus had, waarschijnlijk opgelopen door de honden van Leonie. Hij gaf ons de goede raad zo snel mogelijk te verhuizen naar een nettere woning. Net voor Ilses eerste verjaardag betrokken we een appartement op de Ruggeveldlaan in Deurne.

Mijn vader kreeg midden september een maagbloeding en moest naar het ziekenhuis. Daar stelden de artsen vast dat hij vlak naast zijn maagzweer een tumor had. Die was kwaadaardig maar nog in een beginstadium. Papa werd geopereerd vijf dagen voor Ilses verjaardagsfeestje, waardoor dat in mineur werd gevierd. Twee derde van zijn maag werd weggenomen. Vader moest opnieuw als een baby leren eten, maar liefst zes keer per dag. Mama en ik hadden vertrouwen in een goede afloop. We maakten ons niet ongerust, het gezwel was op tijd ontdekt. Chemotherapie was zelfs niet nodig, maar vader is na zijn operatie nooit meer op controle geweest en dat was op zijn zachtst gezegd dom.

Een tijdje liep de relatie tussen Francis en mij beter dan ik had verwacht. Maar nog voor Ilse twee werd verdween mijn echtgenoot meer dan normaal uit ons huis. Opnieuw moest ik van kennissen horen dat hij zich bezighield met een andere vrouw, een nieuwe collega op het werk. Jessica was amper negentien jaar. Ik was zo kwaad, zo furieus dat ik de moeder van mijn mans minnares opbelde om mijn gedacht te zeggen. Jessica en haar familie bleken niet op de hoogte te zijn van Francis' huwelijk en kind. Ze verbrak haar contact met mijn echtgenoot.

Ik was de leugens en de achterbaksheid van Francis zo beu. Bovendien probeerde hij alle schuld voor het mislukken van ons huwelijk in mijn schoenen te schuiven. De teleurstelling was groot. Ik voelde me de prooi van Francis' intriges. Ik was uitgeput en niet meer bereid om voor mijn relatie te vechten. Met een laatste krachtinspanning probeerde ik ons huwelijk op een menselijke manier te beëindigen.

Ilse lag al in bed toen Francis en ik aan de keukentafel zaten. Net als ik wist hij wat er zou volgen.

'Misschien moeten we maar uit elkaar gaan?' Het klonk zo definitief uit mijn mond, maar ik was blij dat het eruit was.

'Dat is waarschijnlijk het beste', berustte Francis.

'Ik wil er voor Ilse geen vechtscheiding van maken.'

'Ik ook niet. Daarom mag jij alles houden. Ik wil alleen de auto.'

'Dat is goed. En Ilse, hoe moet het met haar?'

'Ik heb er nooit een geheim van gemaakt dat ik geen kinderen wilde, dus hoef ik ook geen bezoekrecht. Dat betekent wel dat ik ook geen alimentatie ga betalen.'

Ik knikte. Toen zei Francis iets dat ik tot op de dag van vandaag scherp ben blijven herinneren en waarmee hij me erg heeft gekwetst.

'Het was toch alleen maar op een weddenschap gebaseerd.'

'Wat zei je? Een weddenschap?' Ik kon mijn oren niet geloven.

'Ik heb op de nieuwjaarsdrink met Guy Verlinden gewed voor een bak bier dat je eerst met mij zou dansen en ik heb gewonnen.'

Ik had even de tijd nodig om het bericht te verwerken.

'Ben ik niet meer waard dan een bak bier?'

Francis zweeg. Op minder dan een minuut hadden we een streep getrokken onder een relatie die bijna zeven jaar had geduurd. We gingen naar een notaris en scheidden in onderlinge toestemming. De echtscheiding werd definitief in april 1974. Ik verhuisde met Ilse naar een kleiner appartement op de Condorlaan en raakte depressief. Ik had de grootste moeite om Ilse de nodige aandacht en zorg te geven die ze nodig had. Ik trok me helemaal terug in mezelf. Het was mijn schuld dat Ilse geen vader meer had, dat ik er alleen voor stond. Waarom had ik niet volgehouden zoals zoveel vrouwen van wie de echtgenoot vreemdgaat?

Toen ik bij hem te rade ging, zei papa iets in de aard van: 'Zie je wel? Had ik het je niet gezegd?'

Mama probeerde me te troosten maar ik was ontroostbaar. Vanaf dat moment deed ik wat van me gevraagd werd. Ik leefde op automatische piloot. Zwijgend. Ik smeerde Ilses boterhammen, bracht haar naar school, ging werken, haalde mijn dochter weer van school, kookte, stak haar in bed, deed het huishouden, keek nog wat televisie en ging slapen. Francis bezorgde me werk bij een kleinere verzekeringsmaatschappij waar ik de schadedossiers van auto-ongevallen samenstelde. Maar na een halfjaar ben ik letterlijk gaan lopen bij dat bedrijf. De discriminatie ten opzichte van vrouwen was er enorm. Wij mochten niet roken en moesten een schort dragen tijdens het werk. Mannen hadden er meer vrijheden en maakten daar schaamteloos misbruik van. Ik kreeg langzaamaan een degout van het andere geslacht.

Om rond te komen nam ik een job aan in een supermarkt als standverantwoordelijke bij de groenten en fruit en het vlees, in afwachting van een betere betrekking. Die vond ik na twee maanden bij een Oost-Duits bedrijf, met hoofdkantoor in Rostok, dat actief was in de maritieme sector. Ik kon er aan de slag als telefoniste.

Francis wist zijn relatie met de jonge Jessica te herstellen en trouwde in 1975 met haar. Een jaar later kregen ze een dochter en mijn ex-echtgenoot is tot op heden nog steeds met zijn tweede vrouw getrouwd.

Tweede huwelijk

Antwerpen, februari 1976

Mijn werk als telefoniste gaf me veel voldoening en door de regelmatige uren was het perfect te combineren met de opvoeding van mijn kleuter. Alle telefoongesprekken naar het buitenland moesten toen nog worden aangevraagd via een centrale, de 404, en ik had net een uur lang een verbinding verzorgd voor Dubai toen de personeelschef in mijn kantoor binnenkwam met een nieuwe collega.

'En hier zit Jacqueline, onze telefoniste. Zij zorgt voor alle connecties naar het buitenland. Jacqueline, dit is Robert-Jan Hendricks, een nieuwe kracht die als dossierbehandelaar de afdeling expeditie komt versterken.'

Ik stak mijn hand uit om hem welkom te heten.

'Hallo.'

'Hallo, zeg maar Robert hoor. Zo noemt iedereen mij.'

Mijn nieuwe collega had een overduidelijk Nederlandse tongval en nadien hoorde ik dat hij van Rotterdam afkomstig was. Hij droeg een zwart net kostuum met een wit hemd maar zonder das. Aan zijn slapen en op zijn achterhoofd werd hij al wat kaal. Zijn kortgeknipte baard en snor deden me denken aan de laatste Russische tsaar.

Van bij Roberts aanstelling op ons bedrijf werd het me duidelijk dat hij een boontje voor mij had. De spraakzame Nederlander stond regelmatig in mijn kantoor en vertelde voortdurend over zichzelf. Hij en zijn vrouw Dietske waren enkele maanden geleden uit elkaar gegaan. De scheiding was in volle gang. Hun huwelijk was vooral op de klippen gelopen doordat Dietske een niet te stoppen drang had om te kopen. Het gat in haar hand was, volgens Robert, zo groot geworden dat hij wel van haar moest scheiden om zelf niet financieel ten onder te gaan. Roberts ouders waren allebei al overleden en hij had geen broers of zussen. Ik daarentegen had mijn buik vol van mannen. Ik wilde niet ontslagen worden net als de vorige telefoniste omdat ik een affaire had met een van mijn collega's. Ik vertelde Robert dat ik gescheiden was en een kind had, in de hoop dat het hem zou ontmoedigen maar hij bleef vragen om eens uit eten te gaan. Doordat hij graag opviel en zich interessant wilde maken drong hij zich eigenlijk een beetje aan me op. Met dat probleem ging ik naar mijn ouders.

'Je hebt gelijk dat je voorzichtig bent. Neem maar wat afstand van die Hollander want je weet tenslotte niet wat voor iemand hij is', gaf mama me gelijk.

'Daar ben ik nog zo zeker niet van!' kwam papa tussen. 'Denk er toch nog maar eens over na, Jacqueline.'

'Maar Rik, je wilt toch niet dat ze nog eens in haar ongeluk loopt?'

'Geef toe, Johanna, dat de kans daarop klein is. Het is misschien belangrijk voor de opvoeding van Ilse dat er een vader in huis is en een kind met één inkomen grootbrengen is de dag van vandaag ook niet gemakkelijk.'

Ik volgde de goede raad van mijn vader op en nodigde Robert met een klein hartje uit om iets te komen drinken op mijn appartement. Uitgaan was niet mogelijk, want dan moest ik een oppas voor Ilse regelen die ik niet kon betalen. Met een fles wijn op tafel en elk een goed gevuld glas in de hand is het behoorlijk laat geworden, waardoor Robert geen tram of bus meer naar zijn studio in het centrum van Antwerpen had.

'Als je wilt, kun je in mijn bed slapen. Ik kruip wel bij Ilse in bed.'

'Dank je', zei Robert terwijl ik een klein sierkussen uit de fauteuil nam en ermee naar Ilses kamer wilde lopen. Hij keek me vragend aan.

'Ja, ik heb geen hoofdkussen op overschot, dus neem ik dat wel. Hier is de slaapkamer.' Ik wees hem een deur aan op het einde van de gang.

'Slaapwel.'

'Tot morgen.'

Hoewel ik het gevoel had dat Robert zich had opgedrongen, was hij zeer correct. Hij vroeg me niet met hem in hetzelfde bed te slapen.

Ilse was zoals altijd vroeg wakker de volgende morgen en keek niet op toen ze haar moeder in haar bed vond. In stilte speelde ze met een potje waarin ze een voor een een knikker liet vallen.

Tok... tok... tok.

Omdat ik een diepe slaper ben, werd ik er niet echt wakker van. Robert wel en nadien vertelde hij me dat hij dacht dat de keukenkraan lekte. Mijn logé was uit bed gestapt en op het geluid afgegaan. Het bleek uit Ilses kamer te komen en hij had de deur voorzichtig opengedaan. Mijn dochter had zich omgedraaid en met haar wijsvinger voor haar mond gezegd: 'Sst, mama slaapt.'

Met die woorden verwelkomde Ilse Robert in haar leven. Ik had nog nooit een man mee naar huis genomen en toch vond ze het niet vreemd dat er ineens een onbekende haar slaapkamer binnenkwam. Ilse was een extreem sociaal kind dat iedereen aansprak. In winkelcentra lette ik altijd dubbel zo hard op want mijn dochter was in staat met een wildvreemde mee te gaan.

Mijn gast verontschuldigde zich aan het ontbijt meermaals voor het ongemak dat ik geleden had. Daarna vertrok hij naar huis. Op het werk meed Robert me om me niet in de problemen te brengen. De week ging voorbij zonder dat we meer tegen elkaar zeiden dan 'hallo' en 'goedenavond'.

Ik stond aardappelen te schillen toen er op een maandag-avond onverwachts gebeld werd. Door het raam zag ik Robert voor de deur staan met een hoofdkussen onder zijn rechterarm. Tegen mijn zin deed ik de deur open.

'Ben je hier alweer?'

'Ja kijk, ik dacht ik breng een hoofdkussen voor het geval we nog eens afspreken en het laat wordt.'

'Ja, maar we gaan daar geen gewoonte van maken, hoor.'

Omdat ik niet gerekend had op een mond meer aan tafel is Robert zonder avondmaal terug met de tram richting Antwerpen vertrokken. Het kussen heeft hij bij mij achtergelaten. Een week later belde hij me op. Of ik niet wilde uitgaan?

'Wil je je werk kwijt? Je weet hoe de bazen over relaties tussen collega's denken.'

Ik was ronduit bot tegen hem.

'Nee, ik wil mijn werk niet kwijt en ik zou ook niet willen dat jij het jouwe verliest. Maar ik wil ook niet alleen zijn.'

Zijn antwoord zette me aan het denken. Net als Robert had ik een hekel aan het alleen-zijn. Het was geen goede basis voor een relatie maar ik zou wel zien waartoe het leidde. Misschien kon ik wel leren van hem te houden.

'Oké, waar zullen we afspreken?'

'Ik kom morgenavond. Is dat goed?'

Robert kwam en is blijven slapen. Hij is nooit meer weggegaan. Vrijen met hem was veel beter dan het met Francis ooit geweest was. Het nam mijn twijfels weg.

Op het werk deden we gewoon alsof we elkaar niet kenden. Gedurende meer dan zes maanden verliep alles vlekkeloos maar iemand moet geweten hebben van onze prille relatie want eind 1976, toen Roberts echtscheiding met Dietske definitief werd, kreeg ik zonder verdere uitleg mijn ontslag en kon ik gaan stempelen.

Uit angst voor represailles en om ook zonder werk te vallen ging Robert verwoed op zoek naar ander werk. Dat vond hij, kort voor de dood van Elvis Presley, bij een douaneagentschap in Zeebrugge. Mijn partner kon er als filiaalhouder aan de slag in een klein kantoor met nog één medewerker, Martijn. Omdat het aan het eind de jaren zeventig niet mogelijk was dagelijks de afstand tussen Antwerpen en de kust te pendelen liet Robert een stacaravan bij een boer in Lissewege zetten waar hij van maandag tot vrijdag sliep. Meestal kwam mijn lief in het weekend naar Deurne maar als het goed weer was, ging ik naar de kust en lieten we Ilse van de zee en het strand genieten. In oktober nam ik voorgoed afscheid van het binnenland en verhuisden we naar een appartement aan de kapel van Zeebrugge-bad. Omdat het filiaal niet genoeg opbracht, besliste het hoofdkantoor om het te verkopen. Robert zag zijn kans schoon en kocht het. Hij breidde de zaak uit met een kleine transportfirma. Martijn, zijn collega, bleef in de zaak werken en werd een goede vriend.

Voor het eerst woonde ik in een dorpsgemeenschap en ik hield van de sfeer die er hing. Het witte kleine kerkje en het graspleintje ervoor met het verroeste anker hadden een onweerstaanbare aantrekkingskracht.

Rond die periode sprak Robert voor het eerst over kinderen. Van zodra mijn relatie met hem serieus was geworden, was ik gestart met het nemen van de pil om ongelukken te voorkomen.

'Je moet begrijpen, Jacqueline, dat ik momenteel voor het kind van een ander werk. Ik zou ook graag kinderen van mezelf willen.'

Dat zag ik helemaal niet zitten. Ilse kostte me nu nog altijd al mijn energie en met een kind extra zou de druk alleen maar toenemen. Als ik mijn partner moest geloven zou het voor hem zelfs niet bij één kind blijven. Daarom stelde ik mijn voorwaarden om het hele idee van een baby uit te stellen.

'Robert, ik wil alleen maar kinderen als ik getrouwd ben en trouwen doe ik voor de kerk, anders geloof ik niet in die verbintenis.'

'Dan moet je huwelijk met Francis kerkelijk ontbonden worden?'

Ik knikte.

'Goed, ik zal zien wat ik kan doen.'

Robert zocht contact met het bisdom om de ontbinding van mijn huwelijk te regelen. Ik moest bij de vicaris komen, mijn verhaal doen en alle contacten noteren uit de periode dat Francis en ik getrouwd waren. Iedereen zou worden ondervraagd. De geestelijke waarschuwde me dat het geen gemakkelijke procedure zou worden, maar dat hij zijn best zou doen. Ook Francis werd tot drie keer toe bij de vicaris geroepen maar is nooit op die uitnodigingen ingegaan. Telefonisch liet hij de man weten dat hij niets meer met mij en mijn kind te maken wilde hebben. Francis' gedrag maakte de zaak heel wat eenvoudiger en drie maanden later werd mijn eerste huwelijk onbestaande verklaard. Mijn ex-echtgenoot werd daarbovenop zelfs uit de kerk gebannen.

Robert en ik konden met de voorbereiding van ons huwelijksfeest beginnen en dit keer zonder familiebemoeienissen. Ilse logeerde eind maart voor enkele weken bij mijn ouders en wij maakten van de situatie gebruik om op het gemeentehuis in ondertrouw te gaan. We prikten de datum op 1 juli 1978. Er was geen aanzoek en geen verlovingsring. Ik wilde in de zomer niet met een dikke, hoogzwangere buik rondlopen, dus stopte ik in april al met de pil in de hoop van in mei of juni zwanger te zijn en de baby in het begin van de lente geboren te laten worden. Dat was geen liefdesbaby, maar een koele berekening van wat mij en Robert het beste uitkwam. Door het fiasco met Francis was ik nuchterder geworden. Verliefdheden waren niet meer aan mij besteed. Ik stond er niet bij stil dat het gedoemd was te mislukken.

Papa kon het uitstekend met mijn aanstaande vinden en zag dat die goed met Ilse kon opschieten. Dit keer was het mama die in bedekte termen liet weten dat ze niet zo onder de indruk was van Robert. Waarschijnlijk zag ze dat de man niet hetzelfde effect had op mij als Francis had gehad.

Ik naaide zelf mijn trouwjapon en het jurkje van Ilse, mijn bruidsmeisje, dat een kleine kopie werd van het mijne. Omdat het een tweede huwelijk was, koos ik weer voor een kort bescheiden ecru ensemble met een boothals. Robert droeg voor de gelegenheid een beige kostuum met een bruin hemd. De dienst vond plaats in de Sint-Donaaskerk. Bianca was mijn getuige en Martijn die van Robert. De uitgebreide receptie met diner werd in het voortreffelijke restaurant van een hotel op de zeedijk gehouden. Ilse koos een uitgebreid menu dat bestond uit vijf gangen. Kreeftenkroketjes, tomatenroomsoep, kalfsbrochettes met aardappelnootjes en een grote bruidstaart. Daarna koffie met kleine gebakjes. De sfeer was zalig uitgelaten. Robert en vader stalen de show met hun humor, ze hadden elkaar feilloos gevonden en zorgden voor de gezellige noot. We bulderden van het lachen. Dit feest kwam veel natuurlijker en veel minder gespannen over dan dat met Francis. Ik heb me die dag enorm geamuseerd, zelfs al verplichtte ik mezelf geen alcohol te drinken. Een oplettende toeschouwer kon raden dat ik zwanger was omdat ik ook mijn sigaretten achterwege liet. Het vermoeden was terecht.

Dezelfde avond vertrokken we met de auto voor veertien dagen op huwelijksreis naar het Ötstall in Oostenrijk. We namen Ilse mee en huurden er een chalet. Maar aan die vakantie heb ik geen goede herinneringen overgehouden. Ik voelde me, waarschijnlijk door mijn zwangerschap, bijna continu claustrofobisch tussen de bergen.

Het kan absurd lijken, maar een maand na ons huwelijk trouwden mijn ouders. In 1975, het Internationale Jaar van de Vrouw, was er voor ons vrouwen veel veranderd. Voor mij was een van de indrukwekkendste zaken de compleet gewijzigde tekst in mijn tweede trouwboekje. In plaats dat ik verplicht werd mijn echtgenoot te volgen en te gehoorzamen werd nu de gelijkheid en het wederzijdse respect beter benadrukt. Een frappant voorbeeld is dat vóór dat jaar vrouwen bij overspel een gevangenisstraf konden krijgen en mannen slechts een boete. Voor mijn vader betekende het dat de wet werd gewijzigd en hij eindelijk kon scheiden van Jeanne en hoewel het voor ons niet uitmaakte, trouwde hij op 1 augustus 1978, op achtenzestig-jarige leeftijd met mijn moeder. Het bewijs van zijn verant-woordelijkheidsgevoel ten opzichte van de vrouw die hem zo lang geleden blindelings had vertrouwd, was geleverd.

Er is die dag serieus de draak gestoken met de situatie. Ze hadden immers twee volwassen dochters en waren al meer dan dertig jaar samen. Mijn ouders hielden van elkaar en ik moest toegeven dat ik jaloers was op de eenheid en de onbeperktheid van hun gevoelens ten opzichte van elkaar. Bianca en ik kregen de keuze om van familienaam te veranderen maar we waren al zo lang als Jacqueline en Bianca Brede door het leven gegaan dat we papa vriendelijk bedankten voor de moeite maar dat het voor ons niet hoefde. Vader was misschien een beetje teleurge-steld maar liet dat in ieder geval niet merken.

Ik kreeg weer wat meer zin in het leven en verlangde zo naar een huis met een tuin voor de kinderen dat we in december 1978 verhuisden naar de Lentakkervoetweg in Wingene, een dorp tussen Brugge en Roeselare. Mijn zwangerschap verliep vlekkeloos. Het was een beweeglijke foetus en vaak kregen Robert en ik een schouwspel aan bulten te zien die mijn bolle buikje sierden. Dit kind had zin in het leven. We gingen ervan uit dat alles goed was, aangezien echo's en maandelijkse con-sulten bij de gynaecoloog op het einde van de jaren zeventig nog geen gewoonte waren. De laatste dagen voor mijn beval-ling had ik alleen wat last van dikke voeten.

De EMU kreeg steeds meer vorm en in 1979 ging men van start met het Europese Monetair Systeem met de ECU als rekeneenheid. Landen als Groot-Brittannië, Ierland en Denemarken hadden zich bij de Europese Gemeenschap aangesloten. De Koude Oorlog begon over zijn hoogtepunt heen te raken en werd vooral een zaak tussen Washington en Moskou. Na de crises van Korea, Cuba en Vietnam was het relatief rustig. De gewone man in de straat had geen boodschap meer aan al die oorlogen, hij wilde vrede.

Om twintig over twee braken mijn vliezen, net als bij Ilse, maar ik verloor veel minder vocht. Die nacht van 20 op 21 februari 1979 ijzelde het erg. De wegen waren spiegelglad en aan dertig kilometer per uur reden we met de auto naar het ziekenhuis van Tielt, tien kilometer verderop. De tocht leek me veel te lang, mijn weeën kwamen snel en scherp achter elkaar. Om tien voor zeven, in minder dan vijf uur, beviel ik zonder complicaties opnieuw van een dochter. De sfeer in het verloskwartier werd plots beangstigend stil. Ik kon het niet thuisbrengen. Mijn kind werd onmiddellijk weggebracht.

'Hé, waar gaan ze met mijn dochter naartoe?' kon ik nog net uitbrengen.

'We moeten haar eerst nog onderzoeken', was het korte antwoord van de arts.

Omdat mijn eerste bevalling ook niet volgens de normale procedure verlopen was, wist ik niet beter en durfde ik ook niet tegen te spreken. Robert, die nog nooit bij een geboorte aanwezig was geweest, stond stil en verward naast me. Hij begreep er evenmin iets van. Na de nageboorte werd ik direct naar mijn kamer gebracht.

Pas rond negen uur kwamen de gynaecoloog en de kinderspecialist tot bij ons.

'Tja', begon de gynaecoloog. 'Geestelijk is alles in orde met uw kindje maar… ze heeft maar één arm.'

Beide artsen zwegen en sloegen ons aandachtig gade om te peilen hoe we het nieuws opnamen. Robert was de eerste die in staat was te reageren.

'Ik meende al dat ik iets zag aan haar rechterarmpje, maar ik dacht dat er nog een vliesje rond zat of zoiets.'

'Nee, geen vliesje, vrees ik', reageerde de kinderarts tactvol.

'Het vreemde is dat we in zulke situaties meestal merken dat er meer met de baby aan de hand is, maar we hebben jullie dochter nauwkeurig onderzocht en kunnen verder niets abnormaals vaststellen. Ze is volledig gezond', vervolgde de gynaecoloog. 'Meer nog, uw kind heeft een kleurtje alsof ze net van de Côte d'Azur komt.'

De andere dokter deed er nog een schepje bovenop. 'We zijn sinds kort gestart met de Apgarscore die baby's punten geeft bij hun geboorte. Uw dochter heeft een negen op tien en dat is hoogst uitzonderlijk. Dat ene punt hebben we dan nog afgetrokken vanwege haar handicap.'

Daar. Het was gezegd. Ons kind was gehandicapt. Het woord hing in de kamer en drong in mijn botten. De twee artsen verlieten de ruimte.

'Waarom ik?' fluisterde Robert.

'Nee, waarom wij? Waarom moet ons dat nu weer overkomen?'

Mijn man liep de kamer uit. Elk moest dit nieuws op zijn eigen manier verwerken. Tegen de middag had ik mijn dochtertje nog altijd niet gezien en ik sprak er de verpleegkundige die me kwam verzorgen over aan.

'Wanneer krijg ik eindelijk mijn dochter te zien?'

'Ze zijn haar nog aan het onderzoeken, mevrouw. Ik zal het eens navragen.'

De verpleegkundige verdween om nog geen twee minuten later met mijn kind op de arm binnen te komen. Ik vermoedde dat de onderzoeken allang achter de rug waren en dat het personeel had gewacht tot ik naar mijn baby vroeg vooraleer haar te brengen. De vrouw gaf me het in een wit dekentje gewikkelde kleine mensje en monsterde mijn reactie. Haar aanwezigheid stoorde me.

'Wil je alstublieft de kamer verlaten?'

'Weet u het zeker, mevrouw?'

'Ja. Ik wil alleen zijn met haar.'

De verpleegkundige verdween aarzelend en sloot de deur om me de gevraagde privacy te gunnen. Ik legde mijn pasgeborene op het bed, kleedde haar helemaal uit en bekeek haar van top tot teen. Daar lag ze, Anne. Met haar drie kilo en vijftig gram blaakte ze van gezondheid. De artsen hadden niet overdreven. Mijn jongste had een romig bruin kleurtje en donkere haartjes. Haar rechterarm stopte ter hoogte van de elleboog. Daar zat een klein nopje op met, als ik heel goed keek, vijf eeltachtige plekjes op een rij. Ik besefte plots dat ik naar de restanten van haar handje keek. Daar, op dat moment wist ik dat Annes leven een harde strijd zou worden. Haar handicap was erg maar ik bewees haar geen dienst door er al te emotioneel over te gaan doen. Het kon, zoals de dokters gezegd hadden, nog veel erger geweest zijn. Ik vroeg me wel af hoe ze zich later zou behelpen. Hoe zou ze zelf voor haar kinderen zorgen? Hoe zou ze de afwas doen of aardappelen schillen? Ik begon spontaan te zweten van angst als ik er maar aan dacht hoe ze zou moeten leren strijken met één hand.

Ik kleedde Anne weer aan: 'Komaan, mijn dochter, we zullen er maar het beste van maken, zeker?'

Robert had Ilse naar school gebracht en arriveerde terug op de kraamafdeling met doopsuiker en drank voor het bezoek.

'Wat zou jij gedaan hebben moesten we het vooraf geweten hebben?'

Die bedenking maakte ik hardop. Mijn echtgenoot stopte met uitpakken en keek me even beduusd aan.

'Ik denk dat ik je dan gevraagd zou hebben om een abortus te overwegen.'

Ik knikte.

'Vind je het erg dat ik dat denk?'

'Nee. Ik begrijp je wel.'

Als ik nu naar mijn dochter kijk, dan kan ik onmogelijk geloven dat ik in zo'n situatie ooit zou overwegen om mijn kindje te laten wegnemen. Ik sta nog steeds dagelijks aan de grond genageld als ik zie hoe Anne zich uit de slag trekt. Ze kan werkelijk alles en heeft ervoor gezorgd dat haar handicap geen enkele invloed, geen enkele beperking heeft op haar leven.

'We zullen mijn ouders moeten bellen', zuchtte ik.

Geen van ons speelde graag boodschapper van slecht nieuws, maar het was een werkje dat moest gebeuren, dus deed ik wat van me verwacht werd. Papa met zijn gesloten karakter reageerde gelaten zoals ik hem kende. Mijn moeder was, zoals dat in de Russische samenleving de gewoonte was, ongelooflijk hard voor haar invalide kleindochter. Volgens haar moest ik hetzelfde doen wat de dieren met hun mismaakte jongen deden: haar verstoten. Het feit dat ze zelf mankte, stemde haar niet milder ten opzichte van mijn dochters handicap. Alleen Bianca, die enkele jaren daarvoor met Chris getrouwd was, reageerde gematigd positief. Met haar 'Ach, het zal wel loslopen, laat het allemaal zijn gang maar gaan', was ik zo blij als een kind.

We wilden ons kindje niet wegsteken en brachten iedereen op de hoogte van Annes geboorte alsof het om een gewoon, gezond kind ging. Maar er kwam weinig bezoek aan mijn kraambed. Bijna niemand durfde te komen. De doopsuiker werd bijna niet uitgedeeld en de champagne werd niet aangeraakt. Uitbundige cadeautjes vond men ongepast. Velen wisten zich geen houding te geven. Ik raadde iedereen aan om zo gewoon mogelijk tegen haar te doen. Het was Annes schuld toch niet?

'Och, dat is erg', was een uitspraak die ik veel te horen kreeg die dagen.

Na nog een reeks tests verzekerden de artsen ons dat Annes handicap niet erfelijk was maar gewoon een foutje van de natuur. Op 4 maart, bij het aanbreken van de lente, mocht ik met mijn jongste in mijn armen naar huis.

Ilse aanvaardde haar zusje zonder problemen maar Roberts houding tegenover Ilse veranderde radicaal. Hij kon niets meer van haar verdragen terwijl hij Anne rot verwende uit een soort van schuldgevoel. Mijn oudste mocht van mijn echtgenoot niet eens op een oude schrijfmachine tikken terwijl mijn jongste met haar vuistje het gloednieuwe mechanische apparaat te lijf ging zonder dat hij daar commentaar op gaf. Ik voelde me genoodzaakt de kant van Ilse te kiezen en er ontstonden hevige discussies. In tegenstelling tot bij mijn eerste echtgenoot duurden die maximaal een uur of twee. Bij Francis had ik vaak dagen beeld zonder klank. Dat spelletje werkte bij Robert averechts, hij werd er alleen maar kwader door. Het werd zo erg dat ik Ilse op haar eigen vraag naar een internaat in Heist stuurde om het thuis weer wat leefbaar te maken.

Mijn jongste dochter was schattig, spontaan en beeldschoon. Meestal vergat de enkeling die de moed had haar vast te houden door haar ontwapenende glimlach al na enkele minuten dat ze maar één armpje had. Anne was een paar maanden oud toen we een tweede en laatste kindje wilden maar het lukte niet onmiddellijk. Ik zag het nog steeds niet zitten om hoogzwanger de zomer door te lopen, dus zei ik in november tegen Robert: 'Als het nu niet lukt, moet het maar wachten tot volgend jaar.'

Natuurlijk werd ik toen net wel zwanger. Ik had geluk want de zomer van 1980 was relatief koud, dus had ik geen last van de warmte. Bij mijn tweede zwangerschap had ik erg op mijn gezondheid gelet en toch was Anne invalide ter wereld gekomen. Ik deed alle goede raad af als pure praatjes en bij mijn derde zwangerschap lette ik nergens meer op. Ik rookte, at en dronk wat ik wilde. Op 22 augustus verloor ik in de late namiddag wat bloed en ik belde de gynaecoloog op. Hij raadde me aan om tegen de avond naar de kraamafdeling te komen. Om negen uur kreeg ik een prik om de weeën kunstmatig op gang te brengen. Ze waren talrijk en hevig. Zeven lange persbeurten duurde het eer mijn derde kind op de wereld kwam.

Robert lachte zijn zenuwen weg: 'Die kleine blijft steken. Hij is al te laat voor zijn eigen geboorte.'

'Mevrouw, uw baby moet bij de volgende perswee komen of het wordt een keizersnee.'

Dat wilde ik vermijden en bij de laatste wee perste ik tot alle aders in mijn gezicht, hals en nek gesprongen waren. Ik zag er niet uit maar op 23 augustus om twintig over twee werd Benjamin geboren. Hij woog drie kilo en honderd gram en werd onmiddellijk in mijn armen gelegd. Dat was de eerste keer. In vergelijking met de mooie roze baby die Anne geweest was, leek hij meer op een vreemd gerimpeld buitenaards wezentje.

'Wat een lelijk kind!' was mijn eerste reactie.

'Maar mevrouw, dit is een jongen. U bent meisjes gewoon. Die zijn altijd veel mooier bij de geboorte', zei de vroedvrouw verontwaardigd.

Met Benjamin was alles in orde en na vier dagen verlieten we de kraamafdeling.

Mijn zoon moet twee maanden oud geweest zijn toen mijn rustig kabbelende leventje als een donderslag bij heldere hemel omver werd geblazen. Ik was de boontjes aan het doppen toen Robert met zijn handen in zijn zakken de achterdeur kwam binnengelopen.

'Jacqueline, ik moet je wat zeggen.'

'Ja?'

'Ik ben toen je zwanger was met een andere vrouw naar bed geweest.'

Ik kreeg een emmer koud water over me heen.

'Wie?' was alles wat ik kon uitbrengen.

'Monique.'

Martijn was begin augustus op mijn mans initiatief zonder pardon aan de deur gezet en vervangen door de vrouw van de wijkagent. Ik snapte toen Roberts beweegredenen niet maar omdat ik bezig was geweest met mijn nakende bevalling had ik me verder geen vragen gesteld. Nu vielen alle puzzelstukjes op hun plaats. Mijn echtgenoot had zonder medelijden zijn beste vriend op straat gezet om zijn minnares in dienst te kunnen nemen.

'Hoe lang is dat al bezig?'

'Weet je nog toen ik zei dat ik voor twee dagen naar Engeland moest voor de zaak?'

Dat was een week voor mijn bevalling geweest.

'Ja.'

'Wel, toen zat ik eigenlijk met Monique in een hotel in Brugge.'

Ik kookte van woede: 'Het is zij of ik.'

Onverstoord spoelde ik de boontjes en zette ze op het vuur.

Robert wist dat ik het meende. Omdat een tweede persoon in de zaak nodig was en ik mijn man niet meer vertrouwde, ging ik zelf in het douaneagentschap werken. Anne en Benjamin mochten van hun vader niet naar een onthaalmoeder of kinder-opvangverblijf, dus richtten we de achterkamer in als speelka-mertje waardoor ik de hele dag kon werken met mijn kinderen dicht bij me. Ik hield Robert in de gaten maar hij trok zich daar niets van aan en bleef Monique zien. Hij werkte altijd over en kwam nooit voor middernacht thuis.

Ik had hem duidelijk gemaakt dat ik voor mijn huwelijk zou vechten en hem niet zonder slag of stoot zou opgeven. Daar had ik een gegronde reden voor, drie zelfs. Ilse, Anne en Benja-min. Ik wist dat het onmogelijk zou worden hen alle drie fat-soenlijk op te voeden als alleenstaande moeder. Onze ruzies werden erger en erger. Mijn vertrouwen in Robert was weg en ik vroeg hem op 7 juli 1981 om tijdelijk in het kamertje achter onze zaak te gaan wonen. De grond werd onder mijn voeten weggemaaid. Uit angst er alleen voor te staan in een streek waar ik bijna niemand kende, belandde ik in een depressie. Het overspel, een tweede mislukt huwelijk en drie jengelende kinde-ren die om mijn aandacht schreeuwden, deden me uiteindelijk op aanraden van Robert naar een dokter gaan. Mijn man werd na mij ook even in het kabinet geroepen.

Ik weet niet wat beide mannen besproken hebben. Robert wilde het me achteraf niet zeggen. De arts concludeerde dat ik, bijna een jaar na de geboorte van Benjamin, aan een postnatale depres-sie leed. Mijn man bracht me naar de psychiatrische afdeling van een ziekenhuis in Brugge. Het was de grootste nachtmerrie uit mijn leven. Ik voelde me voortdurend suf, lusteloos en ontdekte dat ik dagelijks via een infuus twintig milligram valium kreeg toegediend. Ik ben in die periode vijftien kilogram bijgekomen.

Ik wilde mijn ouders bellen, maar dat kon niet omdat ze op vakantie waren in Portugal. Robert had het juiste moment uit-gekozen. Pas na twee weken kwam mijn vader me bezoeken.

'Wat moet ik doen, papa?' Huilend met mijn handen voor mijn ogen zat ik op het bed.

'Maak dat je hier wegkomt, dochter. Robert is in staat je gek te laten verklaren om van je af te zijn.'

In het weekend bracht mijn echtgenoot de kinderen naar me toe en ging dan zelf naar de cafetaria. Hij deed zelfs niet meer de moeite om in me geïnteresseerd te zijn. Na een maand bracht hij Anne bij me. Ze had een wit kleedje aan dat zo vuil zag alsof de vloer er eerst mee gedweild was. Benjamins gezichtje was na zijn laatste maaltijd duidelijk niet gewassen want de korsten opgedroogde tomatensaus plakten op zijn wangetjes. Onder Ilses nagels zat het straatvuil van dagen. Ik gruwelde van de aanblik van mijn kinderen en nam een besluit. Ik vroeg om een gesprek bij mijn arts.

'Ik wil hier weg. Ik moet voor mijn kinderen gaan zorgen. Zeg me welk papier ik moet tekenen om ontslagen te worden en ik doe het.'

'Nee, dat mag u niet doen. Anders staat u hier binnen de veertien dagen terug', hield de dokter me tegen.

'Nu niet, nooit niet! Over mijn lijk!' beet ik hem toe.

Ik ben er vertrokken en nooit meer teruggekeerd.

Robert bracht me van het ziekenhuis terug naar Wingene. Ik ging als eerste de voordeur binnen en zag dat het hele huis herschapen was in een varkensstal. Dat was voor mij de spreekwoordelijke druppel. Ik draaide me om en nam mijn bagage van Robert over.

'Ik wil je hier nooit meer zien.'

Vlak voor zijn neus gooide ik de voordeur in het slot.

Ik was moegestreden en zette de echtscheiding in gang. Robert werd drie keer om vijf uur 's morgens betrapt op overspel. Bij de verplichte verzoeningspogingen stuurde hij altijd zijn kat. Hij vroeg geen bezoekrecht aan en in november 1982 was ik opnieuw een vrije vrouw. Alleenstaand met drie kinderen.

Anne

Anders

Brugge, april 1988

In de eerste helft van de jaren tachtig sloten Griekenland, Spanje en Portugal zich aan bij de Europese Gemeenschap. Gedurende bijna tien jaar bleef dat onveranderd en zouden ze samen met de al bestaande leden bekend worden als het Europa van de Twaalf.

Rond 1985 waren heel wat communistische regimes sterk verzwakt. Michael Gorbatsjov koos daarom voor een langzame toenadering tot West-Europa en meer transparantie van zijn beleid, beter bekend onder de noemer glasnost. Door een gestage ontwapening en een reeks economische hervormingen wilde de Russische leider de bron van het socialisme herontdekken. Maar al dat ging volledig aan me voorbij.

'Ach, wees blij. Je hebt tenminste geen ongeluk gehad. Je weet niet beter.' Het is een van de vele uitlatingen die ik de laatste vijfentwintig jaar bijna dagelijks hoor van mensen die in een halfslachtige poging hun eigen ongemak willen minimaliseren en mij geruststellen. Het woord van een onwetende, want nooit heb ik ze door een lotgenoot weten uitspreken.

Maar ik heb wel beter geweten. Ik weet nog haarscherp, alsof het gisteren was, wanneer mijn onbezorgde kindertijd ophield te bestaan en wanneer de ellende, de miserie tot me doordrong. Ik was net tien jaar oud en zat bij meester Goegebeur in de klas,

313

een kalende man die zijn resterende haren afschoor en een kunstmatig gebruinde huid had. Hij had een bril die aan een koordje rond zijn hals hing. Iedereen in de klas was driftig met een hamer, nageltjes en een dik houten plankje in de weer. De spijkers werden in een dubbele rij in de vorm van een hartje geklopt en daartussen werd een rode draad gespannen. Het moest een geschenkje voor moederdag voorstellen. Net als mijn klasgenootjes gaf ik het beste van mezelf. Met mijn duim duwde ik de nagels zoveel mogelijk in het hout in de hoop dat ze lang genoeg recht zouden blijven staan zodat ik tijd had om de hamer te nemen en de spijker in het plankje te kloppen. Soms viel de nagel op het laatste moment om en dan raakte ik gefrustreerd. Meester Goegebeur zag het en kwam dan helpen.

'Anne, als je hulp nodig hebt, moet je het vragen.'

Mijn leerkracht moedigde me aan maar wist dat ik er toch nooit op zou ingaan. Mijn trots verbood me dat. Niet dat ik het vertikte om hulp te vragen maar ik zag er het nut niet van in. Ik moest het toch ook kunnen, net als mijn vriendjes? Dus liet meester Goegebeur me begaan, sloeg me van op een afstand gade en snelde me te hulp als het werkje me niet lukte. Op die manier werd mijn trots niet aangetast en deed ik zoveel mogelijk wat ik zelf kon.

Na de les knutselen kwam Klaartje naar me toe. Klaartje was een mollig meisje met ongelooflijk lang witblond haar. Ze had een lief blozend gezichtje en deed me denken aan Heidi uit de kinderboeken van Johanna Spyri.

Ik zag dat mijn klasgenootje met iets zat: 'Ja? Zeg het maar.'

'Zijn er geen speciale scholen voor mensen zoals jij?'

Het klonk niet hard. Klaartje had nooit de bedoeling gehad om me te raken met haar opmerking. Als een nieuwsgierig kind moest ze een antwoord hebben op haar vraag en spontaan had ze me die gesteld. Ik was helemaal niet boos of kregelig door haar opmerking, maar wel verbaasd. Het kwam onverwachts en ik was er niet op voorbereid.

'Hoe bedoel je?'

'Waarom ga je daar niet naartoe?'

'Ik zou het niet weten.'

'Omdat dit toch een school is voor gewone kinderen en jij bent speciaal.'

Voor de eerste keer in mijn leven wist ik niet wat te antwoorden. Ik was volledig van mijn sokkel geblazen maar probeerde dat te verbergen door al mijn aandacht op het opruimen van het knutselgerief te vestigen. De pennenzak en schriften vonden hun weg naar mijn boekentas en ik de mijne naar huis. Was ik speciaal? Zo had ik het nog nooit bekeken. Ik zag er toch niet veel anders uit dan de rest? Oké, ik miste mijn rechteronderarm en waar het ellebooggewricht zou moeten zitten, zat alleen maar wat kraakbeen. Daar stopte het. Maar zo waren er toch nog mensen? Dat was toch niet zo speciaal dat ik ervoor naar een andere school moest? Onderweg naar onze flat, een paar honderd meter verder in de straat, lette ik erg op iedereen in mijn omgeving of er nog mensen waren met één arm. Ik tuurde naar de mama's en de papa's die hun zoon of dochter met de auto van school kwamen halen. Nee, zelfs als ik goed keek had niemand een stomp. Ik liep de vier brede treden op naar de inkomhal van ons flatgebouw. In tegenstelling tot de voorjaarswarmte buiten was die lekker koel doordat de volledige bekleding van de hal in marmer was. Rechts hingen de metalen brievenbussen van alle bewoners, dertien in totaal, in twee rijen aan de muur. Links kon je op een tablet het juiste appartement bellen zodat de deur ernaast opengedaan kon worden. Ik drukte op nummer negen, naast Brede. Bijna onmiddellijk hoorde ik een zoemend geluid. Ma kende mijn uur van thuiskomst. In de lift koos ik voor de vierde verdieping.

De voordeur van ons appartement stond op een kier en eenmaal binnen deponeerde ik mijn boekentas met een zwaai onder de kapstok. Door de living liep ik naar de keuken. Zoals elke avond stond mijn ma met een gele schort voor te koken. Van mij werd verwacht dat ik in tussentijd mijn huiswerk maakte. Wanneer Ilse en Benjamin dan thuiskwamen, konden we aan tafel aanschuiven. Na het eten had ik de rest van de avond vrij om tv te kijken of een spelletje te spelen met mijn broer of zus. Maar vandaag niet. Ik was niet in staat om mijn hoofd bij mijn huiswerk te houden na Klaartjes opmerking. Die maalde nog steeds door mijn hoofd.

'Hoi.'

Ma reikte me haar wang voor een kus zonder dat ze ophield met aardappelen te schillen.

'Hoe was het op school?' De standaardvraag.

'Goed.' Het standaardantwoord.

Ik kon het niet loslaten. Was er dan echt niemand zoals ik? De rood met wit geblokte gordijntjes die voor het raampje en de deur naar het balkon hingen, oefenden plots een enorme aantrekkingskracht op me uit. Ik ging voor de glazen deur op het tochtkussen zitten en trok het goedkope gordijn over mijn hoofd en begon zachtjes te huilen.

Ma moet raar hebben opgekeken want zoiets had ik nog nooit gedaan. Ik hoorde hoe ze haar aardappelmesje op het aanrecht legde.

'Anne, wat is er?'

Ik weigerde eerst te antwoorden omdat ik zelf niet wist wat er met me aan de hand was. Mijn moeder trok het gordijn weg.

'Anne, wat is er?' herhaalde ze nu kortaf.

'Laat me met rust.' En ik wilde de stof terug over mijn hoofd trekken om mijn afzondering te waarborgen maar ma hield me tegen. Ze werd boos.

'Als je niet snel zegt wat er is, zwaait er wat!'

Na de gebeurtenissen op school had ik vandaag geen energie meer voor een ruzie, dus ging ik overstag.

'Waarom ga ik niet naar een school voor speciale kinderen? Ik ben toch anders!' smeet ik haar toe.

Mijn emoties en waarnemingen zijn nooit meer geweest zoals de dag voor Klaartjes opmerking. Ik heb me nooit meer normaal gevoeld. Voortaan leefde ik buiten dat vakje. Dat moment staat in mijn geheugen gegrift en een roze geschilderd houten plankje met een rood hart en 'Leve Mama' eronder dat boven haar bed hangt, doet me er iedere keer aan herinneren. Toen verloor ik mijn jeugd. Het betekende het einde van mijn zorgeloze kindertijd en het begin van de meest zwarte periode uit mijn geschiedenis.

Mijn leven is scherp opgedeeld in 'voor' en 'na' dat moment. Ervoor was ik een ontwapenend kind dat ieders hart deed smelten met haar glimlach. Mijn aanwezigheid bracht een energie met zich mee waarvan mijn familie soms hoorndol werd. Als peuter had ik een eigen willetje en kon ik behoorlijk koppig zijn. Zo vertikte ik het om iets anders dan melk te drinken. Fruitpap gaf ik steevast opnieuw over en als ik mijn moeder moet geloven waren aardappelen al helemaal niet aan mij besteed.

Toen ik bijna drie was, ben ik op een kast geklommen en er weer af gedonderd. Veel kan ik me er niet meer van herinneren maar naar het schijnt heeft een jonge arts de jaap netjes dichtgenaaid en bleef ik daar verrassend rustig onder. 's Avonds in mijn bedje in de donkere kamer die ik met Benjamin deelde, jeukte het zo dat ik er niet van kon slapen. Heel stilletjes trok ik de pleister af en begon aan de hechtingen te krabben. De draadjes kwamen een beetje losser te zitten en het was redelijk eenvoudig er eentje uit te trekken. Het jeuken minderde en daarom pulkte ik ook de andere hechtingen eruit. Dat was een hele opluchting en eindelijk viel ik in slaap. Dat is mijn allereerste herinnering. Zoals zoveel kleuters heb ik een litteken van anderhalve centimeter dat mijn voorhoofd siert als aandenken aan mijn eerste roekeloze heldendaad. Het leverde me binnen de familie de bijnaam Octopus op. Daarna heb ik nog veel bijnamen gekregen, maar deze is de enige waar ik oprecht trots op ben omdat hij niet verwees naar hoe ik eruitzag maar naar wat ik bereikt had. Op het eerste gezicht was het natuurlijk geen flatterende bijnaam en buiten de familie reageerden de mensen uiterst verontwaardigd als ze hem hoorden.

Na het bewuste moment op school veranderde ik helemaal. Van het guitige spontane meisje bleef niets meer over. Ineens vielen de blikken van klanten me op als ik met ma naar de supermarkt ging.

Oude dametjes fluisterden nog net binnen gehoorsafstand: 'Kijk daar, dat meisje. Toch erg, hé.'

'Amai, ja, zeg dat wel. Maar ze trekt precies nog goed haar plan.'

Ik ergerde me mateloos aan hun misplaatste medelijden. Nog erger waren de onbeschaamde starende ogen van kleine kindjes. Hun monden vielen open van verbazing. Ze achtervolgden me van de ene rayon naar de andere, hun moeder allang vergetend. Ik voelde me een topattractie uit het circus die schaamteloos werd bekeken. De ergste vorm van voyeurisme. Als ze me naakt door de supermarkt hadden laten lopen, had ik me minder opgelaten gevoeld. Mijn nekharen gingen overeind staan en ik kreeg het koud over al mijn botten. Willen we wisselen, dacht ik.

Het ergerde me mateloos dat ik niet om het even welke schoenen of kleren kon aandoen. Veters strikken kon ik niet, dus werden het altijd die spuuglelijke schoenen met klittenbandsluiting. Een modieuze nauw aansluitende wintertrui kon ik op mijn buik schrijven want als ik die over een hemdje of T-shirt wilde aandoen bleef de mouw van de onderste laag kleding altijd wel ergens steken of gedraaid zitten. Ma weigerde me te helpen met aankleden, dus liep ik altijd in veel te grote slobbertruien rond. Een leuke coupe in mijn haar, vergeet het. Alles moest praktisch en gebruiksvriendelijk zijn en aangezien ik niet zelf mijn haar kon drogen en in model borstelen, liet mijn moeder mijn haar in een kort jongenskopje knippen. Ik begon kwaad te worden op al die dingen die me vanwege mijn handicap werden ontzegd. Ik mocht van ma onder geen beding in de buurt van het strijkijzer komen, want ik zou zo maar eens een van mijn weinig resterende vingers kunnen branden. Dat kon niet en dat mocht niet. Ik haatte mijn handicap en ik haatte mezelf.

Nieuwsgierig vroeg ik altijd: 'Maar waarom?'

'Omdat je maar één arm hebt.'

Alsof dat allemaal nog niet genoeg was voor een kind van tien jaar oud, moest ik ook met de fysieke gevolgen van mijn handicap leren leven. De spieren in mijn linkerschouder waren veel beter ontwikkeld dan die aan mijn rechterschouder. Die asymmetrie zorgde voor bijna dagelijks terugkerende migraineaanvallen. Dat soort kloppende hoofdpijn startte in mijn nek en splitste zich dan op richting mijn oren, die dan begonnen te suizen, om aan mijn slapen als cimbalen weer bij elkaar te komen. Als ik op dat moment niet in mijn bed lag, had ik kans dat mijn gezichtsvermogen, dat in zo'n geval erg verminderde, spelletjes met me begon te spelen en dan kwakte ik met mijn schouders tegen deurposten of meubels aan. Door overcompensatie waren bijna alle spieren en pezen in mijn rug verkrampt. Mijn rugwervel vertoonde frontaal en in zijaanzicht een dubbele kromming met een te bolle bovenrug en een te holle onderrug als resultaat. Drie keer per week bezocht ik een fysiotherapeut in de hoop een beetje van de pijn dragelijk te maken. Het enige wat in mijn korte bestaan nog werkte, was mijn linkerhand maar dat zou niet lang meer duren.

Ik piekerde steeds meer over dat anders-zijn en wat ik allemaal zou kunnen doen om wel als normaal beschouwd te worden. In die periode kreeg ik mijn eerste van vele protheses. Een lapmiddel dat mijn getormenteerde rug nog meer belastte. Mijn schoolkameraadjes die langzaamaan geen kameraadjes meer waren, bekeken me toen nog meer als een buitenaards wezen.

'Kapitein Haak heeft zijn haak bij!' riepen ze dan.

Ik stond alleen in een hoek op de speelplaats en niemand wilde naast me zitten in de klas.

'Dat is besmettelijk. Straks valt mijn arm er ook af, meester.'

Voor zo'n opmerking moest ik niet hopen dat de bewuste leerling een straf kreeg. Met een 'Wim, zo is het wel goed geweest', kwam die ervan af waardoor mijn leeftijdsgenoten de indruk kregen dat hun gedrag ten opzichte van mij aanvaardbaar was. Hoe ik me daarbij voelde, daar stond niemand bij stil.

Iedereen die me op de speelplaats het gevoel gaf dat ik erbuiten stond, kreeg toen nog een sneer terug. Ik was die 'rare' die met zichzelf in de knoop lag. Mijn humeur daalde tot het vriespunt om pas veel later te ontdooien. Het liep echt uit de hand toen ik in een vlaag van woede een medeleerling een klap verkocht met mijn prothese nadat die me weer eens belachelijk gemaakt had. Uit frustratie draaide ik rond mijn as en gaf het voorwerp flink wat snelheid om dan mijn kwelgeest weg te maaien. Protheses bestonden toen uit een zware metalen buis waaraan een hardplastic geraamte bevestigd werd. Om het een mooier aanzien te geven werd het opgevuld met mousse. Een lange plastic handschoen die de structuur had van een huid bedekte de hele handel. Voor een kind van mijn leeftijd woog een esthetische onderarm algauw anderhalve kilogram. Een serieus gewicht. Bij het aanbrengen van de prothese was een serieuze hoeveelheid talkpoeder, een katoenen kousje voor over mijn stomp en flink wat tijd en geduld nodig. Bovendien was het een dood voorwerp waarmee ik niets kon doen. Ik kon er geen deuren mee openen, geen bladzijden van boeken mee omslaan, naar het toilet gaan, de afwas doen of mijn haar mee opsteken. Dat kon ik na veel oefenen wel zonder die prothese.

Ik haatte alles aan mezelf en schaamde me voor wie ik was, voor wat ik nooit kon zijn. Ik besefte zelf dat ik me afzonderde en probeerde me ertegen te verzetten maar ik leek wel een lappenpopje met touwtjes aan mijn armen en benen waaraan iemand anders nu trok. Ik wilde niet maar ik werd gedwongen over gloeiend hete kolen te lopen. Ik lag compleet met mezelf in de knoop.

Ma was op zich al een strenge moeder omdat ze dat nuttig vond maar tegenover mij deed ze er altijd nog een schepje bovenop. Ze gaf zelfs toe dat ze het met opzet deed. Ik had niet echt het gevoel dat ik met mijn problemen bij haar terecht kon, dus bleef ik ermee rondlopen.

De zinnetjes 'Dat weet ik niet', of 'Je moet je eigen boontjes doppen', hoorde ik net iets te vaak.

'Later zal je het veel moeilijker krijgen dan iemand anders, dus bereiden we je daar nu al op voor. Met medelijden raak je nergens.'

Uitzonderlijk had ik het lef om mijn moeder om hulp te vragen bij het afdrogen van een kookpot.

'Ma, ik kan dat niet. Dat is veel te onhandig.'

'Zet die kan opzij en gebruik je handen!' beet ze terug met de nadruk op handen in het meervoud. Zelfs spreekwoorden werden voor mij niet aangepast, was de boodschap. Niet dat ik met haar geen gesprek kon voeren. Mijn beste herinneringen uit mijn jeugd zijn die waar ik aan de grote tafel in de woonkamer zit te kijken terwijl mijn moeder bergen was plooide of streek. Alles was bespreekbaar behalve problemen want dan blokkeerde mijn ma. Benjamin was veel te jong om het met hem over mijn muizenissen te hebben en mijn zus stond veel te ver van me af. Ilse was een eenzaat die het liefst op haar kamertje aan het einde van de gang naar muziek luisterde en danste. De rest van mijn kleine familie woonde te ver en de enige die daarvan in aanmerking kwam om mee te praten was mijn grootvader, Henri.

In 1986 herviel bompa na bijna vijftien jaar aan kanker. Dit keer was het zijn prostaat en hij werd geopereerd. Eventjes kwam het weer in orde en ma stelde ons gerust.

'Hij is al eerder ziek geworden en toen ook volledig genezen', zei ze.

Maar een jaar later stelden de artsen vast dat bompa darmkanker had. De dikke darm werd operatief verwijderd en mijn grootvader kreeg een stoma. Hoewel zijn toestand in de daaropvolgende jaren geleidelijk aan verslechterde, ging hij toch ieder jaar met bomma op reis. Een ander jaarlijks terugkerend ritueel was dat ik, als bompa's petekind, enkele weken bij hen in Deurne mocht logeren. Dan sliep ik in zijn zelfgemaakte caravan die op de oprit stond en hielp bomma met koken of gingen we wandelen aan het strand van Sint-Anna. Maar het liefst zat ik samen met mijn grootvader in zijn wijnkelder. Zeker die laatste zomer van 1989, toen het buiten broeierig warm was, werd de kelder mijn koele toevluchtsoord. Daar vertelde hij over hoe het vroeger allemaal geweest was en ik dronk zijn verhalen als zoete wijn op een warme zomeravond. Bompa leerde me de zin van het leven ontdekken en in zekere mate vervulde hij daar de rol van een goede vader voor mij. Als elfjarige leerde hij me goede van minder goede wijn onderscheiden terwijl we filosofeerden over de tijd.

'Ik heb het gevoel dat ik tijd verlies met groot worden.'

'Anne, je kunt nu nog geen tijd verliezen, want groot worden is leren leven en dat is een van de nuttigste tijdsbestedingen. Slapen is iets anders. Het is een noodzakelijk kwaad. Voor mij is slapen altijd een beetje sterven. De dag erop word je wakker en ben je plots één dag ouder. Een dag dichter bij je dood.'

Zoals hij het verwoordde, voelde ik aan dat hij niet bang was om te sterven. Ik ook niet.

'Maar hoe weet ik dan dat ik op de goede weg ben?'

'Hmmm.' Bompa dacht even na: 'Als je op het einde van je leven kunt zeggen dat je alles wat je wilde bereiken bereikt hebt met respect voor andermans wensen. Als je iedere dag iets nuttigs gedaan hebt zonder dat je geweten je parten speelde, zonder spijt om wat je wel of niet gelaten hebt. Dan weet je het.'

Hij keek me diep in de ogen om er zeker van te zijn dat ik het begrepen had. Ik knikte.

'Dus geen herkansing?' en ik gaf hem de fles bordeaux terug die hij me eerder had aangereikt om het etiket te lezen.

'Nee... Geen herkansing.'

Hij duwde de fles met de kurk tegen de muur in een nis en wees me zonder woorden naar boven. Bompa zei nooit een woord te weinig en zeker ook geen te veel. Een dag later vertrok ik terug naar Brugge. Een dergelijk gesprek was in principe veel te zwaar voor een meisje van mijn leeftijd, maar mijn grootvader wist hoe ver hij kon gaan. De laatste twee jaar hadden van mij een volwassene in het lichaam van een kind gemaakt en mijn peter was waarschijnlijk de enige die zich daarvan bewust was. Hij had een sterk hart, beresterk. Misschien omdat hij wist dat ik hulp nodig had, heeft hij het nog zo lang volgehouden.

Op 8 mei 1990, dag op dag vijfenveertig jaar na het einde van de Tweede Wereldoorlog, stierf hij in een Antwerps ziekenhuis. De kanker had zich over zijn hele lichaam uitgezaaid. Samen met mijn moeder, Ilse en Benjamin ging ik zijn stoffelijk overschot groeten. Het was mijn eerste kennismaking met de dood. Grootvader zag eruit alsof hij sliep en even kreeg ik de ingeving hem wakker te willen maken door zijn hand vast te nemen. Hem wat van mijn levenswarmte te schenken. Een grote blauwe plek toonde waar de verpleegkundigen de injecties voor de morfine hadden gegeven. Ik trok me angstig terug toen de gehavende hand ijskoud bleek te zijn. Het voelde aan alsof er meer kans bestond dat mijn grootvader zijn levenloosheid op mij overdroeg dan omgekeerd. In paniek huilend en snikkend rende ik het mortuarium uit.

Twee dagen later werd bompa begraven. Daar leerde ik een les in eindeloze bescheidenheid. Mijn grootvader had tijdens de oorlog als lid van de Witte Brigade en beroepsmilitair gevochten en had dus recht op een staatsbegrafenis. Met klem had hij altijd volgehouden dat dergelijk vertoon niet aan hem besteed was. Hij had altijd gehandeld vanuit zijn plichtsgevoel, niet om van hem een held te laten maken. Daardoor joeg hij zijn weduwe nodeloos op kosten maar hij wilde het zo. De kerk zat afgeladen vol en overal stonden er nog mensen rechtop.

Op het kerkhof bleven enkel bomma, mijn moeder, tante Bianca en oom Chris, Ilse, Benjamin en ik over. Bompa was gecremeerd en werd met de wind mee opnieuw aan de natuur toevertrouwd. Geen gedenkplaat, geen grafzerk, geen kist. Alleen de herinnering aan mijn grootvader had ik over om hem onsterfelijk te maken. Ik kreeg het idee dat hij me een belangrijke boodschap had willen nalaten tijdens die laatste vakantie. Dat gesprek in de wijnkelder heb ik altijd beschouwd als zijn erfenis aan mij. Waardevoller dan om het even welke som geld. Zijn goede raad werd mijn gids, mijn leidraad en mijn levensmotto.

Onze straat eindigde waar de rails van de spoorweg passeerden. Links had je een hele rij huizen en rechts het college waar ik naar school ging. Vlak naast de school stonden drie flats. Het eerste, residentie Edelweiss was het onze. Vooraleer je het terrein van het college opkwam, was er een ruime parking in twee dubbele rijen. Op het asfalt heb ik met veel moeite leren fietsen zonder zijwieltjes. Daarachter lagen rechts het voetbalveld met de overdekte fietsenstalling en links de schoolgebouwen zelf, drie etages hoog in een kruis zodat er vier afgebakende speelplaatsen waren gecreëerd. Rondom het complex lag opnieuw een geasfalteerde weg die tijdens de turnlessen dienstdeed als loopparcours. Aan drie zijden werd het terrein afgebakend door een hoge muur die aan het oog ontrokken werd door een rij bomen. Alleen vooraan stond een laag muurtje waar Ilse gemakkelijk op kon zitten om te lezen als ze ons in het oog moest houden. Dat was pas na een tijdje het geval want in het begin mochten Benjamin en ik alleen buiten spelen zolang we maar niet achter het schoolgebouw verdwenen. We moesten vooraan blijven. Ma had vanuit onze flat een goed uitzicht over het hele speelterrein.

Mijn broertje kon je bijna altijd buiten vinden om te voetballen. Ik zat net zo graag thuis. Vanaf mijn acht jaar ging ik op woensdagnamiddag en zaterdagvoormiddag naar de muziekschool. Notenleer en blokfluit zaten standaard in het programma. Dat laatste ging voor mij natuurlijk niet, dus kwam meester Mark met het idee om me slagwerk te laten doen. Ik koos voor het klokkenspel en verwachtte van mezelf niets minder dan de perfectie. Een muziekstuk moest ik mijns inziens helemaal van buiten kennen vooraleer ik naar de volgende les ging. Mijn grote voorbeeld was Berdien Stenberg. Net als zij wilde ik ooit op virtuoze wijze de dwarsfluit bespelen. Niemand moest me dat uit het hoofd praten want ik was ervan overtuigd dat ik ooit op een morgen wakker zou worden met mijn arm eraan gegroeid tijdens mijn slaap. Of als dat niet lukte zou iemand er vast in slagen iets uit te vinden waardoor dat wel zou lukken.

Ik zat op een strenge katholieke school waar priesters inwoonden en geschiedenis en godsdienst gaven. Je zag ze bidden of werken, niets anders. Een van hen, pastoor Timmermans, had de verantwoordelijkheid voor het schoolkoor dat jaarlijks op concertreis ging. Hij schuimde de klassen af op zoek naar de juiste stemmetjes die de muziek van Carl Orff konden brengen. Wie geselecteerd werd, kon iedere morgen voor de lessen begonnen op zangoefening komen. Uit mijn klas werden Vera en ik uitgekozen. We kregen een heel mooi blauw uniform met een afhangende strik onder onze kin dat we op elk optreden moesten dragen. De uniformen, de verplaatsingen naar en van de optredens en de jaarlijkse concertreizen waren voor mijn ma financieel zwaar om dragen. Daar maakte ze geen geheim van. We hadden het thuis niet breed en mijn moeder moest soms ver gaan om de eindjes nog aan elkaar te kunnen knopen. Ik voelde me schuldig maar muziek kon als niets anders mijn gemoed verlichten.

Stukken uit *Carmina Burana* en het *Kerstwonder* kon ik uit het hoofd meezingen. Mijn hart klopte mee op het overweldigende ritme van het symfonisch orkest dat de *Bolero* van Ravel opvoerde. De reizen naar Hamburg en Praag stonden in mijn geheugen gegrift. Vooral aan de laatste bestemming heb ik beklijvende herinneringen. We reden met twee grote autobussen en een paar auto's naar Tsjecho-Slowakije. Aan iedere grens moesten we onze paspoorten laten zien. Onderweg aten we op parkings koude schotels met aardappeltjes en het smaakte heerlijk. Dat deden we rechtopstaand met in één hand het bordje en in de andere een beker frisdrank. Bij mij lukte dat niet, dus moest ik op zulke momenten de groep verlaten om mijn eten op een bankje in het gras te leggen en op te eten. Niemand kwam uit solidariteit bij me zitten en ik bekeek de groep van op afstand. Vragende blikken werden mijn richting uitgestuurd. Naderhand nam pastoor Timmermans me apart en kneep hard met zijn duim en wijsvinger in mijn elleboog.

'Anne, je moet echt proberen om niet de aandacht naar je toe te trekken.'

Het deed pijn.

'Hoe bedoelt u, mijnheer pastoor?'

Ik had geleerd de man vanwege zijn status met het nodige respect te behandelen.

'Waarom moest je per se apart gaan zitten om te eten?'

'Omdat ik... Laat maar, ik zal er in het vervolg op letten, mijnheer pastoor.'

Ik had geen zin om mijn doen en laten te verantwoorden. Pastoor Timmermans loste de greep op mijn elleboog. Het verbaasde me dat hij als geestelijke geen oog had voor mijn praktische probleem. Als hij er al geen begrip voor had, wat moest ik dan van de rest van mijn omgeving verwachten? Niets? Ik vond het zo een energieverspilling. Niemand kon of wilde zich in mijn situatie inleven. De teleurstelling overspoelde me maar ik probeerde het me niet aan te trekken en stapte op de bus. 's Avonds was er weer een tussenstop gepland om een licht maal te nemen. Om niet opnieuw in dezelfde positie verzeild te geraken zei ik maar dat ik geen honger had terwijl mijn maag gromde als een beer. Ik betrapte me erop dat ik mijn meest primaire behoefte, eten, zonder nadenken terzijde schoof in de hoop om in het enge vakje 'normaal' te kunnen passen. Een stemmetje in mijn achterhoofd vertelde me toen al dat, hoe hard ik ook probeerde, dat nooit zou lukken. Ik werd overgevoelig voor signalen uit mijn omgeving maar durfde niemand van het honderdtwintig koppen tellende koor en orkest mijn hersenspinsels toe te vertrouwen. Zwijgend stond ik bij een groepje sopranen van ongeveer mijn leeftijd. Niemand deed moeite met mij een gesprek aan te knopen en ik begon me ongemakkelijk te voelen. Af en toe werd me een blik toegeworpen die me woordeloos vroeg wat ik hier kwam doen. Die behandeling begon ik bij verschillende groepjes te krijgen. Ik was duidelijk niet meer welkom.

Muziek was mijn passie, ik zong enorm graag, maar na die reis ben ik uit de groep gestapt.

Wij met het koor waren een van de laatste Belgen die de Berlijnse Muur nog hebben gezien want enkele maanden later, op 9 november 1989, werd hij door een menigte woedende Oost-Duitsers afgebroken. Sinds 13 augustus 1961 had hij Europa letterlijk in tweeën gedeeld. Op 3 oktober 1990 werden de DDR en de BRD opnieuw één Duitsland. Het IJzeren Gordijn hield op te bestaan en het ene na het andere Oostblokregime viel. Deelstaten van de Sovjet-Unie zoals Oekraïne verklaarden zich onafhankelijk en Boris Jeltsin greep van op een tank in Moskou de macht. De Koude Oorlog behoorde tot het verleden. Als mijn grootmoeder wilde, kon ze zonder angst terug naar Rusland. Maar ze wilde niet meer. Het was te lang geleden, zei ze, veel te lang geleden.

In de lagere school haalde ik nog goede resultaten, zowel voor wiskunde als voor talen. Alleen Frans is er bij mij nooit in gegaan. In het middelbaar moest ik Latijn kiezen, want ma vond dat ik goed met woorden kon werken. Ze wilde namelijk dat ik advocaat werd later en een beter leven kreeg dan zij had. Het was niets voor mij. Ik zag er tegenop om dagelijks tien woordjes van buiten te blokken. Papegaaienwerk. Mijn resultaten gingen pijlsnel de dieperik in en het kon mij geen barst schelen. Ik was met iets anders bezig. Mezelf. Ik was dertien, mijn puberteit stond eraan te komen. Wat ik niet wist, was dat het ergste toen nog moest komen.

In het eerste middelbaar leerde ik Jozefien kennen, mijn eerste echte beste vriendin. Joske, een klein tenger ding, had lange haren tot op haar heupen die ze altijd los liet hangen. Je kon haar als alternatief omschrijven maar dat betekende ook dat ze in staat was kritisch na te denken over haar omgeving en niet alles wat haar werd voorgekauwd voor waar aannam. Ze keek buiten de vakjes en hoewel haar gestalte het niet liet vermoeden, werd ze in de volgende zes jaar mijn steun en toeverlaat. Meer nog, ze weet het niet, maar ik heb mijn leven aan haar te danken.

Op school was het alleen maar erger geworden. De occasionele gemene, niet zo slecht bedoelde, opmerking werd een constante. Ik stond ermee op en ging ermee slapen. 'Hey, Hendricks, waar is je haak?'

Ik was gestopt met het dragen van een prothese en verstopte die in een uithoek van mijn kleerkast. Jozefien had gezegd dat ze me maar moesten aanvaarden zoals ik was en ik was het daar eigenlijk mee eens. Ik verfoeide het ding waarmee ik meer invalide was dan zonder en dat ik alleen maar aandeed om beter in het vakje te passen.

'Raak me niet aan, je hebt een besmettelijke ziekte! Misschien wel aids!'

Ik reageerde er niet op. Twee dagen later was het een uitgemaakte zaak. Heel de school was ervan overtuigd dat ik aids had. Volgens een van hen had ik het zelfs aan deze of gene toevertrouwd.

'Je ma is het zelfs al aan de directeur gaan zeggen. Je hoeft het niet meer te ontkennen.'

'Weet je hoe het komt dat je gehandicapt bent? Je moeder heeft mijn ma gezegd dat ze je met opzet onder een tractor gesmeten heeft omdat je zo lelijk was. Ze wilde van je af maar het is mislukt.'

Het ergste vond ik de variant op een liedje van Clouseau dat ze voor me bedacht hadden. In plaats van 'Anne, als ik jou zie ben ik niet meer bij te sturen', werd het 'Anne, als ik jou zie moet ik kotsen bij de buren'.

Voor een tiener is het in zo een geval een ware hel om over de speelplaats te lopen. Een van mijn medeleerlingen zag me dan naar de wc's gaan en begon te zingen. Algauw vielen een tiental vrienden in en tegen de tijd dat ik aan de deur van de toiletten arriveerde, was het liedje me luidkeels tot daar gevolgd. Ik wenste vaak dat ik onzichtbaar was.

Het waren niet de pesterijen zelf die me eronderdoor haalden maar hun frequentie en de toon waarop mijn leeftijdsgenoten ze uitspraken. Een kind kan echt hard zijn zonder oog te hebben voor de gevolgen van zijn daden. Dan stonden ze met een stuk of drie rond me en praatten onophoudelijk op me in. Niet alleen tijdens de speeltijd maar ook tussen de lessen door. Vijf, zes keer per dag. 's Morgens, 's middags en 's avonds. Het werden echte brainwashings en ik begon hen nog te geloven ook. Dan lag ik 's nachts in mijn bed en piekerde tot diep na middernacht over wat ze die dag allemaal tegen me hadden gezegd. Ben ik echt zo lelijk? Heeft ma me onder een tractor gesmeten? Wat is er toch mis met mij? Waarom ziet niemand me graag zoals ik ben, om wie ik ben? Soms tot twee, drie uur. Vanaf een uur of vijf lag ik dan naar de wekker te kijken. Nog twee uur en vijfentwintig minuten en ik moet weer naar school. Dat zijn honderdvijfenveertig minuten of achtduizend zevenhonderd seconden. Achtduizend zeshonderdnegenennegentig, achtduizend zeshonderdachtennegentig, achtduizendzeshonderd zevenennegentig. Gedurende zes jaar sliep ik nooit meer dan drie uur per nacht en niemand zag wat er echt met me aan de hand was.

Om zo weinig mogelijk commentaar te krijgen op mijn uiterlijk zorgde ik dat met uitzondering van mijn arm de rest van mijn lichaam tot in de puntjes verzorgd was. Bij het opduiken van het eerste puistje begon ik mijn gezicht verwoed te reinigen en mijn gewicht hield ik precies in de gaten.

Mijn schoolresultaten gingen pijlsnel achteruit en ik ruilde de Latijnse in voor de richting Economie-Moderne Talen. Leerkrachten deden nauwelijks de moeite de kwatongen af te remmen. De juf van economie die ik de laatste drie jaar had, trad de pestkoppen zelfs bij als die in actie schoten. Dan sprak ze me in de klas aan over het probleem dat ik vormde en alles wat ik zogezegd verkeerd deed, werd onder de loep genomen.

Na ieder ernstig voorval ging ik bij de directie letterlijk zagen en huilen om een oplossing maar het schoolhoofd had er geen oren naar. Ik beeldde me wat in of had het zelf gezocht.

Ik zat in een kleine groep met slechts elf leerlingen, met uitzondering van twee jongens allemaal meisjes. De pesters werden aangevoerd door een trio. De rest van de klas speelde de zwijgende menigte. Af en toe was er wel iemand die het voor me opnam, maar die kreeg dan zelf gedurende een korte tijd een gelijkaardige behandeling waardoor hij of zij weer snel in de pas liep. Griet, Isabel en Fleur kenden het machtsspel van de manipulatie als hun broekzak.

Ik begon er een kunst van te maken niet op te vallen. Ik zweeg altijd, stak nooit mijn vinger op zelfs als ik het antwoord op een vraag wist. Soms lukte het, soms niet. In een bank in een hoekje van de klas stortte ik me op mijn lessen. Op de speelplaats sprak ik, met uitzondering van Jozefien, tegen niemand omdat ik niemand meer vertrouwde. Overal zag ik kwelduivels of mensen die mijn vertrouwen zouden kunnen misbruiken. Het speelplein stond vol met leeftijdsgenoten. Het was drummen om een plaatsje te vinden en ik stond in een hoekje te wachten of verschool me op het toilet tot de lessen weer begonnen want dan had ik weer vijftig minuten rust. Tot de volgende pestpauze. Ik heb me in een grote groep nooit zo eenzaam gevoeld als toen.

Mijn vriendin gebruikte de speeltijden om me op te krikken en dat was meer dan nodig. Jozefien en haar vreemd groepje vrienden pasten uiterlijk helemaal niet bij mij. Ik, klassiek gekleed, en zij met hun dreadlocks en joints die niets liever deden dan tegen de schenen te stampen van de gevestigde waarden waren elkaars tegenpolen maar met hetzelfde hart en dezelfde overtuiging. Jozefien, Jeroen, Nele en Steven keken niet vreemd op als ik weer huilend op hen toeliep, als ik die knuffel broodnodig had. Alleen door hen verzamelde ik moed om door te gaan, om te hopen dat het ooit zou stoppen.

De opeenvolging van brainwashings en pesterijen maakten een wrak van me. Ik probeerde me mentaal los te maken van mezelf. Dan zweefde ik als een geest boven mijn eigen lichaam, als een bijna-doodervaring en zag neer op wat de kwelduivels met me uitvoerden. Als dat niet lukte, dreigde ik te verzuipen en dan nam ik op woensdagnamiddag mijn fiets en zwierf rond langs kanalen en spoorwegen, over bruggen hopend op een lichtpunt aan het einde van de tunnel. Ik geloofde dat iedereen een dosis ellende te verwerken kreeg in zijn leven. De helft goede en de helft slechte dagen en dat 'die-van-hierboven' voor mij beslist had dat ik ze allemaal achter elkaar moest doorworstelen. Ik verzamelde de dagen als kraaltjes aan een ketting. Als die opeenvolging me te zwaar om dragen werd, als ik niet meer geloofde in mijn lichtje aan het einde van de tunnel, als ik dringend nood had aan een adempauze, een goede dag in plaats van een slechte, dan leken dat kanaal, die metalen spoorweg en die aanstormende trein ineens heel aanlokkelijk. Sarcastisch bedacht ik dat ik niet eens zelf mijn polsen kon oversnijden. Ik wilde zo graag, ik wilde het echt maar ik deed het niet. Ik kon niet opgeven.

Waarom? Omdat ik geloofde dat ik alles moest doormaken om een bepaalde reden. Het zou van mij een sterker, beter mens maken met meer doorzettingsvermogen en ik zou nog dingen te doen hebben. De tijd zou uitwijzen wat mijn doel werd in dit leven. Het zou ooit stoppen. Ik moest gewoon geduld hebben.

Thuis klapte ik volledig dicht. Ik sloot me op in mijn kamertje. Daar speelde ik wat gitaar met een prothese die een man speciaal voor dat doel had ontworpen. Een op maat gemaakte vorm paste over mijn stomp. Daaraan stonden twee holle koolstofpijpjes met een hele reeks schroeven die ik zelf kon afstellen. Op het einde diende een lederen bekleding om het geluid te dempen en om zo dicht mogelijk de huid van duim en wijsvinger te benaderen, want daartussen kon ik het plectrum bevestigen. Om de druk van de snaren van de gitaar te kunnen weerstaan, moest de prothese hard rond mijn rechterbovenarm gespannen worden, totdat het bloed bijna werd afgesneden. Vaak eindigde ik mijn gitaarlessen met hevige spierpijn of een paarszwarte stomp. Maar ik wilde het echt kunnen, dat mochten ze me niet afnemen, dus beet ik door. De koppigheid won het van de pijn. Opgeven stond niet in mijn woordenboek.

Het tweede instrument waar ik veel hart voor had, was de piano, maar ma had geen geld om er een te kopen, dus mocht ik op school tijdens de middagpauze de vleugel in de kapel gebruiken op voorwaarde dat ik hem deelde met Benedict. De jongen was twee jaar ouder dan ik, toen net zestien geworden. Met knikkende knieën liep ik naar de desbetreffende ruimte. Die bevond zich in een gang naast het secretariaat waar de leerlingen normaal niet mochten komen, maar de directeur had voor mij en Benedict blijkbaar een uitzondering gemaakt. De zuivere tonen van iemands vingervlugge spel zweefden me tegemoet als een parfum dat de lucht vult. Hoe kon ik daar ooit aan tippen? Had ik wel het recht een deel van zijn tijd achter het klavier op te eisen voor mezelf? Ik klopte met een klein hartje aan.

'Ja.'

Ik opende de deur naar een vierkante ruimte. Alles, het behangpapier, het linnen over het altaar en het versleten tapijt had beige tinten. Het altaar en de drie houten bankjes die in U-vorm ervoor waren gezet, zagen er sober uit. Alle aandacht werd naar twee objecten in de ruimte getrokken. Het tabernakel, waar een kaars brandde, in de rechterhoek van de ruimte en een grote zwarte vleugelpiano in de linkerhoek. Op het bankje zat een magere jongen. Hij had een lang, smal, fijn gezicht met een kleine mond en een rechte neus. De coupe in zijn donkere haren was ver te zoeken.

'Jij moet Benedict zijn?'

'Inderdaad, en jij Anne? De directeur heeft me verteld dat we de piano voortaan zullen moeten delen.' Bereidwillig stond hij op om plaats te ruimen.

Ik verontschuldigde me al onmiddellijk voor mijn aanwezigheid: 'Nee, sorry, je speelde zo mooi. Doe alsjeblieft verder. Ik vrees dat mijn spel niet zo bijzonder is.' Ik ging op de houten bank naast de vleugel zitten en Benedict hernam het stuk dat ik met mijn komst onderbroken had.

Het werd een afspraak die we iedere middag herhaalden. Ik ging snel naar huis om iets te eten en trok dan naar de kapel. Zelf speelde ik quasi nooit want meestal luisterde ik naar de kunsten van mijn compagnon. Een enkele keer hadden we beiden geen zin in muziek en dan overhoorden we elkaars les of praatten we wat. Uit die gesprekken kon ik opmaken dat hij net zo onzeker was over zichzelf als ik, maar ik kon het af en toe wegsteken achter mijn grote mond. Ik vertelde hem nooit over de pesterijen in de klas en op de speelplaats uit schrik dat hij me dan plots niet meer cool genoeg zou vinden om mee te babbelen. Tijdens de speelkwartieren in de voor- en namiddag kwam ik hem nooit tegen omdat hij door zijn leeftijd op een ander plein zat. Ik hield die twee werelden strikt gescheiden want ik wilde Benedict niet verliezen als vriend. Het klikte tussen ons en hij begon zich langzaamaan op zijn gemak te voelen bij mij.

Na twee weken had hij de moed verzameld om me een paar prangende vragen te stellen, die naar ik zag toch al een tijdje op zijn lever lagen. We zaten samen op het lederen krukje voor de piano.

'Hoe speel je eigenlijk piano met één hand?'

'Wel, ik leer de twee handen apart.'

'Maar dat is dubbel werk.'

'Ken jij een andere oplossing?'

'Ja. We kunnen eens een stuk samen doen in een trois-mains in plaats van een quatre-mains. We veranderen het gewoon wat en dan zien we wel. Lijkt je dat wat?'

Ik knikte.

'Wat is er?' keek hij me vragend aan.

Ik rimpelde mijn neus omdat ik twijfelde of ik het Benedict wel durfde te zeggen.

'Weet je wat ik eigenlijk nog zou willen kunnen?'

'Vertel.'

Mijn vriend speelde zacht enkele onbeduidende akkoorden tijdens ons gesprek.

'Ik zou eigenlijk dolgraag het linkshandige concerto van Ravel kunnen spelen.'

'Dan doe je dat toch gewoon.'

Benedict keek me indringend aan. Een rilling gleed langs mijn ruggengraat en ik sloeg mijn ogen neer. Ik durfde niet terug te kijken uit angst dat hij in mijn blik zou lezen wat ik al even vermoedde. Ik was verliefd op hem, maar geen haar op mijn hoofd durfde eraan te denken hem dat te vertellen. Ik was ervan overtuigd dat ik me hopeloos belachelijk zou maken. Wie wil er nu zo'n mismaakte puber als ik? Misschien had hij al een liefje van wie ik niets wist. Kon best zoals hij eruitzag. En bovenal wilde ik Benedict niet kwijt als vriend. Dus zweeg ik als vermoord over de windhoos die voor het eerst door mijn hart draaide en ontweek ik zoveel mogelijk zijn ogen. Ironisch genoeg groeiden we als vrienden steeds dichter naar elkaar toe, waardoor het voor mij steeds moeilijker werd om te zwijgen of te spreken. Zijn aanwezigheid verlamde me soms, maar met een kwinkslag of een luchtige opmerking probeerde ik de sfeer iedere keer oppervlakkig te houden als het te warm werd in de kapel.

In mijn liefde voor muziek, die me in al die jaren nooit in de steek had gelaten, raakte ik een deel van mijn spanningen kwijt. Mijn voorkeur was uitgebreid van de Goldbergvariaties van Bach over 'Nightswimming' van REM tot de laatste single van Take That.

Benedict moedigde me aan alles wat in me opkwam, woorden en noten, op papier te zetten.

'Ik vind het straf dat jij dat kunt. Dingen maken, bedoel ik. Ik kan alleen maar spelen of lezen maar niet schrijven.'

Ondanks alles wat ik had meegemaakt, was het nooit bij me opgekomen een dagboek bij te houden. Ik had ook de behoefte niet om die problemen van me af te schrijven. Het ging me eerder om hoe ik bijvoorbeeld een vogel in de lucht ervoer, de jaloezie om zijn vrijheid, dan om wat ik zelf meemaakte. Het grootste plezier zat hem voor mij in het creëren en ik heb ze veilig weggeborgen in mijn hart en in de kamer van mijn verleden.

Een jaar later zat het middelbaar er voor Benedict op. Hij ging op kamers wonen in Leuven om er te studeren. We wisselden adressen en telefoonnummers uit. De vleugel hoefde ik voortaan met niemand meer te delen maar het vertrek van Benedict had de ruimte minder aantrekkelijk gemaakt en ik speelde er met veel minder vreugde en veel meer melancholie dan vroeger het geval was.

De zomer vloeide bijna onmerkbaar over in de herfst. De herfst van een nieuw schooljaar, waarin het voor mij nog moeilijker zou worden, maar waarin ik mijn liefde voor het toneel ontdekte. Op school kregen we de kans om op vrijdagavond na de lessen nog enkele uren een keuzevak te volgen dat ons kon helpen bij onze definitieve studiekeuze. Een van die vakken was Dramatische Expressie. Dat lag in de lijn van de teksten, scripts en gedichten die ik thuis schreef, dus leek het me een goed idee dat in mijn lessenpakket op te nemen. Op het podium was ik een heel ander persoon dan ernaast. Alle onzekerheden en remmingen vielen van me af. Ik genoot van de warmte die de belichting me gaf als ik op de scène stond. Ze ontdooide mijn hart en verwarmde mijn ziel. De weinige studenten die de cursus met me volgden waren even gepassioneerd als ikzelf en niemand van ons zag er graten in om na de obligate twee uur nog wat verder te repeteren, soms tot zeven uur, aan een stuk door. Luc, meester Vandenberghe tijdens de lesuren, liet dan pizza's aanrukken op zijn kosten. Hij besmette ons met de hartstocht van William Shakespeare en het vuur van Christopher Marlowe. Die microbe liet me niet meer los. We schreven met een paar leerlingen tot diep in de nacht aan onze eigen versie van Romeo en Juliet. Bewust hielden we ons aan het oude Engels uit het einde van de zestiende eeuw en weefden er het verhaal rond van een amateurtoneelgezelschap dat een halfslachtige poging deed het overbekende stuk van Shakespeare op te voeren. We speelden onszelf en gaven iedere acteur zijn eigen dromen en verlangens. Voor ieder personage werd het een zoektocht naar zijn of haar diepste verlangens. Zo verlangde ik naar de macht om mijn eigen leven in handen te nemen, dus kreeg ik de rol toebedeeld van de populaire Engelse auteur die regelmatig de regisseur van het gezelschap hautain maar zonder succes probeerde te overtuigen van zijn eigen visie. Op het einde van de geplande voorstelling werd het stuk zo een fiasco dat om de show nog te redden ik, William Shakespeare, verplicht was om het in een monoloog aan het opgedaagde publiek te vertellen.

We voerden *Romeo, John, Juliet and Mary* enkele keren op, onder andere op een internationale toneelstage voor collega's uit Ierland, Noorwegen, Engeland en Duitsland, maar ook voor de leerlingen van onze school. Geen van de heethoofden uit mijn klas, die op de eerste rij zaten, hadden door dat ik hun bewust een spiegel voorhield van hun grootste angst. Geen van hen kon me die dag uit mijn lood slaan. Ik heb hun blikken niet ontweken maar ook niet opgezocht.

In het voorlaatste jaar bespraken we in de les Nederlands het boek *De Aanslag* van Harry Mulisch. Als ik ervoor nog niet in de ban was van literatuur, dan was ik het zeker na het lezen van dat werk. Woorden kregen een dubbele betekenis, tijd werd een rekbaar begrip waarmee je kon spelen. De symboliek en de achterliggende boodschap zorgden ervoor dat ik het boek niet een, niet twee, maar vijf, zes keer achter elkaar las. De aparte stijl sloeg me in het gezicht en deed me beseffen dat je met het schrijven van een roman meer dan alleen maar pure ontspanning kunt bieden. Je kunt er de lezer een geweten mee schoppen.

De pesterijen werden jammer genoeg nog opgedreven. Inktvullingen werden in mijn boekentas leeg gedrukt, de brainwashings werden opgedreven. Het ergste van alles was dat het gesar nu ook fysiek werd. Voortdurend had ik blauwe plekken of schrammen van het geduw of getrek. Nagels werden in mijn bovenarmen geknepen. Ik bleef steeds vaker een middag thuis als mijn leeftijdsgenoten in de voormiddag weer eens een schouwspel opgevoerd hadden.

Ik was net achttien geworden. Op weg naar het lokaal voor een les aardrijkskunde had ik het zoveelste gesar moeten ondergaan en daar was ik aan het begin van de les nog van aan het bekomen. Ik probeerde de uiteenzetting van meneer Witters aandachtig te volgen maar mijn snikken hadden die vanaf het begin verstoord. De docent zag het en besloot te handelen.

'Oké, iedereen atlassen en schoolboeken dicht. Ik heb er genoeg van!'

Wat volgde was een unieke monoloog die me altijd is bijgebleven. Bij alles wat het leerkrachtenkorps gezien had in onze klas, was er toch één die niet onbewogen bleef. Ik kreeg steun en wel uit zeer onverwachte hoek. In het begin dreven Griet, Isabel en Fleur de spot met zijn gepreek om zich een houding te geven. Maar het lachen verging hun snel. De sfeer werd drukkend stil. De monoloog duurde tot het einde van de les en als het aan meneer Witters gelegen had misschien zelfs nog langer. Ik zweeg en dacht aan de gevolgen. Want het kostte onze docent misschien moed om tegen de meerderheid in te gaan, maar ik zou moeten opdraaien voor de woede en de haat die nu door de hoofden van mijn klasgenoten spookten.

Na de preek liepen we in stilte terug naar onze eigen klas. Iedereen liet de woorden van meneer Witters tot zich doordringen. Ik zette mijn boekentas vlug aan mijn tafeltje met de bedoeling zo snel mogelijk op de speelplaats te raken, want ik voelde dat er onweer in de lucht hing. Mijn benen konden me nauwelijks dragen en mijn hart klopte in mijn keel van de zenuwen. Haastig rende ik naar de deur, zonder nog oog te hebben voor de andere leerlingen. Helaas. Ik stond al bijna op de gang toen de poort naar de vrijheid bruusk voor mijn neus werd dichtgesmeten. Een onbekende kracht duwde me ertegenaan. De hoekige klink verdween tussen mijn ribben en ik zag sterretjes. Mijn knieën werden week en ik boog voorover om ruimte te maken tussen mij en de deurkruk. Wat er ook gebeurde, ik moest ervoor zorgen dat ik rechtop bleef staan. Als ik ging knielen of zitten had mijn tegenstander de overmacht en vuisten kwamen nog altijd minder hard aan dan schoenen of benen. Met al mijn reserves hield ik me staande tegen de witte deur. Twee door hun kracht verraden mannenvuisten begonnen met een onregelmatig ritme op mijn rug in te beuken. Hoe lang? Ik weet het niet maar zo gauw ik weer bij zinnen was probeerde ik de deur te openen, die door Fleur werd dichtgeduwd. Ze leunde er met een hand tegen en genoot van de pijnlijke grimassen op mijn gezicht toen onze blikken elkaar kruisten. De vuisten bleven doorgaan. Ik loste mijn greep op de klink even om haar het idee te geven dat ik het opgaf. Ze trapte erin. Diep in het centrum van mijn lichaam balde zich iedere vezel tot een krachtige energiebom die met een grote brul tot ontploffing kwam.

'Aaaaaaarrrccchhhh.'

Met een stoot opende ik de deur zonder me door Fleurs tegengewicht van de wijs te laten brengen. Even leek het alsof ik het onderspit zou moeten delven. Met het risico dat ik mijn enige arm brak in mijn poging, duwde ik hem tussen de kier. Mijn elleboog zat eventjes vast en toen wurmde ik de rest van mijn lichaam erdoor. Buiten stond Jozefien en ik smeet me in haar armen.

'Breng me hier weg.'

'Wat is er gebeurd?'

'Ik heb slaag gekregen.'

Mijn trouwe vriendin ondersteunde me en hielp me naar het secretariaat. Mijn moeder werd verwittigd. Met haar ging ik naar een arts. Ik had twee gekneusde ribben en een pijnlijke oogkas van mijn contact met de deur. Mijn bovenrug, schouderbladen en linkeronderarm zagen bont en blauw. We deden geen aangifte.

Het kon niet blijven duren. Op een voormiddag barstte de bom. Kort na de paasvakantie kwamen onze studiekeuzes klassikaal ter sprake.

'Wat? Jij naar de universiteit? Laat me niet lachten', tierde Fleur.

Ook nu reageerde de juf economie niet. Ze stond met haar armen over elkaar mee te lachen.

'Als jij economie gaat studeren, kan ik evengoed dokter worden', kweelde Griet.

Als het aan hen lag, moest ik in een hoekje van de maatschappij wachten tot mijn leven gepasseerd was. Geen recht op minstens een kans, een opening om zelf mijn toekomst te bepalen, geen mogelijkheid op geluk. Ik deed zo hard mijn best om niet te laten zien hoe erg hun opmerkingen me kwetsten maar voor de zoveelste keer in tien jaar tijd huilde ik bittere tranen. Het voelde alsof iemand een gewicht aan mijn hart bevestigde om het naar beneden te trekken. Het verdriet, de schaamte verscheurde me. Het deed zoveel pijn dat het me moeite kostte te blijven ademen, mijn hart moest blijven kloppen. Want zelfs die twee vitale lichaamsfuncties voelden aan alsof ze er het bijltje bij wilden neerleggen. Ik probeerde me op mijn hartslag te concentreren. Slag per slag. Adem in, adem uit. Langzaam tot ook dat achter de rug zou zijn. Maar het stopte niet. Het gif bleef zich verspreiden lang nadat de bel voor het speelkwartier gegaan was. We moesten naar de speelplaats maar ik zag geen mogelijkheid om aan mijn kwelgeesten te ontsnappen. Met zijn drieën stonden ze rond me om op me in te praten. Om het idee van een universitair diploma uit mijn hoofd te halen.

'Je bent veel te dom voor de universiteit.'

'En te lelijk', zei Isabel.

'Ze willen daar niemand zoals jij.'

'Ga maar aan de kassa van de winkel staan.'

'Zelfs dat is nog te goed voor jou.'

Ik hoorde Greet, of was het Fleur. Ik wist het niet meer.

'Vuile hond.'

'Je stinkt.'

'Ik word later dokter en dan mag jij misschien mijn villa schoonmaken.'

Ze gaven me geen kans om zelf na te denken of te reageren op hun uitlatingen.

Onophoudelijk. Alles werd wazig. Ik kreeg geen lucht meer en begon te hyperventileren. Toen deed ik iets ongelofelijks. Diegene het dichtst bij me werd het slachtoffer. Ik sloeg Fleur eenmaal keihard in haar gezicht. Alle tranen, alle woede en alle frustraties van de laatste zes jaren zaten in de kracht van die ene klap. Mijn linkerhand op haar rechterwang. Iedereen hield verschrikt zijn adem in. Met het laatste restje overlevingsdrang, het laatste restje moed bleef ik staan en daagde mijn opponent uit met mijn ogen. Als een briesende stier stond ik in de arena. Fleur wist niet waar ze het had. Niemand had dat verwacht. Ik zag de schrik op hun gezichten en voelde een zweem van triomf in me opwellen. Mijn slachtoffer bedekte met de hand de rode plek op haar gezicht.

'Wacht maar tot de directeur dat hoort. Je krijgt zeker strafstudie of je wordt van school gestuurd.'

Als eerste sloeg ze haar ogen neer en verliet in een haast het lokaal. Ik was niet in het minst onder de indruk en keek langzaam rond.

'Nog iemand?'

In de namiddag riep de directeur me bij zich. Er werd besloten dat ik de resterende leerstof thuis instudeerde en mijn examens in een aparte ruimte zou afleggen. Ik slaagde met glans voor mijn laatste jaar en zocht een kamer in Leuven.

Om mijn humaniora van me af te schudden, boekte ik een enkel ticket naar Ierland met de belofte pas terug te keren als mijn budget, dat ik met babysitten bij elkaar had gespaard, op was. Ik bleef meer dan twee maanden weg en heb tien jaar ellende en miserie als een zweer uit mijn lijf laten etteren. Alleen de harde confrontatie kon me terugbrengen naar het spontane, naïeve meisje dat ik was geweest de dag dat Klaartje me aansprak. De jaren tussenin moest ik ongedaan maken.

Met de fiets trok ik door de Wicklow Mountains en te voet verkende ik het Dingle Peninsula. In Limerick schreef ik een gedicht en in Doolin danste ik tot middernacht in een pub met een joviale oude Ierse boer die me zijn *darling* noemde. Hij deed me aan mijn grootvader denken. Met mijn armen gespreid en mijn ogen gesloten stond ik op de rand van de Cliffs of Moher en liet de wind met mijn haren spelen. Dichter bij de vrijheid van een vogel zou ik nooit raken. Ik ben mezelf meermaals tegengekomen tijdens die pelgrimstocht. Ik rende en trapte tot ik niet meer kon. Ik huilde en schreef alles wat in me opkwam in een reisdagboek waarin verleden en heden door elkaar liepen. Ik ontmoette alleen maar mensen zonder vooroordelen. In Killarney discussieerde ik met twee Noord-Ieren, een Brit en de eigenaar van onze jeugdherberg bij een goed glas whisky tot in de vroege uurtjes over De Kwestie. Eeuwige vriendschappen werden gesmeed waarvan ik wist dat ze op het einde van de reis tot het verleden behoorden en toch waren ze intens. Ik vond een deel van mezelf terug in de warmte van de omhelzing van een tijdelijke reisgezel. Met deze tocht was ik pas echt aan mijn eigen leven begonnen. Ik was er rotsvast van overtuigd dat ik vanaf dat moment zelf verantwoordelijk kon en zou worden voor mijn eigen geluk en succes.

Student

Leuven, oktober 1997

In 1995 verenigden Oostenrijk, Finland en Zweden zich met de Europese Unie. Heel wat voormalige Oostbloklanden zoals Polen, Hongarije en Roemenië verzochten eveneens om een toetreding. Het Schengenakkoord werd van kracht waardoor iedere inwoner van België, Nederland, Luxemburg, Frankrijk en Duitsland zonder controles in die zone kon reizen. Later zou de Schengenzone langzamerhand uitgebreid worden. Met het Verdrag van Maastricht, waarin voor alle deelnemende landen normen werden opgelegd, werd werk gemaakt van één gemeenschappelijke munt voor de Europese Unie.

Wat stond ik hier in godsnaam te doen met een varkenskop in mijn armen? Waarom was ik niet gewoon thuisgebleven? Wat probeerde ik mezelf en de anderen te bewijzen? Ik had al spijt dat ik eraan begonnen was. Maar Pieter had me over de streep getrokken. Het zou allemaal zo erg niet zijn. Uit voorzorg had ik mijn oudste jeansbroek aangetrokken en een versleten T-shirt en sweater uit de kast gehaald. Net als alle andere schachten droeg ik over mijn kledij een jutezak waarin drie gaten geknipt waren voor mijn hoofd en armen. Het maakte deel uit van de vernedering maar ik was blij met de extra warmte die de zak me bood. Het was midden oktober en de winter had een onverwacht vroege intrede gemaakt. Mijn uitgeblazen adem vormde een wolkje. Ik zag mijn lotgenoten in een uit zwart plastic zeil en lege bierbakken vervaardigde smalle tunnel kruipen. Langs twee kanten werden ze er op handen en voeten in gedreven zodat het niet eenvoudig was om er uit te kruipen. De bodem van de tunnel was bezaaid met slachtafval. Eerder die dag hadden we ook al tussen-twee-vuren gespeeld met een varkenskop, en hadden we blauw water moeten drinken. Occasioneel gooiden de schachtentemmers, tweedejaars die vorig jaar in onze schoenen hadden gestaan, een ei naar ons. Na een boterham en een warme kom soep werden we in een grote tent gebracht en daar op balen stro gezet. Het werd tijd voor de doopcantus die voor iedere eerstejaars nog een individuele opdracht in petto had. De ouderejaars zongen streekliederen uit hun studentencodex en dronken lauw bier uit grote glazen pullen met een greep aan. Het was een grote braspartij toen ik halverwege met Pieter naar voren werd geroepen. Ik moest mijn compagnon met lappen stof inwikkelen tot hij een mummie leek en hem dan via een trechter en een buisje in zijn mond bier toedienen. Daarna was onze studentendoop voorbij. We konden naar huis.

Arm in arm liepen we uitgelaten langs de Naamsestraat naar onze studentenkamers.

'Zie je wel dat het zo erg nog niet was, Anne.'

'Je hebt gelijk.'

'Ik vond het echt tof dat je hebt meegedaan. Ik denk dat jij de eerste invalide bent die zich laat dopen. Straf dat je je daardoor niet laat kennen. Mijn respect.'

Pieter gaf me een dikke knuffel om zijn woorden kracht bij te zetten. Hoewel het erom ging vernederd te worden en een hele dag onderworpen te zijn aan de willekeur van enkele aangeschoten ouderejaars, had ik me tijdens heel de proef kranig gehouden. In niets kon ik mijn studentendoop vergelijken met wat ik in de humaniora meegemaakt had. De stemmen van de anciens klonken lang zo scherp niet. Hun ogen verraadden dat wat ze zeiden om ons zogezegd te kwetsen en te kleineren niet gemeend was. Hoewel ik er vooraf bang voor was geweest, bleek het achteraf gezien een makkie.

Ik had Pieter leren kennen op een onthaalweekend waar ik het enige meisje was en hij was me meteen opgevallen. Mijn medestudent was groot en breed en schoor dagelijks zijn hoofdhaar af omdat hij toch al kaal begon te worden. Een artistiek zwart brilletje sierde zijn opvallende hoofd. Hij was niet overdreven knap, maar wel sociaal en had me bijna onmiddellijk onder zijn beschermende vleugels genomen. Door zijn gestalte deed Pieter me denken aan een grote vriendelijke reus, een gigantische teddybeer met een bril op zijn neus. We sliepen in dezelfde kamer en al snel kwam ik erachter dat hij een sociaal geëngageerd persoon was.

Net als ik had hij een kamer gekozen in een speciale peda voor mindervaliden. Dat was een modern gebouw, met alle faciliteiten om het de gehandicapte studenten gemakkelijker te maken, zoals brede deuren, liften, moderne verlaagde aanrechten in de keuken en ruime inloopdouches. De peda werd opgedeeld in gangen van ongeveer veertien studenten, tien valide en een viertal mindervalide, die met behulp van permanentielijsten elkaar zoveel mogelijk hielpen. Een eenvoudige maar succesvolle formule die jaarlijks een tweehonderd gehandicapten in staat stelden probleemloos aan de universiteit te studeren en deel te nemen aan het studentenleven. Ik had me er onmiddellijk voor ingeschreven en groot was onze vreugde toen bleek dat Pieter en ik op dezelfde gang een kamer hadden weten te bemachtigen. Daar leerden we de eerste week Ellen kennen, een ouderejaars. Ze nam de rol van moeder over de nieuwelingen maar al te graag op zich. Ellen vertelde altijd meteen wat haar op het hart lag waardoor je wist waar je stond.

Hoewel Pieter koos voor de richting handelsingenieur en ik voor economische wetenschappen zaten we voor veel vakken samen en liepen we meestal samen naar het auditorium als we uit ons bed raakten, want vaak kon je ons tot in de vroege uurtjes vinden in den Dulci, de bar van onze studentenvereniging. Ik was vóór mijn studententijd nog nooit uitgegaan en nu gooide ik alle remmen los. Niemand was onvriendelijk tegen me, niemand veroordeelde me en iedereen nam me zoals ik was. Ik genoot want mijn leven was voor het eerst zorgeloos. Ik kende geen grenzen en dronk en rookte meer dan goed voor me was. Pieter en ik werden een onafscheidelijk duo dat zelden nuchter voor dageraad in bed kroop.

En toch waren we geen koppel. Het klikte bijzonder goed tussen ons maar niet op die manier. Nooit heb ik bij Pieter die spanning gevoeld die ik bij Benedict had ervaren. De eerste was mijn compagnon en mijn drinkebroer, de tweede was mijn soulmate, mijn spiegelbeeld. Ik had Benedict niet meer gezien sinds hij die laatste middag samen achter de piano afscheid had genomen. Ik had het contact beperkt tot een kaartje met de eindejaarsfeesten en met zijn verjaardag omdat ik wist dat als ik hem buiten de muren van de kapel zou ontmoeten, er een grote kans bestond dat hij erachter zou komen dat ik van hem hield.

De studentenstad had me zo in haar ban dat ik in de weekends steeds vaker daar bleef. In het begin van het academiejaar deed ik nog de moeite om ieder weekend naar huis te komen en mijn vuile kledij te laten wassen. Na een paar maanden bleef ik geregeld een weekend op mijn kamer in de Parkstraat in Leuven. Eind 1997 kocht ik een strijkijzer en deed ik zelf mijn was. Hoogstens één keer per maand bezocht ik mijn moeder.

En toen kreeg ik een kerstkaartje. Op de achterkant stond in kleine onzekere letters geschreven:

Lieve Anne,

Zalig kerstfeest en Gelukkig Nieuwjaar! Welkom in Leuven. Mijn nieuw kotadres: Tiensepoort 569.

Kusje,

Benedict

Verbaasd keek ik naar het kaartje. Het was anders dan de vorige nieuwjaarswensen, veel persoonlijker. Was dat een uitnodiging? Zou ik gaan? Ik moest er nog even over denken en zette het bij de andere wenskaarten die ik had ontvangen. Na drie weken gooide ik ze allemaal weg, behalve dat van Benedict. Gaan, niet gaan. Gaan, niet gaan. Ik herinnerde me mijn belofte op de Cliffs of Moher. Op 22 maart, een donderdag, besloot ik het studentikoze uitgaansleven een nacht te laten voor wat het was. Ik had lang genoeg getwijfeld.

'Hallo?'

Ik herkende de stem niet die door de parlofoon op me toe fladderde.

'Benedict?'

'Ja?'

'Het is Anne.'

Eén moment kwam er geen reactie aan de andere kant.

Toen: 'Ik kom.'

Daar stond ik. In een onbekende smalle inkomhal te wachten. Zou hij veel veranderd zijn? Drong ik me niet te veel op? De zenuwen gierden door mijn keel en ik had nood aan wat frisse lucht, dus duwde ik de deur naar de straat een beetje open en leunde tegen de deurpost. Ik telde de fietsen die passeerden. Een, twee. Drie, vier, vijf. Zes, z... beweging achter me.

'Anne?'

Ik draaide me om. Voor me stond een stralende jonge gast. Hij was nauwelijks veranderd. Zijn ravenzwarte haren hadden nog altijd een ondefinieerbare snit. Benedict spreidde zijn armen uit.

'Kom hier, dat ik u een kus geef.'

Hij was vroeger nooit zo fysiek, schoot er door me heen en bood hem mijn wang aan.

'Kom binnen.'

We moesten een hele weg afleggen naar zijn kamer. Dit appartementsblok was geen gestructureerd nieuw gebouw maar een overblijfsel van een oud seminarie met gebrandschilderde ramen en oude trappen met prachtig gebeeldhouwde leuningen en versleten stenen treden.

'Ik had je veel eerder verwacht. Als ik had geweten waar jij woonde, was ik naar jou toegekomen.'

'Ik zit op de gesubsidieerde peda in de Parkstraat. Stoor ik niet? Was je niet aan het blokken?'

'Ja, maar ik kan een pauze gebruiken.'

We arriveerden bij zijn kamer. Een dakvenster zorgde voor daglicht. Beneden in de donkerste hoek van de kamer stond een bed, boven zijn bureau met al het nodige studiemateriaal. Een vreemde kamerindeling maar van Benedict kon je zoiets verwachten. Ik had het waarschijnlijk net andersom gedaan. De overige ruimte van de benedenverdieping werd in beslag genomen door een klein salon.

'Wil je wat drinken?'

'Ja, spuitwater of plat is goed.' Ik wilde het hem niet moeilijk maken.

Terwijl hij inschonk, informeerde hij naar de vorderingen in mijn studie. Ik had eind februari een planning opgesteld en cursussen verzameld en gekopieerd. Het studeren zelf vorderde uitstekend. Ik was vastbesloten te slagen en had mijn dagelijkse braspartijen in het studentencafé verminderd. De controlefreak in mij nam langzamerhand weer de overhand. Bij Benedict wilde het niet vlotten. Hij had enorm veel schrik dat hij het dit jaar niet haalde en een bisjaar betekende het einde van zijn studententijd. Aan de manier waarop Benedict het me vertelde, voelde ik aan dat die angst hem verlamde, hem nog onzekerder maakte dan hij al was, als een soort selffulfilling prophecy. Op geen enkel moment tijdens onze conversatie vielen we in een onaangename stilte, alles was bespreekbaar. Zijn ouders, mijn ma, zijn zus, het studentenleven. Alleen toen mijn oude vriend vroeg of ik een lief had, voelde ik me even ongemakkelijk. Hij had er geen. Uit zijn lichaamstaal kon ik opmaken dat hij met iets worstelde. Een paar keer ging ik naar het toilet en telkens ik terugkeerde zei ik iets in de aard van: 'Ik zal maar eens doorgaan.'

Benedict onderbrak me dan. Informeerde naar iets of iemand waar we dan weer een hele dialoog rond weefden. Ik liep rond of ging weer in de fauteuil zitten. Alles om maar niet in zijn ogen te kijken. Dat vermeed ik ten stelligste. Soms liep het gesprek een diepzinnige richting uit, op andere momenten bleef het oppervlakkig. De spanning was voelbaar. Ik kon me bijna niet voorstellen dat Benedict het niet aanvoelde. Toch weigerde ik uit angst afgewezen te worden mijn emoties als eerste kenbaar te maken. Als ik er zeker van was dat hij niet mijn richting uitkeek, bestudeerde ik zijn gezicht. Iedere keer opnieuw betrapte hij me en ontweek ik snel zijn blik. De adrenaline stuwde door mijn lichaam. Op geen enkel ogenblik voelde ik me vermoeid. De jonge twintiger in de stoel tegenover me met het kleine salontafeltje tussen ons in ook niet. Er werd een wedstrijd gespeeld. Een gesprek in twee dimensies. Verbaal bespraken we de dingen des levens, non-verbaal vochten we een machtsspel uit. Vanwege de duur en de intensiteit ervoer ik die nacht als zeer erotisch zonder dat er enig fysiek contact tussen onze lichamen was. Beiden tastten af, beiden cirkelden rond hun tegenstander als een prooi. Wachtend tot de ander een moment van zwakte zou vertonen. Om dan toe te slaan.

En plots werd het licht. We hadden de nacht pratend doorgebracht. Om negen uur had ik twee uur hoorcollege statistiek. Ik moest op adem komen en besloot te gaan. Het was een goed excuus om even aan die ogen te ontsnappen zonder dat ik te kennen gaf dat ik het woordenloze spel opgaf.

'Waar moet je heen voor de les?'

Ik gaf hem het nummer van het auditorium. Onderweg stopte ik snel even op mijn kamer om me op te frissen. Die les kon ik niet brossen want ik vermoedde dat Benedict me nadien zou staan opwachten. Ik piekerde me suf over wat ik moest doen. Twee jaar hadden hij en ik elkaar niet gezien en nu we onze vriendschap hernieuwd hadden, beleefde ik ze dubbel zo intens als vroeger.

Beeldde ik me iets in? Een nee had ik, een ja kon ik krijgen. De interactie die nu tussen ons hing, kon ik niet lang volhouden. Of ik stopte onmiddellijk met Benedict te zien, wat moeilijk zou zijn want dan moest ik dringend een goed excuus gaan verzinnen, of ik trok mijn stoute schoenen aan en confronteerde mijn nachtelijke opponent met de emoties die me overspoelden.

Mijn vermoeden bleek gegrond. Na de les stond Benedict me buiten op te wachten. Hij had een douche genomen en een stel propere kleren aangetrokken. Ik liep nog altijd in dezelfde plunje van de dag ervoor en voelde me op zijn zachtst gezegd een schotelvod.

Ik begroette hem met een kus op zijn wang, net naast zijn mondhoek: 'Ik heb honger.'

'Dat is waar. Je hebt niet eens ontbeten. Zin in een broodje in de Alma?'

Heel de nacht hadden we gebabbeld en ik kon me niet meer voorstellen welke onderwerpen nog niet ter sprake waren gekomen, toch vielen er tijdens het verorberen van onze broodjes geen stiltes. We vervolgden gewoon waar we waren opgehouden.

'Speel jij nog piano?' Benedict zocht geïnteresseerd oogcontact en deze keer vertikte ik het om weg te kijken. Een, twee, drie, vier, vijf, zes. Benedict keek als eerste weg.

'Ik ben er even mee gestopt. Mijn hand doet raar. Af en toe tintelen mijn duim, wijsvinger en middelvinger heel erg. En jij, speel jij nog?'

'Ja, dagelijks.'

'Hoe doe je dat dan, hier in Leuven?'

'In de kelder van de faculteit Letteren en Wijsbegeerte staan lokalen met piano's. Geen vleugels, maar het is beter dan niets', grinnikte hij. 'Willen we er even langsgaan?'

'Natuurlijk.' Ik lachte terug. 'Precies zoals vroeger.'

Onderweg naar de lokalen dreigde mijn hartslag van de zenuwen door zijn dak te gaan. Mijn knieën werden week. Benedict zei niets. Ik ook niet. We liepen naast elkaar. Door louter toeval botsten onze polsen tijdens het wandelen tegen elkaar. Instinctief grepen we elkaars palmen en we lieten niet meer los tot

Benedict wel moest om de deur voor me open te houden. Ik volgde hem de rode stenen trap af naar de catacomben van het faculteitsgebouw in een ruimte niet veel groter dan een berging. Twee houten stoelen en een buffetpiano in het verder kale lokaal was het tegenovergestelde van een romantisch nestje. Ik moest maar roeien met de riemen die ik had. Net zoals in de kapel zaten we naast elkaar terwijl de jongeman die me de laatste vierentwintig uur zo in de ban hield, een stukje uit Bachs vijfde symfonie speelde. Zijn fijne lange vingers bespeelden de toetsen alsof ze een delicaat stuk kantwerk creëerden. Ik had zijn spel gemist. Zoveel tijd was verloren gegaan en ik wilde Benedict niet opnieuw uit mijn leven zien verdwijnen.

De laatste akkoorden weergalmden tussen de muren en toen werd het muisstil. Het spel was uitgespeeld.

Ik waagde de sprong: 'Benedict, vind je het niet vreemd dat we na al die jaren nu bijna onafgebroken bij elkaar willen zijn?' Dat kwam er verwarrend en ongestructureerd uit. Ik had er ook geen ervaring mee maar het kon beter.

'Nee.'

Ik daverde over heel mijn lichaam en fixeerde mijn blik op zijn handen die gespannen op zijn bovenbenen lagen. Ik durfde hem niet aan te kijken. Tweede poging.

'Ik heb je in de kapel op het college nooit durven vertellen dat ik je graag zag.'

De pezen en de spieren op de rug van Benedicts handen ontspanden zich. 'Ik vermoedde al zoiets.'

'Ik dacht dat mijn gevoelens voor jou verdwenen waren, maar ik heb de laatste uren gemerkt dat het er sindsdien niet echt op verbeterd is.' Bleef ik tegen die gespreide vingers praten.

Zijn zwijgen werd ondraaglijk.

Het moest.

Nu.

'En jij?'

De handen gaven een eerste teken van leven, ze ontwaakten. Delicaat als een vlinder omsloten ze mijn gesloten handpalm.

'Ik ook.'

Synchroon ontsnapte de spanning met een lange zucht uit onze lichamen en eindelijk, eindelijk richtte ik mijn hoofd op. Langs de knopen van zijn witte hemd en de smetteloze kraag gleed mijn aandacht naar zijn gezicht. Die trekken had ik het laatste etmaal zo vaak bestudeerd. Iedere zenuw, iedere uitdrukking weerspiegelde wat ik had gehoopt. Altijd indicaties en nu in het donkere groen niets minder dan bevestiging. Een mysterieuze glimlach sierde zijn kleine lippen en die weken zacht uiteen. Ik kuste ze eerst vederlicht, dan met meer druk. Gekunsteld, ik had nooit eerder gezoend. Benedict was even onervaren. De zenuwen verlieten tergend langzaam onze lichamen langs onze vingers die zich met elkaar verstrengelden.

Palm tegen palm, de kus tussen twee handen, verlieten we het lokaal, renden door het park op weg naar Benedicts kamer. Op iedere straathoek stal ik een zoen van zijn mooi gevormde lippen. Ik hielp hem pakken want hij moest wel naar huis terwijl ik in Leuven bleef om te blokken.

'Jammer dat je nu al moet gaan.'

'Sorry. Ik zou ook liever hier zijn.' Hij nam mijn gezicht tussen de fijne handen die ik zo adoreerde. 'Maar mijn ma zou heel raar opkijken als ik ineens hier bleef. Ik doe mijn best om morgen alweer terug te komen. Ik zeg wel dat ik een boek vergeten ben of zo. Goed?'

Ik knikte droevig.

'Studeer wat, vandaag en morgen. Ik kom langs van zodra ik uitgepakt heb.'

Benedict knuffelde me een laatste keer vooraleer we afscheid namen.

'Tot morgen?'

'Tot morgen.'

Als eerste draaide ik me om en liep door de straat naar mijn kamer.

Ik volgde de goede raad van Benedict nauwkeurig op. Plichtsgetrouw studeerde ik alles wat op mijn planning stond voor die dag en probeerde zelfs wat meer te doen zodat ik de dag erop ongestraft tijd met Benedict kon doorbrengen. Die zelfdiscipline had ik wel.

De volgende dag rond zes uur ging de bel en ik haastte me naar de voordeur. Mijn lief straalde, ik had hem nog nooit zo gezien. Hij begroette me met een omhelzing en een diepe lange kus.

'Zin om iets te gaan eten?' vroeg Benedict zonder dat hij mij losliet.

'Ja, natuurlijk. Waar?'

'De Wiering in de Brusselsestraat is open. Kom, ik toon het je.'

Ik was verliefd en tot in iedere vezel van mijn lichaam oprecht gelukkig. Was dat het begin van iets moois? Kon ik eindelijk gelukkige dagen verzamelen? Diep vanbinnen zei een stemmetje me dat geluk ook weer van je weggenomen kon worden. Het maakte me kwetsbaar, dat wist ik, maar ik was bereid het risico te nemen. Ik kon niet eeuwig blijven denken dat er achter iedere hoek kapers op de kust schuilden. Ik had de sprong gemaakt en de stroming zou me wel duidelijk maken waarheen de rivier me bracht.

Ik at weinig. Verliefd, dus geen honger. We babbelden en lachten en bleven uren aan het kleine verweerde houten tafeltje in de donkerste hoek tussen de margrieten en de oude naaimachines zitten.

Benedict bestelde: 'Nog twee Leffes, alstublieft.'

'Sorry, maar we gaan sluiten.'

'Is het al zo laat?'

'Twee uur', meldde de ober.

'De tijd gaat snel als wij beginnen te kletsen', knipoogde mijn lief onderweg naar de peda.

Kroelend eindigden we op mijn smalle bed. Een muziekje op de achtergrond en een paar kaarsen deden de rest. De smaak van bruine Leffe op zijn lippen is me altijd bijgebleven. Langzaam verdween Benedicts warme beige wollen trui, net als zijn hemd. Mijn topje vloog dezelfde kant uit. Onervaren als we waren, werd er al eens zenuwachtig gegiecheld of zei ik iets om de stilte te willen breken wat natuurlijk niet hoefde. Ik lag comfortabel in de kussens en streelde met mijn vingertoppen zijn zwarte lokken. Uren lagen we te minnekozen. De muziek stopte en de aangename geur van een uitgedoofde kaars zweefde me tegemoet. Het werd donker in het kamertje.

Als een slag in mijn gezicht schoot een beeld aan me voorbij.

Lederen jas, stoppelbaard en scherpe zweetgeur.

Wat was dat?

Lederen jas, stoppelbaard, scherpe zweetgeur en krakende herfstbladeren in mijn haar.

Ik werd misselijk en begon te kokhalzen.

Benedict merkte dat er wat met me aan de hand was: 'Gaat het, Anne?'

'Ja... ja... maar zou je het erg vinden als ik wat ging slapen? We hebben eergisteren niet geslapen en dan al het studeren erbij. Ik ben nogal moe.'

'Oké, is goed.'

Ik dacht dat Benedict mijn hint zou begrijpen en naar zijn eigen kamer zou gaan zodat ik kon nadenken maar hij legde zich op zijn zij als een lepeltje achter me met beide armen rond me. Een hand omvatte mijn rechterborst. Ik had het lef niet om hem weg te sturen en na tien minuten werd de ademhaling van Benedict regelmatig. Hij sliep.

Ik moet zes of zeven jaar geweest zijn toen ik met mijn broertje op het voetbalveld van het college aan het spelen was met een frisbee. De eerste bladeren vielen van de bomen terwijl het toch nog behoorlijk warm was. Een groezelig uitziende donkerharige man met stoppelbaard in een zwarte lederen jas liep met zijn handen in zijn zakken op ons toe. Ik kon geen leeftijd op de onbekende plakken.

'Wat zijn jullie aan het doen?'

Van ons tweeën was ik altijd het spraakzaamst: 'We spelen met de frisbee. Speel je mee?'

Het was veel leuker met zijn drieën dan met zijn tweeën, dacht ik. Een paar rondjes deed de man mee toen hij te kennen gaf dat hij het toch niet zo leuk vond.

Hij had een beter idee: 'Laten we verstoppertje spelen?'

'Ja!' riep Benjamin enthousiast.

We speelden 'steen-schaar-papier' om te bepalen wie als eerste moest tellen. Benjamin werd het eerste slachtoffer.

'Kom, ik weet een goede plek om ons te verstoppen. Je broertje zal ons nooit vinden.'

De onbekende nam me stevig bij de hand en trok me naar de achterkant van de schoolgebouwen. Ik kon niet meer weg.

'Nee, van mama mogen we daar niet komen.'

'Ach, je mama heeft tegen mij gezegd dat het voor één keer mocht.'

Ik geloofde hem. Achter de laatste speelplaats stond een reeks bomen tegen een hoge muur. In het midden was die rij onderbroken zodat je tussen stammen en muur kon verdwijnen.

'Kijk, hier is een goede schuilplaats, niet?'

Ik knikte en kroop als eerste achter het struikgewas. De onbekende volgde en duwde me met mijn rug op de grond.

'Nee, laat dat!' riep ik.

Hij trok onmiddellijk mijn trainingsbroek uit. Ik probeerde mezelf weer aan te kleden en de man van me af te houden, maar het lukte niet. Ook mijn wit slipje verdween. Het rode wollen T-shirtje met gele en zwarte horizontale strepen duwde hij naar boven. De wind was koud aan mijn buik. Met iets hards duwde de onbekende tussen mijn benen. Hij dwong me ze te spreiden. Ik raakte in paniek en begon te huilen.

'Nee, dat mag je niet doen. Ik wil het niet', kermde ik.

De man drukte zijn hand op mijn mond om me het zwijgen op te leggen en duwde mijn gezicht opzij in de eerste knisperende herfstbladeren. Ik zag op het geasfalteerde baantje tussen mij en de speelplaats twee kinderbeentjes hollen. De sandalen waren van mijn broertje. Ik wilde hem roepen maar kon niets zeggen door die stinkende hand onder mijn neus. Ondertussen was de onbekende boven op me gekropen en bleef met een hard ding tussen mijn dijen duwen. Het deed pijn. Hij hijgde. Ik huilde. Uiteindelijk ging hij vloekend van me af, trok zijn broek op en verdween. De man liet me alleen achter. Een walgelijk ruikend wit goedje plakte over heel mijn buik en tussen mijn benen. Op het weggetje hoorde ik Ilse en Benjamin naar me roepen.

'Anne? Waar zit je?'

'Anne!'

Ik voelde me zo vies, zo ellendig en zo beschaamd dat ik hen niet eens durfde te zeggen waar ik zat. Met een paar bladeren wreef ik zoveel mogelijk smurrie van me af en trok mijn slipje en trainingsbroek terug aan. Mijn onderbroek kleefde aan mijn buik als een tweede huid. Ik huilde onophoudelijk. Ik verliet de schuilplaats achter het struikgewas en rende achter mijn broer en zus aan die honderd meter verder naar me op zoek waren.

De rest van de nacht heb ik wakker gelegen. Ik durfde me niet te bewegen uit schrik Benedict wakker te maken. Ik durfde niet te huilen. Ik heb geen oog dichtgedaan. Zoveel vragen, weinig antwoorden. Hoe kon ik vergeten zijn dat zoiets ooit met me gebeurd was? Jaren had ik op nog geen twintig meter van die plek op de speelplaats gespeeld. Ik moet er toch tegen iemand iets van gezegd hebben? Het verklaarde wel meteen waarom ik altijd een wantrouwen voelde telkens ik ongeschoren in lederen jassen gehulde mannen tegenkwam. Bij de eerste dageraad kroop ik uit bed en nam een douche. Die nacht was het zomer-uur ingevoerd, dus verzette ik mijn wekker en horloge. In het bed werd Benedict langzaam wakker.

'Goedemorgen.'

Later, later ging ik het hem vertellen.

'Morgen. Kan ik hier een douche nemen?'

Ik zocht snel een ontbijt bij elkaar en deed alsof er niets aan de hand was. Kort erna vertrok Benedict naar zijn kamer.

Met een zoen nam hij afscheid: 'Tot vanavond.'

'Ja, studeer goed.'

'Jij ook.' Met een laatste bemoedigend kneepje in mijn hand en een knipoog vertrok hij.

Onmiddellijk belde ik ma. Haar eerste reactie was er een van ontkenning. Haar tweede bevestigde mijn vermoeden.

Van de hoge toppen van geluk en euforie om mijn prille relatie met Benedict viel ik pijlsnel terug in de diepe dalen van mijn verleden. Verdiende ik het dan echt niet om gelukkig te zijn? Moest ik werkelijk voor alles vechten of een veel te hoge prijs betalen? Moest ik echt achter elke hoek iets gaan zoeken? Ik weende tot er geen traan meer over was.

'Ik heb Benedict tenminste nog', herpakte ik mezelf. 'En nu moet ik beginnen blokken.'

Misschien kon ik er met hem eens over praten als hij straks langskwam. Ik kon wat steun en begrip gebruiken in deze situatie. Wat ik toen nog niet wist, was dat mijn vriendje op dat moment in zijn eigen kamertje eveneens huilde. Geen van ons tweeën is die dag aan studeren toegekomen.

Om zes uur ging mijn bel en ik rende naar de voordeur. Benedict lachte deze keer niet en ik wist dat er iets aan de hand was maar verkoos het nog even te negeren. Misschien dat een dikke knuffel hem er wel bovenop hielp.

'Anne, ik moet je wat vertellen. Willen we even naar je kamer gaan?'

Ik bestudeerde zijn gezicht wat aandachtiger en ik begreep dat er onweer op komst was. Mijn lief durfde me niet eens aan te kijken. Mentaal zette ik mezelf schrap. We liepen naar mijn kamertje en hij nam zonder zijn jas uit te doen plaats op het bed waar we die nacht nog hadden liggen knuffelen. Ik verkoos mijn bureaustoel.

'Zeg maar.'

'Ik weet niet waar te beginnen.'

Ik had medelijden met hem en lachte hem met wat me nog restte bemoedigend toe: 'Misschien bij het begin?'

Benedict ademde diep in. Alles kwam er in één verwarde stoot uit. 'Ik heb heel de dag geprobeerd om te studeren maar het wilde niet lukken omdat ik voortdurend aan jou moest denken en wat ik moest doen en ik zit daardoor zo met mezelf in de knoop en ik kan het me niet permitteren om te zakken. Ik wist echt niet wat ik moest doen en ik heb er zelfs met mijn zus over gebeld.'

Wat had zijn zus hiermee te maken?

'Heb ik iets verkeerds gedaan? Iets verkeerds gezegd of zijn we te snel gegaan?'

Ik zocht de fout als vanzelfsprekend bij mezelf.

Benedict ontkende dat met klem: 'Nee, nee, het ligt zeker niet aan jou, de fout ligt bij mij.'

Ik liet alles tot me doordringen. Ik voelde dat er iets was wat hij me niet wilde zeggen.

'Sorry. Het spijt me echt dat het zo moet lopen.'

Benedict stond op. Een zedige zoen en een kneepje in mijn schouder was het enige waar ik nog recht op had. Hij verdween en ik bleef versteend aan mijn bureaustoel plakken.

Wat had ik verkeerd gedaan? Niets, volgens Benedict. Had hij dat gezegd om me te sparen? Wat vertelde hij me niet? Had ik me misschien zo in hem vergist dat hij me als een losse scharrel had gebruikt? Schaamde hij zich misschien toch voor mij, een meisje met een handicap en had hij het misschien daarom op een lopen gezet? Was het enkel de angst voor slechte resultaten of had hij iets gemerkt over mijn plots opkomende herinnering? Waren we te snel of te traag gegaan?

Het was zondagavond en sommige studenten kwamen al terug van een weekendje thuis. Ik hoorde de vinnige tred van Ellen op de gang en haar zingende stem die iedereen een goede avond wenste. Zoals gewoonlijk liep ze eerst even bij me aan om te vragen hoe mijn weekend was geweest. Meteen zag ze dat er iets grondig mis was.

'Anne, wat is er gebeurd?'

'Hoe zeg ik jou dat het uit is met mijn lief als ik je niet eens heb kunnen vertellen dat het ooit aan is geweest?'

'Ho, ho. Ik kan niet volgen.'

Ik vertelde haar het hele verhaal. Wie Benedict was, waar ik hem had leren kennen en wat er het voorbije weekend allemaal gebeurd was. Alleen mijn herinnering van de aanranding hield ik voor mezelf. Daarvoor schaamde ik me nog veel te hard.

Ellen waarschuwde Pieter die me ook kwam troosten. De rest van de avond bleef ik huilend en snikkend op mijn kamertje zitten. Ik raakte maar moeilijk in slaap en lag in mijn bed tot 's middags. De lessen liet ik voor wat ze waren. Dankzij Pieter en Ellen verhongerde ik niet. Ze kwamen me uit mijn bed halen, kochten brood en beleg en gingen met me wandelen door het Groot Begijnhof. Overal zag ik verliefde paartjes die genoten van de bloeiende Japanse kerselaars en dan sloot ik me op in mijn kamer.

Alles bleef maar door mijn hoofd malen en ondertussen zat ik ook nog met een ander probleem dat ik moest verwerken. Hoe moest ik nog in het reine komen met mezelf en mijn herinnering aan die aanranding? Moest ik het er toch eens met Benedict over hebben? Waarschijnlijk wel. Ik besloot de hele zaak een paar dagen te laten bezinken en dan eens even tot bij hem te gaan.

Ik heb Benedict een week later een bezoek gebracht maar blokkeerde toen ik hem zag. Ik kon het niet over mijn lippen krijgen hem te vertellen wat me die nacht overkomen was en ik voelde dat hij ook nog steeds worstelde met een geheim. Ik herhaalde het bezoek een paar keer met steeds hetzelfde effect. Ik was niet alleen mijn minnaar maar ook mijn soulmate, mijn beste vriend kwijt. Ik had ingezet, gegokt en zwaar verloren.

Mijn examens werden een complete ramp. Pagina na pagina staarde me aan zonder dat er iets van in mijn hoofd geprent raakte. Ik zakte over de hele linie en besliste mijn tweede examenperiode niet mee te doen. Ierland werd die zomer opnieuw mijn toevluchtsoord. In oktober, bij het begin van het academiejaar, bezocht ik Benedict een laatste keer. In zijn kamer zat Joris, een kamergenoot. Hij was kleiner dan ik en had lang sluik uitgedund haar tot halverwege zijn rug dat hij in een staart droeg. De jongeman keek me achterdochtig aan. Kwam ik op verboden terrein? Dat was de laatste keer dat ik Benedict zag. Daarna heb ik nog een jaar lang dagelijks teruggedacht aan die gelukzalige maar ellendige nacht in maart 1998.

Met hernieuwde moed herbegon ik aan het eerste jaar economische wetenschappen. In tegenstelling tot de andere studierichtingen aan de faculteit Economie was de mijne niet echt populair. Ieder academiejaar schreven amper vijftien studenten zich in en de communicatie onderling verliep moeilijk omdat medestudenten zeldzaam waren. Samen met drie andere studenten en een paar proffen zette ik mijn schouders onder een nieuw initiatief. Het Comité EW had als doel een sociaal netwerk uit te bouwen om informatie over proffen, keuzerichtingen, cursussen, examens en activiteiten te verspreiden en om de contacten tussen de verschillende jaren en de studenten van de andere economische richtingen, handelsingenieur en TEW, te bevorderen. We organiseerden kaas- en wijnavonden, debatten en infoavonden om nieuwe studenten aan te trekken.

Ik fuifde en dronk nog steeds meer dan goed voor me was. Pieter bleef mijn compagnon in al die uitspattingen. Ellen verhuisde naar een ander gebouw om de hoek in de Naamsestraat maar we bleven elkaar wekelijks zien. Als ik met iets zat, kon ik bij haar terecht. Ze werd mijn tweede moeder. Ma zag of sprak ik nog nauwelijks.

Naast het uitgaan besteedde ik een groot deel van mijn tijd aan schrijven, meer dan vroeger het geval was. Voor het eerst publiceerde ik artikels, interviews of proza in de studentenkrant. Die stukken werden verrassend genoeg positief onthaald.

'Anne, ik kom net van de bar. Er waren twee studenten van de Germaanse, die vroegen wie Iris was', kwam Pieter meteen ter zake toen hij mijn kamer binnenliep.

Ik had er een gewoonte van gemaakt onder dat pseudoniem mijn stukken in te leveren.

'Je hebt het hun toch niet gezegd?'

'Nee, hoe raar ik het ook vind. Ik respecteer je privacy maar het is wel de tweede keer deze week.'

'Wat wilden ze?'

'Of Iris occasioneel ook voor hun tijdschrift wilde werken.'

'Je hebt toch gezegd dat ik dat niet deed?'

'Anne? Wil je er echt niet over nadenken?'

'Nee, sorry Pieter.'

'Jammer want je schrijft echt goed', probeerde Pieter me een laatste keer te overtuigen vooraleer hij mijn kamertje verliet.

Ik wist dat hij doelde op de niet voor de hand liggende stijl die ik de laatste jaren hanteerde, waarin objecten symbool stonden voor emoties en ik tegelijk een boodschap verborg voor de kritische lezer. Ik wilde mijn omgeving een geweten schoppen zonder hen voor het hoofd te willen stoten of te beginnen aan een scheldpartij die meteen alle heilige huisjes en gevestigde waarden van tafel veegde. Er bestond niet alleen zwart-wit maar ook grijs.

Er was een reden waarom ik weigerde in te gaan op aanbiedingen om nog meer dingen te schrijven. Mijn linkerhand weigerde steeds vaker dienst. Vooral tijdens hoorcolleges waarbij er intensief gepend werd, kon ik nog nauwelijks volgen. 's Nachts werd ik meer dan eens wakker met een pijnlijk tintelende hand. Schrijven, tanden poetsen, alles waarbij mijn vingers druk moesten uitoefenen was pijnlijk. Spaghetti op een vork draaien was onmogelijk en voortdurend liet ik dingen vallen. De kracht verdween langzaam uit mijn hand. Uiteindelijk evolueerde de situatie zo dat ik verplicht was een arts te consulteren. Die stelde vast dat ik ondanks mijn jeugdige leeftijd het carpaletunnelsyndroom had en dat een operatie dringend was. Ik had volgens de dokter mijn hand zwaar overbelast en gitaar of pianospelen, fietsen, schrijven of typen moest ik voortaan zoveel mogelijk achterwege laten wilde ik mijn hand tot het einde van mijn leven kunnen gebruiken voor wat echt noodzakelijk was.

Twee dagen voor mijn twintigste verjaardag voerde een plastisch chirurg de ingreep uit in een Brugs ziekenhuis. Drie weken lang had ik ineens geen handen meer en mijn moeder en kamergenoten stonden plots in voor mijn meest elementaire behoeftes zoals eten, drinken, wassen, aankleden en naar het toilet gaan. Voor een onafhankelijk en vrijgevochten persoontje als ikzelf was dat een zware pil om te slikken. In die periode was ik behoorlijk humeurig. Voor mij was het falen van mijn overgebleven hand psychologisch zwaar. Ik kon er moeilijk vrede mee nemen dat ik vanaf dat moment bij alles wat ik deed zou moeten afwegen of het wel van belang was. Mijn verlanglijstje met alles wat ik in mijn leven nog wilde doen, moest worden herzien en opeens dacht ik aan de goede raad van mijn grootvader. Ik schrapte het gitaar spelen en het pianospelen, maar niet het schrijven. Ik liet niet toe dat ik door het tekortschieten van mijn lichaam monddood gemaakt werd. Voor alles kon ik een oplossing vinden. Als mijn linkerarm ooit volledig dienst weigerde zou ik wel weer een andere manier vinden om door te gaan.

Maar alles viel veel beter mee dan gedacht. Mijn linkerhand voldeed weer aan mijn verwachtingen. Als ik niet aan uurwerken hoefde te draaien bleef Benedict uit mijn gedachten. Ik flirtte weleens met een medestudent maar ging nooit in op het zeldzame aanbod van een mannelijke collega die me in zijn bed wilde hoewel ik nieuwsgierig was naar seks. Daarvoor moesten ze mijn hart veroveren en dat had ik sinds het debacle met Benedict veilig achter slot en grendel gestopt. Ik twijfelde enorm aan mezelf en was onzeker over mijn uiterlijk. Als ik heel eerlijk was met mezelf zou ik ook geen relatie willen hebben met iemand die gehandicapt was. Ik overtuigde me ervan dat ik wel nooit zou trouwen of kinderen krijgen. Nochtans was het moederschap een van mijn grootste verlangens. Net omdat ik dacht dat ik wel nooit een partner zou vinden die van me hield, deed ik het domste wat een meisje ooit kan doen. Ik schonk mijn naïviteit aan een Griekse vakantieminnaar om mijn onwetendheid over seks te bevredigen. Wetende wat ik nu weet, had ik die onenightstand waarschijnlijk niet gedaan. Dan had ik gewacht tot mijn volgende reis naar dat land van zon, zee en strand.

Mijn leventje stond behoorlijk stevig op de rails. Ik was gelukkig en vond mijn plezier in de kleine dingen van het leven. Een grap van een tooghanger, een knuffel van een goede vriend of een woord van dank van een medestudent wanneer ik een activiteit had georganiseerd. In september 2001, vier dagen na de aanslagen in Amerika, vertrok ik voor een zes maanden durende stage naar Athene.

De Athens University of Economics and Business was op de hoogte van mijn komst en hun administratie had een kamer voor me geregeld in een klein, pretentieloos hotelletje om de hoek. Het hok mat vier bij twee meter. De helft van de ruimte werd in beslag genomen door een dubbel bed. De vloer was bedekt met een blauw tapijt. Verder vervolledigden een ingemaakte kast en een tv op een rekje de inrichting. Nergens stond een stoel of tafeltje. Eén zijwand was volledig bedekt met spiegels zodat het kamertje toch iets groter leek. Het raam keek uit op een schacht, ik moest mijn hoofd helemaal uitsteken om een streepje lucht waar te nemen. De badkamer was zo mogelijk nog kleiner met een kleine wastafel, een toilet en een douche. Ik had een dak boven mijn hoofd en het was er hygiënisch want nergens kon ik een kakkerlak, het traditionele Atheense huisdier bij uitstek, bespeuren. Voor mij was dit de hemel op aarde.

Op dezelfde verdieping bewoonden drie collega's een gelijkaardige kamer, dus had ik altijd vrienden in de buurt. Hedwig was een grote blonde Nederlandse, Didier een Fransman en Hans een Duitser. Ik pakte meteen mijn spullen uit.

Daarna liep ik naar het kantoor van mevrouw Koletsi, het aanspreekpunt voor de buitenlandse studenten. Ze verwachtte me. Door haar karikaturale voorkomen begreep ik direct waarom men haar de tijger noemde. Ik schatte ze rond de veertig jaar. Haar duidelijk gekleurde halflange blonde haren waren in wilde krullen geonduleerd en haar ronde gezicht verborg ze achter een typische smalle Nana Mouskouribril. Ze droeg een legging met een luipaardmotief. Ik had moeite om mijn lach in te houden. Koletsi legde me geduldig uit dat alle vakken in het Engels gegeven werden en dat de maaltijden gratis waren. Ik kon me inschrijven voor een onthaalweekend in Mykonos, wat ik onmiddellijk deed, en ze toonde me een ruimte naast haar kantoor waar ik kon kennismaken met andere aangekomen collega's. Of ik nog vragen had. Nee, niet echt.

Op vrijdag 5 oktober 2001 stonden Didier, Hans, Hedwig en ik in alle vroegte op zodat we om halfacht in Piraeus de boot naar Mykonos konden nemen. Samen met ongeveer tachtig andere studenten. Het was nog pikdonker toen we op de verzamel-plaats, het metrostation Victoria, arriveerden. De boottocht naar Mykonos duurde meer dan zes uur. Door het gezoem van de motor van de ferry viel ik op een witte bank op het dek van de ferry in slaap en werd pas wakker toen Willemien die ik die morgen op de verzamelplaats had leren kennen, kwam aan-lopen.

'Anne, kijk eens. Ik heb twee Belgen gevonden. Matthias en Koen.'

Ik wreef even in mijn ogen en keek de twee jonge gasten aan. De eerste had donker kortgeknipt plat haar en een paar puistjes in zijn gezicht. Hij zag er lijkbleek uit en ik vermoedde dat hij zeeziek was. Ik schatte Matthias niet veel ouder dan twintig omdat hij nog iets slungeligs, iets puberaals over zich had. Toen bekeek ik Koen wat beter. *Yummie, die moest het mij geen twee keer vragen.* Zijn blonde haren had hij met gel in piekjes gezet maar het meest opvallende was zijn glimlach waarbij hij zijn hele gezicht gebruikte en die een rij perfecte tanden liet zien. Zijn grijsblauwe ogen met lange volle wimpers verbleekten bijna bij die lach. Hij had een brede torso en een platte buik. Geen gram te veel, voor me stond een sportman in perfecte conditie.

Meteen riep ik mezelf tot de orde. Niets voor mij, hij had waarschijnlijk al ergens een lief en anders zou dat niet lang meer duren. De meeste van mijn reisgezellen namen het niet zo nauw met hun beloftes aan de achtergebleven partners thuis. Hans, Didier en ik hadden de term 'georganiseerd sekstoerisme voor Europese studenten' al meermaals in de mond genomen. Dus als Koen te kiezen had tussen mij en sommige andere meisjes, koos hij wellicht toch voor de anderen. Mentaal sloot ik mijn net ontwaakte hart terug op in zijn kooi en gooide de sleutel in zee. Na de standaardkennismakingsvragen draaide ik me om en ging bij Hans zitten. Bijna onmiddellijk kwam Anneleen, ook een Nederlandse, naar me toe. Ze woonde met Willemien in dezelfde flat.

'Ik zag je daarnet bij die jongen zitten.'

'Bij Koen? Ja, wat is daarmee?'

'Zou jij me kunnen helpen?' waarbij ze me suggestief aankeek.

'Hoezo, geïnteresseerd?' vroeg ik.

Anneleen knikte: 'Hij ziet er me een verlegen type uit en ik hoorde al vertellen dat de Hollandse versiertrucs Vlaamse jongens eerder afschrikken dan aanmoedigen.'

'Dat klopt. In Nederland gebeurt alles door de band in één dag, reken voor een doorsnee-Belg maar vlug één maand', grapte ik. 'Dus ik moet voor koppelaarster spelen?'

Er waren al kapers op de kust en de ironie van het lot wilde dat ik die twee nog aan elkaar ging plakken ook. Het moest mij weer overkomen.

'Je doet het?'

'Ja, is goed. Kom, we gaan er meteen werk van maken.' En ik sleurde haar mee naar die blonde god. Dan was die opdracht meteen achter de rug, dacht ik.

'Hey, Koen, ga je mee naar het aanmeren kijken? We naderen Tinos.'

'Oké.'

Hij volgde Anneleen en mij op de voet. We namen met z'n drieën plaats op een ingepakt reddingsvlot en bekeken de hele procedure met een half oog. Ik had ervoor gezorgd dat Anneleen in het midden zat en Koen en ik opzij. Eerst wilde ik mijn bedeesde landgenoot laten deelnemen aan het gesprek over koetjes en kalfjes maar veel verder dan een 'ja' en een 'nee' kwam hij niet. Bovendien praatte Koen erg binnensmonds waardoor hij soms moeilijk te verstaan was.

'Daar klaagt mijn moeder ook altijd over', antwoordde hij toen ik hem erover aansprak.

Mijn pogingen om het contact tussen Anneleen en Koen te bevorderen bleven weinig succesvol, tot we in ons hotel op Mykonos arriveerden. Ik sliep met Willemien in een kamer en Koen met Matthias in die vlak naast ons. Anneleen bezette samen met Hedwig een kamer twee etages lager. We pakten uit en maakten ons onmiddellijk op voor het avondeten. Anneleen kwam me halen in mijn kamer. Samen met de twee jongens in de kamer naast de mijne hadden we afgesproken om te dineren. Iedereen van ons vierkoppige gezelschap stond in de gang te wachten. Ik sloot mijn kamer af toen de sleutel plots in tweeën brak. Ik zag mijn kans schoon.

'Oei, dat moet ik eerst even met de receptie regelen. Wachten jullie anders even in de jongens hun kamer, ik kom zo dadelijk.'

Anneleen had me door en voor de jongens een kans zagen om een andere oplossing voor te stellen, zei ze: 'Mij best.' En liep al naar de deur van de bewuste kamer.

De jongens volgden haar gedwee. Ik hoopte dat Matthias zich afzijdig zou houden en deed mijn best het probleem van mijn afgebroken sleutel zo lang mogelijk te rekken. De Griekse oplossing kwam echter sneller dan verwacht en ik voegde me opnieuw bij het drietal. Aan tafel sprak Koen weinig. Ik liet het aan Anneleen over om onze schuchtere tafelgenoot bij het gesprek te betrekken.

De dag erop zochten Willemien, Hedwig en ik een plekje uit op het strand waar we de rest van de dag luierden onder de zon of even zwommen in de zee. Vijftig meter verder speelden de jongens een partijtje strandvoetbal. Anneleen en Koen waren nergens te bekennen.

's Avonds toen we met een luxueuze bus naar het centrum van de stad reden om een discotheek te bezoeken, nam ik Anneleen even apart.

'En, komt er al schot in de zaak?'

'Nou, vergeet het maar, ik geef het op. Bovendien krijg ik er niets uit en als er al iets uitkomt, vraagt hij steeds naar jou.'

Mijn mond viel open van verbazing.

Anneleen gaf me een knuffel: 'Ga ervoor meid, Koen is helemaal van jou!'

De rest van de avond gebruikte ik om de woorden van mijn vriendin tot me te laten doordringen. Zou hij echt in mij geïnteresseerd zijn? Zou ik durven? Ik observeerde de timide jongeman met de eeuwige glimlach in zijn ogen van op de dansvloer en merkte dat hij meer dan eens in mijn richting keek. Na een paar uur dansen en aftasten en een drietal Smirnoff Ice had ik mezelf genoeg moed ingedronken om op hem toe te stappen. Ik hield me voor niet overhaast te werk te gaan maar ook niet te langzaam, want ik had geen zin om eerst een vriendschap op te bouwen en die te laten uitgroeien tot iets meer, zoals bij Benedict. Die fout wilde ik niet meer maken. Ik voelde me veel te kwetsbaar om mijn hart zomaar open te stellen voor een jongen, dus wilde ik eerst weten met wie ik te maken had. Dat lijkt een koele, beredeneerde weg, maar om mezelf een ontgoocheling te besparen was het voor mij de enige denkbare route.

We settelden ons in een hoekje van de feestzaal, ik stak een sigaret op en vroeg kalm naar zijn achtergrond. In een gesprek van persoon tot persoon was Koen veel minder gesloten. Verrassend genoeg vertelde mijn gesprekspartner honderduit over zijn verleden. Hij kwam uit een typisch katholiek gezin met drie kinderen. Koen had een zus en een tweelingbroer met wie hij niets gemeen had behalve zijn uiterlijk en een hobby. Koen en Thomas speelden in dezelfde voetbalploeg, dat was het. Thomas was extravert, stond op zijn strepen, studeerde voor vertaler-tolk en hield van Kathy. Koen omschreef zichzelf als introvert, onzeker, studeerde toegepaste economische wetenschappen in Antwerpen en kon het niet echt vinden met het lief van zijn broer. Wist hij veel dat het er binnen enkele maanden echt niet beter op zou worden.

Zijn zus, Vera, was een jaar geleden getrouwd met David. Dat was niet zonder slag of stoot gebeurd, want David was maar liefst tien jaar ouder dan Vera. Zijn grote zus had het niet gemakkelijk gehad en Koen had vaak met haar op de bovenste trede van de trap gezeten en haar getroost als ze zich onbegrepen voelde. Ik vroeg me af wie er hem had getroost als hij er nood aan had gehad.

'Amai. Dat is een hele boterham.'

Koen grinnikte: 'Dan heb ik je nog niet verteld over de rest van mijn familie. Langs mama's kant zijn we met meer dan veertig. Ze is de oudste van zeven kinderen. Mijn grootouders hebben achttien kleinkinderen.'

De cijfers duizelden voor mijn ogen. Mijn hele familie bestond uit nauwelijks zes personen.

'Altijd genoeg speelkameraadjes op familiefeestjes', flanste ik ertussenin.

'Ja, ik heb een gelukkige jeugd gehad', merkte hij op.

Met ingehouden adem luisterde ik naar de ondeugendheden die hij als kind samen met zijn broer en zussen had uitgehaald. Ik merkte dat ik veel minder zenuwachtig was wanneer ik met Koen praatte dan met om het even wie anders. Dat had ik vroeger nooit gehad. Sinds mijn jeugd had ik het altijd extreem moeilijk of afmattend gevonden om nieuwe mensen te ontmoeten. Uit schrik uitgesloten te worden verviel ik steeds in een zenuwachtig oppervlakkig geklets of in haantjesgedrag. Ik had Koen gerustgesteld maar hij mij ook en dat was uniek. We gingen compleet in elkaar op en vergaten onze omgeving. In de bus naar het hotel bleven we maar praten.

's Morgens deed ik mijn ogen open, kleedde me aan en Koen klopte al op mijn deur om te vragen of we samen gingen ontbijten. De hele dag weken we geen seconde van elkaars zijde. Af en toe kwamen Willemien en Matthias, die zich beroofd zagen van hun reisgezel, even tot bij ons om te zien hoe de zaken ervoor stonden. Links en rechts ontving ik veelbetekenende blikken maar de conversatie met Koen was zo intens dat er van kunstmatig flirten geen sprake meer was. Mijn gesprekspartner voelde niet aan als een tegenstander die ik moest veroveren maar veeleer als een medestander waarmee ik een alliantie had gevormd. Alles verliep ongedwongen. Ongemerkt maar met enige reserve had ik mijn hart uit zijn gouden kooi vrijgelaten.

In de loop van de namiddag werden de onderwerpen dieper en gevoeliger. We toonden beiden onze kwetsbare kant alsof we elkaar al jaren kenden.

's Avonds gooide ik mijn peuk weg voor we op de bus stapten naar weer een discotheek. Willemien nam mijn elleboog en trok me achteruit om wat afstand tussen mij en Koen te creëren. Wat ze te zeggen had was niet voor zijn oren bestemd.

'Het loopt blijkbaar lekker tussen jullie', constateerde mijn kamergenote.

Ik dacht even na vooraleer ik antwoordde.

'Ja, het gaat goed', werd mijn mysterieuze repliek.

Willemien wilde meer details maar ik was niet geneigd die te geven. Koen had zoveel indrukken nagelaten die ik moest verwerken. Het was tijd voor wat ontspanning en ik gooide me op de dansvloer. Hans, Matthias of Didier gingen af en toe even met Koen praten die zich duidelijk veel beter op zijn gemak voelde dan twee dagen geleden. Samen lachten ze schelms en keken dan kort mijn richting uit. Anneleen en Hedwig dansten op me toe en duwden twee drankjes in mijn hand.

'Wordt het nog wat tussen jullie?'

'Ach, we zullen wel zien', probeerde ik hen te ontwijken. 'Wat moet ik hiermee?' wijzend op de twee flesjes.

'Het lijkt ons dat jullie een duwtje in de rug nodig hebben. Waarom ga je niet eens met Koen wandelen langs de haven?' suggereerde Anneleen.

Ik kon geen kant meer op en liep op Koen toe. Matthias stond bij hem maar van zodra hij mij zag, verdween hij discreet.

'Wil je wat drinken?' Ik bood hem het flesje aan.

'Dat is al het derde, jij probeert me dronken te krijgen, of wat?'

'Ja.'

Een eerlijk antwoord.

'Ik heb het warm gekregen van al dat dansen. Zin in wat frisse lucht?'

Koen volgde me naar buiten zonder verdere vragen te stellen. Tachtig paar ogen prikten in mijn rug. Zuigend aan onze rietjes liepen we richting het haventje dat een perfecte halve cirkel vormde. Een korte pier waar vissers de volgende morgen hun verse vangst konden verkopen onderbrak een smal afhellend strand. Overal lagen sloepen eenzaam met uitgeworpen anker te dobberen in het water. Koen en ik namen plaats op het enige bankje dat de haven rijk was. De wind kuste en koelde mijn licht verbrande schouders.

'Heb ik het verkeerd voor of word jij ook aangesproken over een eventuele romance tussen ons?' begon ik.

'Dat heb je goed gezien. Jij ook?' klonk het nieuwsgierig.

Ik knikte.

'We kunnen onze medestudenten zonder moeite volhardend noemen.'

'Sorry', verontschuldigde ik me.

'Dat is jouw schuld niet.'

'Nee, ik bedoel... dat ze niet ver naast de waarheid grijpen. Van mijn kant toch niet.'

'Ik kan niet ontkennen dat het goed klikt tussen ons maar...'

'Maar je hebt al een vriendin thuis?' onderbrak ik hem.

'Nee, ik heb nog nooit een vriendin gehad. Ik ben gewoon niet het soort gast dat meteen met ieder meisje de koffer in duikt. Ik moet de volle zekerheid hebben over haar en mijn gevoelens vooraleer ik iets met iemand zou beginnen. Rondom ons zie ik zoveel romances beginnen en ik voel gewoon dat die het Erasmusgebeuren niet zullen overleven. Ik wil zo niet eindigen. Laat ons zeggen dat ik erover zal nadenken.'

Het voelde aan als een beleefde afwijzing. Het onderwerp werd afgesloten en ik gooide het over een andere boeg.

'Waarom ben je naar Athene gekomen?'

'Hoe bedoel je?'

'Iedereen heeft een reden om voor een halfjaar weg te zijn van huis. Sommigen rennen weg van iets thuis, anderen zijn op zoek. Wat is jouw reden?'

'Wel, die ligt voornamelijk bij mezelf. Ik ben naar hier gekomen om zelfstandiger, assertiever en extravert te worden.'

Ik keek hem veelbetekenend aan. 'Dat is een goede reden.' Ik trok bedenkelijk aan mijn sigaret. 'Waaraan moet die ideale vriendin van jou dan wel voldoen?'

'Om te beginnen ben ik een voetballer en draag ik gezondheid hoog in het vaandel. Ik hou niet zo van rokers. Dan heb ik het idee dat ik een asbak moet kussen.'

Met die droge opmerking bracht Koen me aan het lachen. Bovendien was zijn opmerking ook nog efficiënt want ik gooide mijn peuk op de grond en trapte hem uit. Een goede reden om te stoppen, dacht ik. Het werd mijn laatste sigaret.

Ik weet niet hoe lang we daar in de haven op het bankje zaten. Het werd zo koud dat we terug naar de discotheek wilden maar de weg niet meer vonden in het labyrint van kleine straatjes. Daardoor misten we de eerste bus naar het hotel en de enige rit die nog overbleef was die van vijf uur 's morgens met alle dronken studenten. Willemien en Hedwig waren al met de vroege bus vertrokken.

Om de een of andere reden voelde Koens afwijzing niet pijnlijk, zelfs niet vernederend aan. Hij had het tactvol aangebracht en een logische uitleg gegeven. Ik kon ermee leven. Maandagmorgen klopte Koen opnieuw op de deur van onze hotelkamer nog voor ik de kans had gehad me aan te kleden en de slaap uit mijn ogen te wrijven. We brunchten samen en gingen even naar het strand. Koen sloeg een uitnodiging voor een partijtje voetbal af en kwam bij me liggen op de badhanddoek.

'Wil ik je rug insmeren, Anne?'

'Ja, bedankt.'

Iedereen bleef discreet op een afstand maar we werden in de gaten gehouden. Koen raakte erdoor uit zijn humeur en na twee uur wilde hij terug naar binnen. Door het late ontbijt hadden we het middagmaal overgeslagen. Onderweg naar onze kamers stelde ik voor alvast een douche te nemen.

'Dan ben ik toch al opgefrist voor het avondeten. We zijn dan wel wat vroeg maar misschien kunnen we in afwachting wat drinken in de bar?'

'Dat is een goed idee.'

We bereikten eerst de deur van Koens hotelkamer maar in tegenstelling tot wat ik verwachtte, liep hij mee tot aan de deur van mijn kamer en ging comfortabel op het voeteinde van mijn bed zitten alsof hij daar hoorde.

'Euh, ik ga me douchen.'

'Neem je tijd, ik wacht wel.'

Onder de douchestraal piekerde ik me suf. Waarom zat hij hier nu? Koen had me toch afgewezen of overwoog hij toch om op mijn avances in te gaan? Ik besloot niets te verwachten en alles op me te laten afkomen. Ik zag wel waar het eindigde maar besteedde toch iets meer aandacht aan mijn uiterlijk dan gewoonlijk. Een paars rokje en een wit topje, een streepje mascara en een vleugje parfum maakten het af. Daarna voegde ik me bij Koen die ondertussen het halve bed had ingepalmd. De eerste minuten werd er nog gepraat over koetjes en kalfjes. Het leek overbodig dus na een tijd zwegen Koen en ik gewoon. Alles wat gezegd moest worden was gezegd. We lagen daar en keken elkaar diep in de ogen. Ik probeerde in zijn grijsblauwe kijkers te ontcijferen of hij van idee veranderd was. Voor het eerst in dagen gierden de emoties door mijn keel. Koen legde zacht zijn hand op de mijne en boog zich naar me toe. Toen hoorde ik een sleutel in het slot en iemand die op de deur klopte.

Willemien: 'Stoor ik?'

'Nee, hoor!' Ik probeerde het zo oppervlakkig mogelijk te laten klinken.

'Nou, jullie hebben toch al gezoend of niet?'

Een typisch voorbeeld van Nederlandse directheid. Koen veerde op en kreeg een bloedrood hoofd als een klein kind dat met zijn hand in de snoeppot betrapt was.

'Euh, Anne, euh, ik ga even naar mijn kamer. Ik zie je straks wel.' Weg was hij.

'Willemien, wat zeg je nu?'

'Wat? Jullie zijn nu toch een koppel of niet?'

'Nee, hij stond net op punt me te kussen.'

'Hoe kan ik dat nu weten? Ik kom binnen, zie twee benen over een voeteinde hangen en dan ineens Koens rode hoofd. Natuurlijk dacht ik dat jullie bezig waren. Wat moest ik anders denken?'

Ik gierde het uit.

'Je bent niet boos op me?' vroeg Willemien toen bezorgd.

'Ach, nee, gewoon uitstel van executie. Laat hem nog maar wat zweten', knipoogde ik.

Het was onze laatste avond op Mykonos. Na het diner dat Koen en ik opnieuw alleen uitzaten, had ons gezelschap de omgeving rond het zwembad gereserveerd voor een echte poolparty. De sfeer was uitgelaten, iedereen had een glaasje op en de stemming werd er alleen maar beter door.

Plots stond Hans voor onze neus: 'Koen, we zijn een beetje in de war. Ik moet het weten in naam van alle studenten. Zijn jullie nu een koppel of niet?'

Als ik me al niet verslikte in mijn drankje bij het horen van de vraag, dan was dat zeker het geval bij het antwoord.

'Nog niet', klonk het laconiek uit Koens mond.

Dat was duidelijk.

Ik stond verstomd.

Koen keek me aan: 'Kom, we gaan.'

'Naar waar?'

'Het strand. Om af te koelen!'

Daar kreeg ik eindelijk mijn eerste kus van Koen, samen met ongeveer veertig muggenbeten die ongemerkt mijn kuiten tekenden. Zo erg gingen we in elkaar op.

Alles viel in de plooi. Koen en ik groeiden steeds meer naar elkaar toe en mijn nieuw lief wond er geen doekjes om. Hij liet aan iedereen merken dat ik zijn vriendin was. De groep Erasmusstudenten begon zich langzaam in tweeën te splitsen. De feestbeesten enerzijds en de rustigere types anderzijds. Nog geen maand ervoor had ik me met plezier bij de eerste groep aangesloten. Met Koen erbij was alles anders. Ik hoefde niet meer iedere morgen wakker te worden met een kater. Bij de feestbeesten kon onze relatie op weinig bijval rekenen. Steeds vaker kregen we te horen dat het puur tijdverlies was want de kans miniem was dat we het na onze stage zouden volhouden. We besloten ervoor te gaan en boekten een paar dagen Santorini voor ons twee om het te vieren.

Ik nam uitgebreid de tijd om mijn lief te leren kennen. Omdat we niets van thuis bij ons hadden om onze verhalen te illustreren tekenden we zelfs plannetjes van de huizen waar we woonden. Zo groot was de drang om elkaar beter te leren kennen. Van op Santorini belden we onze ouders om te vertellen dat we een koppel waren. Bij mij liep dat al wat vlotter dan bij Koen.

Met een: 'Nee, ma, het is geen Griek. Het is een Belg en hij heet Koen. Hij komt uit het Waasland', kon ik haar geruststellen.

Koen moest het thuisfront niet alleen op de hoogte brengen van het feit dat hij voor het eerst een vriendin had maar ook nog dat het meisje in kwestie maar één arm had. We wilden zijn achterban voorbereiden op mijn komst. Ik begreep zijn ongemak en stond hem bij tijdens het telefoongesprek.

'Papa, ik bel eigenlijk voor iets speciaals.' Koen nam een hap lucht en begon. 'Ik heb hier een meisje ontmoet en we zijn een koppel geworden.'

Zijn vaders reactie kon ik niet horen.

'Nee, nee. Het is een Vlaamse, ze komt uit Brugge.'

Koen zweeg even.

'Anne. We zijn een maand samen. Maar ik moet nog iets zeggen dat redelijk belangrijk is.' Zijn stem trilde van de zenuwen. 'Anne is gehandicapt, ze heeft maar één arm.'

Aan Koens gezicht zag ik dat zijn vaders reactie hem deugd deed en kort daarna beëindigde hij het telefoongesprek.

'Weet je wat papa zei toen ik het hem vertelde? Hij zei letterlijk: "Koen, je weet toch dat wij daar geen probleem van maken."'

Ik was opgelucht voor mijn vriend en voor mezelf.

We brachten steeds meer tijd met elkaar door maar dat wierp een praktisch probleem op. Koen deelde zijn studentenkamer met Matthias die een meisje erbij niet zag zitten, wat volkomen te begrijpen was. In het hotel kon mijn lief ook niet overnachten omdat hij vijfduizend drachme moest betalen per nacht dat hij bleef slapen, wat een dure zaak werd voor een student. We zeiden weleens voor de grap dat ik me een hoer voelde met de hoteleigenaar als pooier en één unieke klant. Maar mijn huisbaas had geld geroken en stelde Koen voor om bij me in te trekken tegen dezelfde prijs als zijn kamertje bij Matthias. Na overleg met het thuisfront namen we het voorstel aan.

Twee maanden later vertrok ik naar België om met mijn moeder kerst door te brengen. Koens ouders vlogen op hetzelfde moment naar Athene zodat hij niet alleen zat. Ik belde hem dagelijks. Op tweede kerstdag keerde ik terug naar mijn stageplaats. Ik had Koen in die vier dagen enorm gemist. Op de luchthaven leerde ik eindelijk zijn ouders kennen. We woonden al maanden samen en kenden elkaars persoonlijkheden als onze eigen broekzak, toch konden we geen voorstelling maken van elkaars omgeving en leven in België. Theo en Fabiënne hadden foto's van hun zoon meegebracht zodat ik me er een beter beeld van kon vormen. Ik kon het onmiddellijk goed met hen vinden. In Theo's innemende persoonlijkheid zag ik trekken van Koen.

Zijn uiterlijk had hij meer van Fabiënne. Ik was eigenlijk wel zenuwachtig geweest voor die ontmoeting. Ongetwijfeld zijn Theo en Fabiënne met koffers vol indrukken terug naar België gekeerd.

We reserveerden voor oudejaar een tafel in een restaurant aan de voet van de Akropolis. De avond zelf waren we de enige buitenlanders in het etablissement. De rest van de verbruikszaal werd gevuld met een traditioneel grote Griekse familie die aan lange tafels om ter luidst naar elkaar riep. Een band deed er met de livemuziek nog een schepje bovenop. Vanuit een hoekje bekeken we het tafereel geamuseerd. Die rust werd ons niet lang gegund en men begon ons grote hoeveelheden sterke drank te trakteren. In weinig tijd stonden we mee op de dansvloer. Bij het betalen van de rekening om kwart over twaalf gaven we onze laatste drachme uit en haastten we ons naar een bankautomaat om de eerste euro uit de muur te halen. Op Syntagma, het centrale plein van Athene, was ondertussen een groot volksfeest losgebarsten. Griekenland was immers het eerste land van de Eurozone dat 2002 vierde en een uur eerder begon aan het tijdperk van een eengemaakt monetair Europa met een gemeenschappelijke munt. En wij waren bij dat historische moment aanwezig.

Ik keek naar het opgelichte blauwe euroteken dat in het midden van Syntagma op een piramide te bezichtigen was en probeerde de betekenis van dat ogenblik te begrijpen. Het voelde aan als een scharniermoment, voor mij en voor het stukje wereld waarin ik leefde. Nog niet zo lang geleden was ik een eenzaat, plots wandelde ik door het leven met een man aan mijn zijde op wie ik kon bouwen. Ik durfde weer te dromen, te geloven in een toekomst. Nog niet zo lang geleden vochten de volkeren van dit werelddeel oorlogen met elkaar uit en plots betaalden ze met dezelfde munten en briefjes. We waren op het goede pad maar hadden nog een lange weg voor de boeg.

EPILOOG

Op 9 februari 2002 vertrokken we definitief uit Athene. Koen en ik hadden een zestal vakken met succes afgelegd. Mijn eindwerk over de evolutie van de Griekse sociale zekerheid was zogoed als uitgeschreven. Afscheid nemen van Griekenland viel ons zwaarder dan verwacht. We hadden er een prachtige tijd beleefd en een romance kunnen laten uitgroeien tot een stevig fundament voor een langdurige relatie. Ze was tegen een stootje bestand, en maar goed ook.

Mijn vriend en ik moesten na ons leven in Griekenland een nieuwe routine zien te vinden. Dat was niet gemakkelijk. In het weekend logeerde ik bij Theo en Fabiënne. Tijdens de week bleef Koen dan bij mij in Leuven. Soms zagen we elkaar een paar dagen niet en dan woog zijn afwezigheid zwaar. We waren zo gewend geraakt aan het permanente samenleven op een klein kamertje dat België ons veel te groot leek.

Bovendien voelden mijn vriend en ik dat we niet door iedereen aanvaard werden als koppel. Sommigen vonden me te min voor Koen, waarom was ons een raadsel, en mijn familie stond met haar adellijke achtergrond niet echt te springen om de kleinzoon van een boer. Aanvankelijk vonden wij het best grappig. Niemand was tevreden dus het kwam wel in orde, stelden we elkaar gerust. Maar dat klopte niet helemaal. Want sommige opmerkingen waren heel gemeen. Vooral die van Kathy. Ik wist dat Koen er uitermate gekwetst door was. Hem een hart onder de riem steken was het enige wat ik kon doen. We probeerden er geen aandacht aan te schenken, maar samen met de pogingen om Koen in mijn leven en mij in zijn leven in te passen betekende het een extra druk op onze relatie. En op een bepaald ogenblik had ik geen zin meer om nog langer tegen vooroordelen op te botsen. Een paar keer heb ik Koen gevraagd om uit elkaar te gaan. Hij weigerde: 'Ik hou van je en ik weet dat jij ook van mij houdt.'

'Liefde alleen is niet genoeg. Ik ga na een hele jeugd vechten voor mijn geluk nu niet ook nog eens voor jou vechten. Daar heb ik de energie niet meer voor.'

Koen voelde zich schuldig om wat zijn kennissen over me zeiden. Hij kon hun kortzichtigheid niet begrijpen maar tegelijk was hij er de man niet naar om rechtstreeks de confrontatie aan te gaan en voor me op te komen. Zijn positie binnen de voetbalploeg werd sterk ondermijnd door mijn aanwezigheid. Weinigen namen hem of wat hij zei nog serieus puur vanwege zijn keuze in de liefde en dan voelde ik me weer schuldig. Wat misten we ons kleine hok in Athene.

Ondertussen legden we de laatste hand aan onze eindwerken en studeerden de paar vakken waarvan we nog een examen moesten afleggen. Sinds mijn terugkomst was ik nog amper weggeweest in Leuven. De aantrekkingskracht tussen mij en de studentenstad was verdwenen. Op 5 juli 2002 behaalden we beiden ons diploma. Begin september betrokken we samen een appartement in het centrum van Sint-Niklaas.

Wat later vonden Koen en ik bijna tegelijkertijd werk, hij bij een tapijtenfabrikant als productieplanner, ik bij een administratie van de overheid, maar de druk op ons als koppel bleef bestaan. Ik had het vooraf moeten weten dat ik de situatie niet kon blijven volhouden en toch kwam de ontlading als een donderslag bij heldere hemel. Koen was me voor de aardigheid met de auto van het werk komen halen. Op de A12 tussen Brussel en Antwerpen reden we op het tweede baanvak toen een Audi in volle vaart een oprit nam en onmiddellijk op onze rijstrook wilde. Tegelijk voerde een BMW links van ons een gelijkaardig manoeuvre en ik zag ons al met onze kleine Opel geplet tussen de twee snelheidsduivels. Ik gilde en Koen remde uit alle macht. Voor ons zagen we de twee roekeloze chauffeurs vechten om de wegruimte. We hadden echt wel veel geluk gehad. Toen we bij ons appartement kwamen, daverde ik nog steeds over heel mijn lichaam en ik was niet eens meer in staat om de trap naar onze flat te beklimmen. Als een zielig hoopje zakte ik in de hal van het flatgebouw in elkaar. Koen heeft me naar boven gedragen, uitgekleed en in bed gestopt maar veel kon ik me daar achteraf niet van herinneren. Ik was in shock. Ik had gevochten, gestreden maar verloren.

Noch Koen, noch ik konden ontkennen dat er iets ernstigs met me aan de hand was. Mijn vriend belde naar mijn werk en meldde me voor lange tijd ziek. Ik had een zware depressie.

We zochten en vonden een psycholoog die bereid was een therapie uit te stippelen zonder medicatie, want daar stond ik huiverachtig tegenover. Met zijn hulp ging ik tot op het bot. Meer dan een jaar lang liep ik minstens een keer per week bij Bram langs en kwam tot enkele verrassende conclusies.

Zonder reserves vertelde ik hem alles over sommige van mijn familieleden die zich schaamden voor mij, over de aanranding en mijn moeders reactie daarop, over de pesterijen uit mijn tienerjaren, over het schuldgevoel dat ik had ten opzichte van Koen omdat steeds meer kennissen hem de rug toekeerden en over mijn werk bij de overheid.

Bram gebruikte dezelfde beeldspraak die ik altijd in mijn schrijfsels verweefde. Dan nam hij een elastiekje van zijn bureau en spande het tussen twee vingers.

'Kijk, dat zijn jouw emoties, de druk op het elastiek geeft weer onder welke spanning jouw zenuwen staan.'

Iedere periode van spanning was afgewisseld met een moment van rust waarin ik de tijd had genomen om op eigen houtje de wonden op mijn ziel te verzorgen. De reizen naar Ierland, mijn studententijd en de stage in Athene waren daar voorbeelden van. Ik had dat alleen gedaan omdat er niemand beschikbaar was of omdat ik niemand meer durfde te vertrouwen. Zelfs Jozefien en Ellen, van wie ik wist dat ze altijd voor me klaarstonden, had ik mijn diepste zorgen niet toevertrouwd. Ik had altijd alle contacten oppervlakkig gehouden uit angst gekwetst te worden. Ik had hard geprobeerd te vluchten voor mijn verleden zonder te beseffen dat ik mijn trauma's in mijn knapzak met me meedroeg. Op een verkeerde manier had ik mijn gebreken willen verbergen en die overgecompenseerd. Ik had mezelf en mijn omgeving altijd voorgehouden dat ik zelfstandig was en geen vaderfiguur nodig had. Ineens besefte ik dat ik veel zwakker was, dat ik een steunpilaar enorm had gemist.

'Wist je dat je meer respect verdient door je zwaktes toe te geven? Het maakt je een sterker mens.'

Ik moest leren dat opgeven niet per se mislukken betekende en dat doorzetten niet per definitie tot succes leidde. Ik stelde vast dat ik al die jaren geleden misschien beter van school was veranderd, maar daar was het nu te laat voor. Het afwegen van pro en contra's in elke situatie zou me in de toekomst richtlijnen geven vooraleer ik knopen kon doorhakken.

Ik moest eerst en vooral zelf leren te aanvaarden dat ik anders was. Wat was normaal handelen in mijn geval? Handelen zoals iedere invalide, wat lijnrecht tegen mijn karakter indruiste, of handelen zoals een normaal mens waarmee ik grote kans liep tegen enkele gevoelige schenen te stampen? De waarheid lag ergens tussenin. Ik moest leren te doen wat mijn hart me ingaf en me niet aan te trekken wat een ander daarvan vond. Me desnoods te distantiëren van dergelijke personen.

Om niet te willen opvallen had ik gedaan wat mijn omgeving van me verwacht had. Ik had gestudeerd omdat mijn ma dat wilde en een baan aangenomen omdat die zich toevallig aanbood. Ik was het verleerd mijn dromen na te jagen en durfde geen verwachtingen meer te hebben voor mijn toekomst. Ik had enkel nog ideeën maar geen wensen omdat ik dacht dat ik daar geen recht op had.

Bram vroeg me of er in mijn vijfentwintigjarige bestaan iets was dat me echt geraakt had.

'Mijn grootste ergernis was het constante opboksen tegen vooroordelen.'

'Geef eens een voorbeeld.'

'Zelfs al zeggen mensen me dat ik voor hen niet minderwaardig ben, toch reageren ze vaak tegenovergesteld. De meeste hebben niet eens door dat ze het doen maar ik maak het bijna dagelijks mee. Als ik bijvoorbeeld met iemand sta te praten en er komt een derde persoon bijstaan, dan schakelt bijna iedereen over op die persoon.'

Koen zat deze keer bij het gesprek met Bram en hij knikte bevestigend: 'Dat heb ik ook al vaak geconstateerd. Het is echt opvallend hoeveel mensen me vragen wat Anne gestudeerd heeft. Als ik dan zeg dat ze hetzelfde diploma heeft als ik reageren ze bijna altijd verbaasd. Zo van: "Allez, kan die dat met haar handicap?" Niemand staat erbij stil dat je voor bijna niets in het leven echt twee handen nodig hebt. Anne vindt voor alles wel een oplossing.'

In hetzelfde gesprek vroeg mijn therapeut ook naar mijn passies, naar wat ik had willen doen maar wat er nooit van gekomen was.

Lang hoefde ik er niet over na te denken: 'Schrijven en muziek spelen.'

'Dan wordt het tijd om daar eens aan te beginnen.'

Het tweede was fysiek onmogelijk geworden maar ik liet me het eerste niet meer afnemen.

Tijdens de lange herstelperiode vertelde ik Koen stukje bij beetje wat ik allemaal in mijn verleden meegemaakt had. Dat was niet zo evident maar ik moest hem leren vertrouwen. Onze relatie werd er alleen maar sterker door. Het nieuwe evenwicht deed ons verlangen naar een volgende stap, een kind en misschien een huisje. We waren er beiden van overtuigd dat we dan eerst moesten trouwen.

Daarvoor wilden we zeker van ons stuk zijn, dus vertrokken we in het voorjaar van 2004 op vakantie naar Mykonos om op zoek te gaan naar waar het allemaal begonnen was en naar waar we in de toekomst naartoe wilden. Koen kende al mijn geheimen en zag me nog steeds graag. Dat kon niet anders dan echte liefde zijn. Hij maakte van mij een beter mens. Ik was door het vertrouwen dat hij me schonk nog meer van hem gaan houden. Hij had mijn hart in zijn handen en koesterde het. Een betere levensgezel kon ik me niet wensen.

De laatste avond van onze vakantie huurde Koen een scooter en reed in de avondschemering naar de andere kant van het eiland waar een hotel stond aan een strand dat ik sinds de nacht dat ik hem voor het eerst had gekust, niet meer gezien had. Met het geruis van de branding op de achtergrond zaten we op een dode boomstronk naar een rode zonsondergang te kijken. Koen overhandigde me een geelgouden ring met zeven briljanten op een rij.

'Eén voor elke dag van de week dat ik er voor je zal zijn.'

Mijn verloofde hoefde me niet te zeggen hoeveel hij wel van me hield en omgekeerd. Dat wisten we al. Wederzijds vertrouwen en steun waren minstens even belangrijk.

De voorbereidselen voor ons huwelijk, dat op 29 januari 2005 zou plaatsvinden, deden we grotendeels zelf. Naast de verplichte traditionele aspecten die bij een trouwdag komen kijken, wilden we er zoveel mogelijk onze eigen stempel op drukken.

Op onze trouwdag zelf was het amper vier graden Celsius maar de zon scheen alsof het mei was. Ik droeg een zware satijnen ecru japon met een sleep van twee meter. Het lijfje was bezaaid met Swarovskisteentjes en afgewerkt in een boothals zonder mouwen. De rok viel in een modieuze A-lijn. Mijn haren staken op met hier en daar een witte roos als accent. Ik voelde me in elk opzicht een prinses. Mijn bruidegom droeg een bruin tweedelig kostuum met een beige hemd. Hij straalde en was duidelijk geëmotioneerd toen hij me mijn bruidsboeket overhandigde. In zijn ogen zag ik dat ik de juiste keuze had gemaakt.

Jozefien creëerde met haar Ierse groep een emotionele, magische sfeer tijdens de eucharistieviering waarbij we iedereen vroegen om zo dicht mogelijk rond ons te komen zitten. Koen en ik hadden weken gewerkt aan de teksten die onze vrienden en familie duidelijk moesten maken dat we aan de toekomst wilden bouwen, met de zekerheid dat het vroeg of laat weleens moeilijk zou kunnen worden. Dat de boodschap aangekomen was, bleek uit enkele leuke en positieve reacties van de genodigden.

Niet iedereen was op onze uitnodiging ingegaan. Een deel van Koens kennissen, voornamelijk van zijn voetbalploeg, had zijn kat gestuurd. Ze verklaarden hem achterlijk omdat hij met me trouwde. Mijn echtgenoot besloot daarom het team te verlaten en ergens anders zijn voetbalhart uit te storten. Het was zijn typisch woordeloze manier om te laten zien dat hij onvoorwaardelijk voor me koos.

Ik was nog steeds in behandeling bij Bram, maar die therapie liep langzaam op haar einde en het werd tijd om enkele knopen door te hakken. Op mijn werk vroeg en kreeg ik mijn ontslag. Vreemd genoeg voelde het als een opluchting. Ik had me er langzaamaan bij neergelegd dat ik nooit iedereen zou kunnen overtuigen dat ik afgezien van mijn rechterarm een normaal mens was met normale behoeften en wensen. Ik zou er altijd rekening mee moeten houden dat iemand die met mij in dialoog ging vroeg of laat uit onwennigheid een andere gesprekspartner zou zoeken. Ik was degene die de keuze had op te geven of respect af te dwingen.

Midden mei voelde ik steeds vaker pijnlijke steken in mijn borsten en hevige menstruatiepijnen. Ik dacht dat mijn maandstonden eraan zaten te komen. Die waren altijd al onregelmatig, dus hield ik nooit een kalender bij. Omdat het bleef duren bezocht ik uiteindelijk een arts die me dezelfde dag wist te vertellen dat ik zes weken zwanger was. Het was de eerste keer in mijn leven dat ik huilde van geluk. Met een ingepakte fopspeen vertelde ik mijn echtgenoot het goede nieuws. Het was de bekroning van onze relatie, de kers op de taart die het allemaal afmaakte.

Een golf van energie maakte zich van me meester en ik wilde alles perfect in orde hebben voor de baby. Maar dat was niet echt verstandig. Tot tweemaal toe, in de derde en de zevende maand, kreeg ik hevige buikkrampen en dreigde een miskraam. Verplichte rust en veel slaap hielpen me erbovenop. Andere zwangerschapskwaaltjes bleven gelukkig achterwege. Koen en ik droomden hardop over hoe onze eerstgeborene eruit zou zien. Ik hoopte op een blonde zoon met Koens grote felblauwe ogen, lange wimpers en prachtige glimlach. Koen wenste een dochter die net zo extravert was als haar moeder en met evenveel energie. Gespannen wachtten we af wie van ons gelijk zou krijgen.

Op 1 januari 2006 kreeg ik tijdens de nieuwjaarsbrunch bij Theo en Fabiënne gedurende een halfuur om de vijf minuten weeën. De dagen daarop herhaalde dat tafereel zich enkele keren. Mijn koffertje werd klaargezet.

Op 5 januari gingen Koen en ik om middernacht slapen. Ik denk dat ik misschien tien minuten in bed lag toen ik een hevige trap kreeg van de baby. Mijn buik werd hard en ik wilde even opstaan om rond te lopen. Bij het uit bed stappen vloeide een rijkelijke hoeveelheid vruchtwater. Mijn vliezen waren gebroken. Ik wekte mijn wederhelft en hij waarschuwde het ziekenhuis. Ik nam een douche vooraleer we de rit van drie kwartier naar Mechelen aanvatten. De wegen waren spiegelglad en onderweg kwamen de weeën gemeen hard opzetten. In het ziekenhuis bleek ik al behoorlijk wat werk verricht te hebben, toch duurde het tot zes uur 's morgens vooraleer ik in het bevallingsbad mocht. Eens in het water ging de arbeid snel vooruit en op minder dan een uur had ik volledige ontsluiting. Het duurde nog eens tien ellenlange persweeën vooraleer de baby met zijn drieduizend zevenhonderdzestig gram en vierenvijftig centimeter ter wereld kwam.

Op 6 januari om kwart over acht werden Koen en ik papa en mama van Niels. In tegenstelling tot mijn moeder, haar moeder en alle vrouwen in mijn familie die me voorgegaan waren, was mijn eerste kind een zoon. De cirkel werd doorbroken.

Alles verliep rimpelloos en mijn nieuwe rol paste me goed. Toen Nielsje een maand oud was, bezochten we mijn grootmoeder om haar haar jongste achterkleinkind te laten bewonderen. Bomma werd dat jaar zesentachtig en was voor haar leeftijd nog zeer goed van geest. Koken en het huishouden vormden ook geen enkel probleem. Alleen trappen op- en aflopen werd haar te moeilijk, daarom was ze Niels niet komen bezoeken in de kraamafdeling.

'Dag bomma. Alles goed?' groette ik haar.

'Ja, hoor. Kom, laat me hem eens bekijken.' Bomma was altijd blij bezoek te ontvangen en kon bijna niet wachten om Nielsje te zien.

'Dag, Johanna.'

Koen droeg Niels in zijn reiswieg binnen en gaf mijn grootmoeder een zoen. In een haast zette mijn echtgenoot zijn bagage op de eettafel want we verwachtten elk ogenblik een krijs om eten.

'Johanna, kan ik de melk alvast opwarmen?'

'Ja, Koen, je vindt alles in de keuken. Doe alsof je thuis bent.'

Haar aandacht was volledig gericht op het wriemelende pakketje in de reiswieg. Mijn grootmoeder trok duidelijk geëmotioneerd het dekentje van Niels en liet zijn fijne vingertjes rond haar verweerde pink krullen. Mijn verleden keek liefdevol naar mijn toekomst. Het verwarmde mijn hart en ik prentte het tafereel in mijn geheugen.

'Anne, kijk eens wat ik hier vind?'

Ik richtte mijn aandacht op het kleine zilveren lepeltje dat Koen in zijn handen had. Het kleinood vertoonde deels vervaagde graveersels en was erg zwaar. Twee letters op het steeltje waren nog zichtbaar, een I en een M. Mijn grootmoeder was nog steeds met haar volle aandacht bij Niels.

Nieuwsgierig wendde ik me tot haar: 'Bomma, waar haal je zoiets moois vandaan?'

Ze nam haar achterkleinkind uit zijn bedje.

'Dat, Anne, is een lang verhaal.'

Mijn reizen hebben me doen beseffen dat ik het verleden nooit volledig achter me zal kunnen laten. Ik kan het verwerken, eruit leren en het een plaats geven. De littekens op mijn ziel hebben mijn karakter gevormd. Soms in goede, soms in slechte zin. Ironisch genoeg moet ik het trio bedanken dat mijn puberjaren verziekte. Door hen vond ik op moeilijke momenten de kracht om door te gaan met mijn studie. Ze leerden me mijn koppigheid om te buigen in doorzettingsvermogen.

Jozefien werd onderwijzeres, 'om eens het goede voorbeeld te geven'. Ze werkt in een school voor kinderen met leerproblemen. Haar enthousiasme inspireert haar collega's, haar leerlingen en mij.

Benedict heb ik niet meer gezien en nooit ben ik in staat geweest hem de waarheid te vertellen over wat er die nacht werkelijk met me aan de hand was. Ik weet nog steeds niet de achterliggende reden van zijn vlucht. Maar ieder jaar als ik de klok een uur vooruitzet, trekt Benedict in een vage flits aan me voorbij.

Veel van onze Erasmusvrienden zijn we uit het oog verloren, behalve Hedwig en Willemien. Den Haag en Delft zijn een paar uur rijden van het prachtige dorpje waar ik me met mijn man een zoon gesteld heb. In een doodlopende straat, zoals ik altijd graag wilde. Het linkshandig concerto van Ravel staat nog steeds op mijn verlanglijstje. Het schrijven van dit boek heeft mijn enige hand echter behoorlijk overbelast, maar ik heb het er graag voor overgehad.

Koen kwam daarnet thuis met Niels. Vanuit mijn kamer zie ik hen samen zeepbellen blazen in de tuin. Mijn witblonde zoon houdt zijn voddenpopje stevig in zijn linkerknuistje. De bellen hebben door het spel van de zon alle kleuren van de regenboog en de wind voert hen mee naar een onbekende bestemming. Niels loopt verwonderd om zoveel pracht uitgelaten kirrend achter de zwevende bellen aan. Een voor een wil hij de bellen vangen en telkens hij daarin slaagt, verdwijnen ze in het niets, als een onbereikbare illusie.

Het tafereel schenkt me vandaag een goede dag. Ik rijg hem als een kraaltje aan een ketting waar er al heel wat hangen. Er is nog plaats voor meer.

DANKWOORD

Op voorhand had ik me voorgenomen geen dankwoord te schrijven, uit vrees iemand over het hoofd te zien. Maar het boek zou niet volledig zijn zonder dit.

Eerst en vooral wil ik mijn echtgenoot Koen bedanken voor zijn onvoorwaardelijke liefde en steun. Zijn begrip en geduld tijdens het hele proces waren grenzeloos. Hij was steeds bereid elk fragment te lezen en van commentaar te voorzien.

Dit boek zou nooit zijn geschreven zonder de hulp van Dirk Bracke. Ik dank nog steeds de warme aprilmiddag in 2007 toen hij besloot zijn telefoon te nemen.

Ik prijs me gelukkig dat ik heb mogen samenwerken met het team van Davidsfonds Uitgeverij. Jullie onvoorwaardelijke vertrouwen in mij, zelfs al was er nog niet eens sprake van een afgewerkt manuscript, heeft mijn hart verwarmd.

Ik denk aan Geert en zijn collega's. Iedere spatie in dit boek heb ik aan jullie te danken.

Verder mag ik ook niemand vergeten die mij en mijn man onvoorwaardelijk in hun hart hebben gesloten en regelmatig naar de vorderingen van dit werk informeerden. Dat zijn Ellen Vandevelde, Iris Cloostermans, Jozefien Goethals, de dames en heren van FCH Sinaai, Tom Velghe, de Breakfastclub en vele anderen.

Ik wil degenen bedanken die het allerbelangrijkst voor dit boek zijn geweest: mijn moeder en grootmoeder, die een bron van inspiratie waren. Vaak vroegen beiden me of ze het resultaat al mochten lezen. Ze mochten niet.

Tot slot denk ik aan mijn zoon Niels. Door zijn bestaan ben ik het verleden beter gaan begrijpen en de toekomst hoopvoller gaan zien. Nu weten ook jij en je eventuele toekomstige broers of zussen waar je vandaan komt. Dit is voor jou.

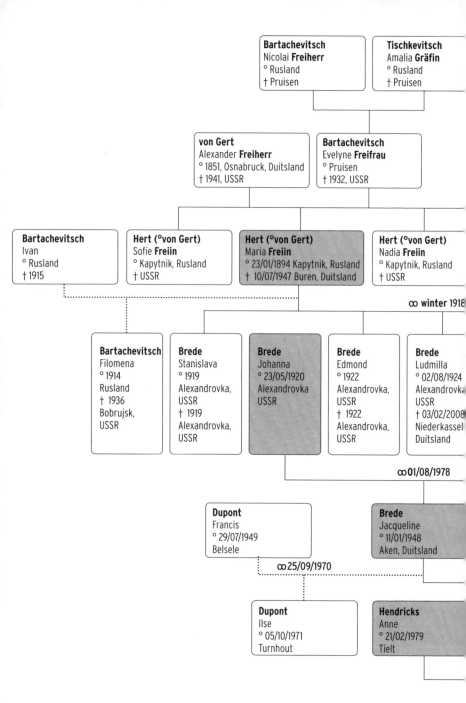

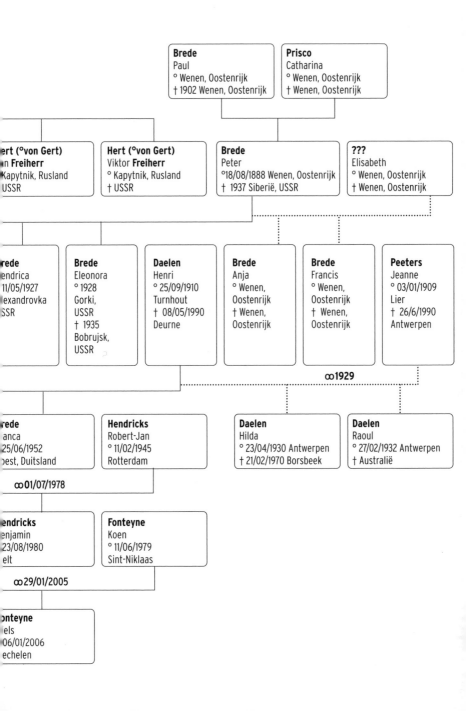

Brede
Paul
° Wenen, Oostenrijk
† 1902 Wenen, Oostenrijk

Prisco
Catharina
° Wenen, Oostenrijk
† Wenen, Oostenrijk

ert (°von Gert)
n Freiherr
Kapytnik, Rusland
USSR

Hert (°von Gert)
Viktor **Freiherr**
° Kapytnik, Rusland
† USSR

Brede
Peter
°18/08/1888 Wenen, Oostenrijk
† 1937 Siberië, USSR

???
Elisabeth
° Wenen, Oostenrijk
† Wenen, Oostenrijk

rede
endrica
11/05/1927
lexandrovka
SSR

Brede
Eleonora
° 1928
Gorki,
USSR
† 1935
Bobrujsk,
USSR

Daelen
Henri
° 25/09/1910
Turnhout
† 08/05/1990
Deurne

Brede
Anja
° Wenen,
Oostenrijk
† Wenen,
Oostenrijk

Brede
Francis
° Wenen,
Oostenrijk
† Wenen,
Oostenrijk

Peeters
Jeanne
° 03/01/1909
Lier
† 26/6/1990
Antwerpen

∞1929

rede
anca
25/06/1952
est, Duitsland

Hendricks
Robert-Jan
° 11/02/1945
Rotterdam

Daelen
Hilda
° 23/04/1930 Antwerpen
† 21/02/1970 Borsbeek

Daelen
Raoul
° 27/02/1932 Antwerpen
† Australië

∞01/07/1978

endricks
enjamin
23/08/1980
elt

Fonteyne
Koen
° 11/06/1979
Sint-Niklaas

∞29/01/2005

onteyne
els
06/01/2006
echelen

Achteraan van links naar rechts: Johanna en Ludmilla
Vooraan van links naar rechts: Maria, Hendrica en Peter

Maria,
1914

Johanna,
1939

Jacqueline,
1967